mylène rémy

le ghana
aujourd'hui

(3ᵉ édition)

**84 pages de photos en couleurs
9 cartes et plans**

LES EDITIONS DU
JAGUAR

sommaire   panorama

CRÉDIT PHOTO :
Olivier Blaise/Jaguar/J.A.
sauf :
I. Sanogo/AFP : pp. 58-59
D.R. hôtel Novotel Accra : p. 70 en bas à gauche - p. 218 en haut.

ville par ville site par site

le voyage

panorama

le sol et les hommes

■ Accra, capitale du Ghana, est par vocation une plaque tournante destinée aux rencontres et aux échanges internationaux, comme la Conférence des Pays Non-Alignés de septembre 1991.

Pourtant, pendant longtemps, les Occidentaux ont été pratiquement absents des rues et de la plupart des hôtels, à l'exception de quelques-uns dont le Novotel, principal lieu de rendez-vous des hommes d'affaires étrangers.

Faut-il en déduire que le « broni », comme les Ghanéens ont surnommé le Blanc avec humour, est indésirable ? Certainement pas en tant que visiteur. Quelles que soient sa couleur de peau, sa nationalité, sa religion, un visiteur reçoit toujours ici un accueil extraordinairement chaleureux : l'hospitalité ghanéenne est légendaire.

Mais le tourisme n'a guère eu jusqu'à présent de possibilités de se développer : avant d'aménager une chambre d'amis, il faut d'abord construire sa maison, une « maison » de 239 640 kilomètres carrés abritant environ 18 millions d'habitants, que son premier président, le docteur Kwame Nkrumah, voulait équiper sans aide extérieure.

De la Gold Coast au Ghana

Ce désir d'autonomie doublé d'une volonté de devenir le phare du continent subsaharien, le premier pays indépendant d'Afrique de l'Ouest les manifestait clairement, le 6 mars 1957, en fêtant à la fois sa nouvelle liberté et sa nouvelle identité.

Sa richesse en or l'avait fait surnommer « Gold Coast » par les Européens. En choisissant le nom de Ghana, le tout jeune État reprenait le flambeau d'un empire qui avait constitué un des sommets de l'Histoire panafricaine, un empire dont le rayonnement s'était étendu sur une longue période et sur bien des peuples.

Ce choix symbolisait la volonté de refuser le mode passif pour promouvoir le mode actif, de décider et non plus de subir, et de s'assumer totalement, au besoin avec ses propres erreurs.

Géographiquement, jamais les régions constituant aujourd'hui le Ghana moderne ne firent partie de l'ancien empire. Tout au plus y eut-il glissement de certaines ethnies de l'une à l'autre après la dislocation de ce dernier. C'est du moins ce qu'affirment quelques traditions des Akan, le groupe ethnique ghanéen le plus important sur le plan numérique. Notons à ce propos une pre-

mière coïncidence intéressante. Les liens de ce groupe avec l'or sont d'ordre véritablement mystique, tandis que la puissance des anciens empereurs fut essentiellement basée sur leur richesse en ce métal précieux, puisque, d'après un historien-voyageur arabe du XIᵉ siècle, ils « attachaient leurs chevaux à des blocs d'or massif ». Cette coïncidence ne serait-elle pas plutôt le souvenir qu'emportaient les émigrants de ce qui avait auréolé leurs souverains d'un prestige presque surnaturel ?

En tout cas, l'or ne cessera jamais de représenter le fil conducteur, tantôt bénéfique, tantôt maléfique, menant à travers les siècles de l'État d'autrefois à celui d'aujourd'hui : symbole des chefs traditionnels qui l'emploient couramment pour les objets et mobilier constituant leur environnement, à commencer par les tabourets sacrés les représentant par-delà la mort, l'or est présent dans les rivières et le sol de ce qui ne sera pas surnommé pour rien la « Côte de l'Or » !

Pourtant, lorsque Kwame Nkrumah décide de renouer le lien oublié, cet or a perdu son importance économique et le nouveau président compte bien plus sur le cacao, la forêt, le gigantesque projet du barrage d'Akosombo, pour développer l'économie de son pays et atteindre son but : faire du Ghana le leader d'un continent qu'il rêve de voir entièrement libéré du colonialisme. On sait qu'il ne pourra y parvenir.

Les années ont passé, les formules politiques aussi, et de nombreux bouleversements qui ont failli ruiner complètement ce pays aux immenses potentialités. Mais en quinze ans, le gouvernement actuel a réussi à redresser la barre malgré toutes les difficultés et à placer le Ghana sur une ligne ascendante, faisant de lui le point de mire de cette région du monde.

Comme l'empire dont il porte le nom et qui avait entretenu des rapports diplomatiques, commerciaux, culturels avec ses voisins, avec l'Asie, voire avec l'Europe, le Ghana moderne, après avoir surmonté une situation chaotique et restauré son économie, convaincu que l'autarcie risque de devenir une prison, entend bien créer des relations d'amitié avec le monde entier, et particulièrement avec ses frères africains.

Ce n'est pas un hasard si les routes du pays joignent Accra à Ouagadougou, capitale du Burkina-Faso, à Lomé, capitale du Togo et, depuis peu, à Abidjan, capitale de la Côte d'Ivoire. L'unité africaine n'a jamais eu de meilleur champion que le Ghana.

Pages précédentes :
Même si les forts construits par les Européens du XVᵉ au XVIIIᵉ siècle
sur la côte restent le symbole de l'oppression ,
les Ghanéens ne renient pas ces témoins de leur passé et
ils les défendent contre les assauts de l'océan.

Mais si le Ghana moderne apparaît désormais aux observateurs étrangers comme le phare que Kwame Nkrumah avait souhaité qu'il fût, après tout ce résultat, dû à quinze ans de réflexion et de labeur acharné de la part de l'équipe dirigée par le lieutenant Rawlings, est dans l'ordre des choses. Plus mystérieux est le fait que l'or, ce symbole des chefs traditionnels sur lesquels continue à s'appuyer l'État, ait bel et bien retrouvé sa place économique. Loin d'être épuisé, il est redevenu la richesse numéro un du pays, grâce à une politique de prospection rigoureuse et dynamique.

Ainsi, le lien avec l'Histoire retrouve-t-il toute sa signification, soulignant l'un des aspects les plus attachants de la population ghanéenne : une fierté et une fidélité à l'égard de son passé, de ses coutumes, de ses croyances qu'aucun étranger, touriste ou homme d'affaires, ne peut se permettre de méconnaître s'il veut la comprendre.

Le pragmatisme ghanéen

Il ne faudrait pas non plus considérer cette fidélité comme exclusive. Certes, les cérémonies traditionnelles, qu'il s'agisse de funérailles où se déroulent les plus belles danses ou de l'intronisation d'un nouveau roi, sur son pavois, couvert de ses insignes d'or, continuent à faire l'admiration des visiteurs, dans toutes les régions. Mais on y rencontre, portant le « kente » drapé sur l'épaule, l'avocat qui, hier, plaidait à Accra ou l'homme d'affaires vivant à Kumasi et Tema... et on pourra également les voir, dans la même tenue, le dimanche, au milieu du hall d'un hôtel ultra-moderne où ils seront parfaitement à l'aise.

Ce pragmatisme souple, qui sait allier respect des traditions et adaptation au monde d'aujourd'hui, on le rencontre un peu partout dans la vie moderne ghanéenne. C'est ainsi que les forts construits par les Européens tout le long de la côte, s'ils rappellent de tristes souvenirs d'esclavage, sont acceptés comme faisant partie d'un passé que l'on prend comme il est. Avec humour, aux « posuban », ces autels où les compagnies guerrières de la zone Fanti, dans le sud-ouest, venaient implorer le concours des dieux et des ancêtres avant la bataille, les statues s'inspirent aussi bien des traditions religieuses locales que de personnages de la Bible ou même de l'environnement des colonisateurs : bateaux de guerre anglais, voire horloges victoriennes !

Les Ghanéens, ces excellents commerçants, ont toujours su regarder autour d'eux et faire leur profit de ce qui venait de l'extérieur.

Y a-t-il correspondance étroite entre le caractère d'un peuple et les particularités de son sol ? On en est persuadé en constatant que cette ouverture vers le monde extérieur n'est ici pas seulement le fait des hommes, mais aussi celui du pays, dont le relief accidenté offre tant d'admirables points de vue, sans jamais constituer d'obstacle à la circulation.

Un sol pas si sage que ça

D'après les livres de géographie, le relief du Ghana serait assez simple. Le long de la côte se succèdent, depuis Sekondi, à l'ouest, jusqu'à la frontière togolaise, à l'est, des plaines, larges aux extrémités, étroites vers Accra. Dominant la mer dans leur zone occidentale, elles s'abaissent peu à peu jusqu'au delta de la Volta, mais se hérissent de collines rocheuses abruptes, nommées inselbergs pour leur ressemblance avec des îles surgissant de la mer.

Au-dessus de ces plaines, la moitié orientale du pays est presque entièrement formée par le bassin de la Volta, où alternent grès et autres pierres tendres, et dont l'altitude ne dépasse pas une moyenne d'une centaine de mètres. Il est dominé au nord-est par l'escarpement de Gambaga, au sud-ouest par le plateau Kwahu également bordé vers le sud de falaises verticales et, du sud à l'est, en arc de cercle, par les collines d'Akwapim et du Togo.

Les « hautes plaines » de la savane, d'une altitude variant entre 200 et 330 mètres, avec quelques inselbergs ou quelques collines arrondies, occupent tout le nord-ouest et se terminent en pointe le long de la frontière voltaïque, puis ivoirienne. Elles sont suivies, toujours à l'ouest, d'un plateau précambrien, de même altitude, recouvert de forêts et coupé de gorges profondes. Il descend jusqu'à la côte en s'élargissant et va rejoindre à l'est le plateau Kwahu.

Enfin, la géographie nous apprend encore que l'altitude moyenne du Ghana ne dépasse pas quelques centaines de mètres et que les plus hauts sommets s'essoufflent avant mille mètres.

Pourtant le voyageur, lui, ressent les choses tout autrement.

A Accra, la plaine semble s'étendre vers l'est sans un pli. Mais il suffit de sortir de la capitale dans cette direction pour tomber sur les fameux inselbergs, parfai-

Naissance d'une vocation ?
Ces enfants sur la plage de Kpone,
près de Tema, s'initient très tôt à la navigation,
avec les petits bateaux qu'ils ont eux-mêmes bricolés,
à quelques mètres des pirogues de leurs parents.

tement hautains malgré la médiocrité de leur hauteur, qu'ils soient isolés — et d'autant plus impressionnants — ou groupés, comme dans les Shaï Hills, bien suffisamment élevés pour celui qui gravit leurs pentes escarpées.

Quitte-t-on Accra vers le nord ? C'est pour apercevoir à l'horizon la crête des collines Akwapim. Le temps de jeter un coup d'œil sur la carte, et voilà que la route se tord en épingles à cheveux et que le paysage joue la haute montagne.

A l'ouest, combien fait-on de kilomètres sans voir une ondulation ou un hérissement du terrain ?

D'un bout à l'autre du Ghana, c'est la même chose. Le moindre itinéraire comporte sa ou ses collines, plus ou moins arrondies et dont l'aspect se renouvelle par la nature même de leur roche, qui passe de la plus friable à la plus résistante, du calcaire au granit et du blond clair au noir, flammé de rouge.

S'il fallait croire les cartes, entre les escarpements et les chaînes officiellement désignées, il ne se passerait rien. Erreur : l'horizon change sans arrêt de profil. Au moment où l'on s'y attend le moins, une couronne dentelée, plus ou moins large, plus ou moins boisée, cerne une ville, un lac, une vallée. Parfois la route prétend suivre une plaine. En fait, elle s'élève sans en avoir l'air et débouche brusquement au bord d'une falaise d'où la vue plonge sur d'immenses étendues soi-disant rectilignes. Mais la montagne y rappelle sa proximité en émiettant capricieusement des rochers, à forme humaine ou animale, qui donnent au paysage un aspect insolite.

Souvent ils s'allient avec un arbre pour composer une étonnante sculpture. Ailleurs, ils s'amoncellent pour ressembler à quelque escalier débouchant sur le ciel et se creusent de cavernes où les rayons solaires, obliques ou verticaux, créent des zones d'ombre sans cesse changeantes.

Un metteur en scène de génie a fait en sorte que l'attention ne se relâche jamais : chaque tableau comporte son moment culminant, suivi et précédé de temps calmes, car une intensité prolongée ne se percevrait plus.

Sur 560 kilomètres, plages de sable et falaises rocheuses se succèdent ou s'affrontent le long du golfe de Guinée. Nulle part leur contraste n'a autant d'effet dramatique qu'à Accra. Dans la brume de chaleur et les embruns provoqués par l'écrasement des vagues sur le rivage, l'observateur voit se perdre vers l'ouest une étendue sableuse cernée de dunes. Qu'il s'écarte de la mer et ne s'en rapproche que deux kilomètres plus loin, il tombera sur une côte d'une sauvagerie incroyable, une côte rocailleuse, fissurée, tourmentée, dominant de haut le bouillonnement des vagues.

La côte, toujours renouvelée

Jusqu'à la frontière occidentale avec la Côte d'Ivoire, sable et rochers se combineront sans fin, mais jamais d'une manière identique.

Vers l'est, les falaises s'interrompent pour laisser la place à un rivage horizontal. Mais alors leur profil accidenté semble s'être couché sur le sol comme une ombre portée. La terre éclate sous l'effet des eaux, douces ou salées, se creuse de lagunes, laisse les bras de la Volta s'infiltrer. Puis le voyageur arrive à l'endroit le plus impressionnant, malgré son absence totale de relief ou plutôt à cause de son relief à l'envers.

Le sol, en dépression par rapport à l'océan, y est uniquement défendu par un banc de sable, menacé chaque année davantage par les flots. Keta, ville martyre de la mer, a ainsi perdu des terres fertiles et de nombreuses maisons.

Comme tout le long du golfe de Guinée, à une distance variable du bord, l'océan se soulève en énormes rouleaux qui retombent violemment sur le fond de sable, l'aspirent, l'entraînent. Selon le sens du courant, cette succion, d'une force considérable, se montre plus ou moins destructrice.

A la hauteur de Keta, la terre sableuse, friable, est attaquée de plein fouet. Ailleurs, elle résiste mieux à des vagues orientées de biais ou bien les falaises rocheuses sont assez dures pour ne pas se laisser entamer par l'action des courants.

Cependant, chaque fois qu'une rivière vient se jeter dans l'océan, en coupant la falaise, derrière la ligne écumante de la barre se forme une vaste embouchure dont la surface immobile contraste avec l'agitation désordonnée de la mer. A l'ouest, la côte escarpée se creuse ainsi de biais, entièrement protégée de la barre par un jalonnement de rochers plus ou moins apparents contre lesquels celle-ci se brise.

Au cœur du pays Ashanti, l'étrange lac Bosumtwi reçoit, sans jamais les rendre, les rivières environnantes, et il se remplit inexorablement. A cette exception près, tous les fleuves importants du Ghana viennent se jeter dans l'océan en creusant sur leur route des sillons qui se transforment parfois en de véritables gorges. Tout au moins les rivières permanentes, car dans le nord, bien des cours d'eau ne sont alimentés que par les pluies. Celles-ci tombent violemment pendant une seule saison qui dure de juillet à octobre et parfois se fait attendre ou s'arrête trop vite. Aussi des torrents impétueux qui barrent les routes pendant quelques semaines disparaissent-ils souvent aussi rapidement qu'ils sont apparus. Dans le sud, les pluies s'espacent de mai à novembre, avec une interruption très variable vers juillet et août. Non seulement les rivières ont un volume d'eau à peu près régulier d'un bout de l'année à l'autre, mais, surtout dans le sud-ouest, où l'humidité et les pluies sont permanentes, elles constituent un réseau assez dense.

La Volta, souveraine à trois têtes

Il existe même dans le nord des rivières permanentes. C'est le cas de la Volta, souveraine incontestée, mais souveraine à trois têtes, puisqu'elle naît de trois points de l'horizon septentrional et se fait appeler Noire, Blanche ou Rouge, avant de devenir unique.

Autrefois, la Volta Noire, complètement indépendante, poursuivait son chemin, après avoir, comme aujourd'hui, servi de frontière à l'ouest, entre le Ghana et le Burkina-Faso. Elle venait se jeter tout droit dans l'Océan à côté de la rivière Tano. De l'autre côté, c'est-à-dire au nord-est, la Volta Blanche n'a jamais cessé d'arriver en oblique au Ghana, d'être rejointe presque immédiatement par la Volta Rouge et, après avoir fait une large boucle, de revenir vers l'est et de terminer sa course à Ada. Peu à peu un de ses affluents, qui coulait d'ouest en est, captura les eaux de la Volta Noire et les entraîna avec les siennes pour alimenter le cours de la Volta Blanche qui ne s'en tint pas à cet exploit, puisqu'elle fit de même avec la petite rivière Tain, jusque-là affluent de la Tano. Qui était désormais affluent de qui ? Pour ne vexer ni l'une ni l'autre on appela Volta leurs cours réunis. Ce « kidnapping » explique pourquoi la Volta Noire, à peu près à mi-hauteur du Ghana, semble changer d'avis pour se diriger brusquement vers l'est.

Mais bien que deux d'entre elles en aient été détournées, la région des forêts n'est pas pour autant dépourvue de rivières.

La Tano naît au sud de Techiman, vient former frontière entre le Ghana et la Côte d'Ivoire et devient ivoirienne juste avant son embouchure. L'Ankobra, bien que beaucoup plus courte, a le temps de devenir majestueuse et de se subdiviser en deux bras avant de se jeter à l'ouest d'Axim. La Pra, qui descend du plateau Kwahu, prend la direction de l'ouest et vient se faire admirer depuis les remparts du fort de Shama, à quelques kilomètres à l'est de Sekondi.

Toutes les trois reçoivent de multiples affluents. Mais il est inutile de préciser qui va vers qui, car la Tano et l'Ankobra poursuivent une lutte serrée pour se voler le plus possible de ces cours d'eau tributaires, et personne ne sait comment se terminera cette guerre d'usure.

Plus à l'est, les deux principales rivières sont l'Λyensu, navigable sur presque toute sa longueur jusqu'à Winneba, et la Densu, qui fournit Accra en eau potable.

Quel que soit le volume d'eau de ces fleuves, ils ne sont pratiquement jamais accessibles aux bateaux de transport, car des rapides les coupent de loin en loin. En revanche, ils ont toujours été utilisés régionalement par des piroguiers pour traverser des zones de forêt impénétrables ou pour pêcher.

Les automobilistes ne les aperçoivent que fugitivement, car les routes, rares malgré les projets en cours, ne suivent presque jamais leur cours. C'est bien assez pour qu'ils rêvent de descentes sur des embarcations silencieuses qui seules leur permettraient de faire vraiment connaissance avec la forêt — presque — vierge et d'en percevoir la vie, la moindre route constituant en effet déjà un viol de la nature et entraînant rapidement des transformations irréversibles.

Cependant, la navigation sur de longs parcours n'est pas absente à l'intérieur du Ghana, surtout depuis qu'un barrage gigantesque, à Akosombo, a provoqué la naissance d'un immense lac constitué par les eaux mêlées des trois Volta.

Le but premier de ce lac n'était pas de relier par ce plan d'eau gigantesque plusieurs régions du pays, mais, grâce au barrage et à sa centrale hydro-électrique, de doubler la production nationale d'énergie. Cependant, quelles qu'en aient été les raisons, le résultat est le même : un lac de 400 kilomètres de long, qui représente presque les deux tiers du pays, puisque 672 kilomètres séparent la frontière nord de la côte, a métamorphosé tout le centre est du Ghana. Navigable de bout en bout, il offre au visiteur une approche différente de celle qu'il connaît habituellement, ne serait-ce que par un rythme infiniment plus lent que celui de la voiture.

Il faut plus de deux jours pour accomplir le trajet complet, et ce temps permet de passer doucement de la zone de forêts jusqu'à la zone de savanes dès l'arrivée au port de Kete-Krachi, à mi-chemin du parcours, où l'on a suffisamment de recul pour voir derrière soi se dessiner la forme des collines du Togo et du plateau Kwahu.

Diversité de la végétation

Sur le plan de la végétation, le Ghana est découpé en régions aussi nettes que sur celui du relief. La forêt, qui coïncide avec le plateau précambrien, se divise en deux parties.

Au sud-ouest, la forêt tropicale, la vraie, celle dont rêvent les enfants parce qu'ils l'imaginent impénétrable, parce qu'elle est mystérieuse, avec ses arbres gigantesques, séculaires, ligotés de lianes et de mille plantes parasites, avec son feuillage épais qui ne tombe jamais et lui donne une apparence d'immuabilité.

Un peu plus à l'est, vers les plaines et le lac Volta, une forêt composée d'arbres moins hauts, moins serrés, perdant en partie leurs feuilles pendant la saison sèche.

En réalité, dans les deux cas, l'introduction, puis l'expansion considérable de la culture du cacao ont constitué un important facteur de changement dans la végétation. Finalement, dans de nombreux endroits il reste bien peu de la forêt primaire : ce qui aurait été épargné par les plantations de cacao a été exploité depuis plus longtemps encore sur le plan du bois. Quand l'exploitation n'est pas trop intense, les arbres ont le temps de repousser jusqu'à atteindre presque leur taille normale. Près des agglomérations, près des grandes routes au contraire, la rotation est rapide et la forêt moins haute, tandis que les clairières provoquées par la culture des espèces vivrières se multiplient.

La savane boisée représente pratiquement tout le reste du pays à trois exceptions près : les plaines côtières, très dénudées, mais qui se couvriront de plus en plus de cultures variées au fur et à mesure de leur irrigation ; le delta de la Volta avec une bordure de palétuviers entrecoupés de cocotiers et, vers l'intérieur, des champs et des pâturages ; enfin un rectangle qui s'allonge à l'est entre le lac Volta et la frontière, à partir de Ho et des collines du Togo, et fait partie de la zone de forêt à feuillage semi-caduque.

La caractéristique de la savane est d'être, paraît-il, peu boisée à l'exception des rives des cours d'eau et dans le voisinage de la zone de forêts.

Eh bien, cela prouve que certains géographes ne savent pas regarder. Au Ghana, les soi-disant grandes étendues de terres, chichement ombragées d'arbres clairsemés, donnent une impression de diversité étonnante. Comme les jardins japonais dont tous les éléments sont nécessaires et suffisants, les paysages de savane, toujours aérés, jamais vides, mettent en valeur la silhouette de chaque arbre, le profil d'une colline, la couleur d'un rocher, la masse équilibrée des habitations, constamment à l'échelle humaine, et dont les lignes et les teintes ont avec celles de la nature environnante une correspondance profonde.

Encore ne s'agit-il là que de la saison la plus défavorisée, quand les feuilles sont desséchées ou absentes et que, dans ces compositions dépouillées, il ne faut compter que sur la forme extravagante d'un tronc de baobab ou les lignes pures de branches qui se détachent d'un trait net sur le ciel d'un bleu intense.

La savane et ses métamorphoses

Pendant et juste après la saison des pluies, c'est-à-dire à peu près durant six mois de l'année, la savane est un enchantement continuel. Avec leur feuillage, les arbres reprennent leur aspect distinctif. Le plus ignare en botanique constate le nombre extraordinaire d'espèces différentes. Ne serait-ce que dans la famille des acacias, combien de proches parents à la taille, la floraison, à l'odeur même, différentes et dont toutes les nuances se perçoivent d'autant mieux que chaque individu est nettement séparé des autres.

Les maisons, qui se fondaient jusque-là dans le paysage, avec leur décor ocre et noir, jouent maintenant sur le contraste et apparaissent sur fond de hautes herbes et de plantations variées dont chacune apporte sa note dans cette symphonie en vert. Car la savane, c'est le triomphe de l'individualité. S'il arrive que des arbres d'une même espèce se rassemblent en boqueteaux, ils se mêlent rarement à d'autres familles. Ils forcent ainsi le spectateur à prendre conscience de leur personnalité. Et comme jamais aucun sous-bois n'est dense, comme le soleil, jamais très longtemps absent, même à l'époque de l'hivernage, pénètre partout, la savane, c'est aussi le triomphe de la lumière et d'un ciel omniprésent, avec son kaléidoscope de nuages.

Parfois le lac Volta,
à l'est du Ghana, s'étend à perte de vue,
mais parfois aussi,
il se perd dans le labyrinthe
d'innombrables îlots et péninsules.

Si la savane, au Ghana, est exceptionnellement séduisante, il faut toutefois rendre justice à la forêt. Malgré son exploitation, elle reste la plupart du temps tellement serrée que, lorsqu'on la traverse rapidement en voiture, chaque espèce se perd dans une masse anonyme. Il n'en est plus rien à partir du moment où l'automobiliste consent à redevenir un piéton pour la découvrir au rythme lent de la marche.

Dans ce pays au relief partout accidenté, le sommet d'une colline, la vallée encaissée d'une rivière, permettent de reprendre un souffle parfois coupé par une opacité facilement oppressante. En suivant les sentiers qui s'insinuent dans ce fouillis végétal, il devient possible de distinguer les innombrables richesses qu'il recèle, mais qu'il ne révèle que peu à peu. La forêt inquiète : sous les fougères, les herbes, les lianes, les fleurs parfois gigantesques, se dissimule on ne sait jamais quel monde d'insectes et d'animaux que l'on ne connaît même pas. Pour l'étranger, affronter ce monde, le pénétrer, exige parfois un effort physique et un peu de courage. Mais c'est le prix à payer. Sinon la forêt ne donne rien ou presque, car elle n'aime pas la facilité.

On peut revenir vingt fois au même endroit et vingt fois tomber sur une plante qu'on n'y avait pas même devinée, sur un insecte jamais vu. Dans les collines de Kibi, au nord-ouest d'Accra, les naturalistes pourraient passer leur vie entière sans en découvrir toutes les richesses : certains sont amoureux de leur forêt magique, comme on peut l'être d'une maîtresse indifférente, impossible à dominer.

Un univers magique

Dès sa première promenade dans cette forêt ou dans bien d'autres, le voyageur ressent une fascination qui ne fait que s'intensifier avec le temps. D'ailleurs, la forêt est un creuset d'où sortent tous les mythes — faut-il dire les vérités ? — ayant un rapport avec le monde surnaturel, et si la savane suggère un dieu unique, la forêt, elle, impose l'idée que ce dieu unique est environné de forces multiples et autonomes. La savane est une réussite artistique, la forêt un appel et un lien avec tout l'inconnu qui vit en chaque être humain.

Hélas ! Partout la forêt est menacée par l'expansion des cultures, le développement des réseaux routiers et l'exploitation des grumes. Des mesures ont été prises pour la protéger : limitation des coupes d'arbres, reboisement des zones exploitées, en particulier dans le Centre… et campagne en faveur d'appareils ménagers fonctionnant au gaz liquéfié pour remplacer bois et surtout charbon de bois, véritablement dévastateur.

Préserver la nature

Le Ghana Wildlife Department (Département de la Vie Sauvage du Ghana), dépendant du Ministry of Lands and Natural Resources (Ministère de la Terre et des Ressources naturelles), basé à Accra, est chargé, comme partout, de veiller à la préservation de la nature et des animaux sauvages. Cependant s'il doit tout mettre en œuvre pour recréer, dans un certain nombre de parcs et de réserves, une vie sauvage qui n'existe pratiquement plus ailleurs, elle ne la met pas « sous scellés ».

Dans la nature, la loi de chasse est universelle entre les animaux, dont la famille des carnivores qui ne peut subsister qu'en tuant. Si l'homme n'est pas exclusivement carnivore, la viande fait partie de son alimentation. En conséquence, les autorités du Ghana considèrent qu'il est juste de permettre aux habitants, sous certaines conditions destinées à préserver un équilibre nécessaire et en dehors des parcs, de compléter des ressources en viande souvent insuffisantes par du gibier de brousse. De toute façon, ce qui a décimé la vie sauvage, c'est moins la chasse alimentaire que la chasse sportive… si toutefois il est encore possible de nommer sport le fait de poursuivre les animaux en voiture, comme ce fut souvent le cas !

Ce qui a également contribué à la disparition de cette faune, c'est la transformation ou la suppression de son habitat naturel. C'est pourquoi le département a tout d'abord délimité de vastes superficies, intactes sur le plan de la flore ou pouvant rapidement retrouver leur équilibre écologique, pour préserver ou recréer cet habitat. Récemment a été déterminée une nouvelle orientation dans la politique du Ghana Wildlife Department — celle de donner plus de place au tourisme dans l'aménagement des parcs et réserves.

Deux plans, à moyen et long terme, jusqu'en 2010, en prévoient le déroulement, qu'un centre d'information touristique dans chacune des dix capitales de région fera connaître aux visiteurs.

Actuellement, le seul parc organisé sur le plan touristique est celui de Mole, dans le nord-ouest. Il possède un motel confortable, un réseau routier et une land-rover peut être louée sur place. Elle permet notamment de se rendre dans un abri, particulièrement bien situé pour apercevoir des animaux, tels que antilopes, singes, lions, éléphants, buffles, léopards, et où il est possible de passer la nuit à l'affût. Le parc, créé en 1971, couvre 519 000 hectares. Ses accès routiers et aériens doivent être améliorés ; ses pistes intérieures et son accueil hôtelier développés. Shai Hills Resource Reserve, créée également en 1971, comprend 5 180 hectares et se trouve au nord-est d'Accra. Aucun hébergement n'y existe encore, mais un bâtiment d'accueil y représente, en 1997, le début d'un développement touristique puisqu'on y propose des promenades à cheval.

En 1971 ont été délimités les 312 600 hectares du Digya National Park, entouré au nord, à l'est et au sud par le lac Volta. On ne peut l'atteindre que par bateau et la vie sauvage y est assez limitée, bien qu'on y rencontre notamment des éléphants, des buffles, des panthères et des antilopes de diverses espèces.

Dans la région, et toujours en 1971, a été créée Kogyae District Nature Reserve, représentant 32 400 hectares, essentiellement destinés à la recherche scientifique. Bui National Park, situé le long de la frontière ivoirienne, près de Wenchi, comprend 207 360 hectares à cheval sur les régions du Nord et du Brong-Ahafo. Il abrite la plus forte concentration d'hippopotames du pays. Il est prévu d'y organiser des sports nautiques. Pour l'instant, les routes manquent pour l'explorer convenablement.

En 1977, les 7 780 hectares du Bia National Park furent délimités dans la région de l'Ouest, accessible à partir de Kumasi. Dans la forêt secondaire (de nombreuses activités agricoles ont dans le passé détruit la forêt primaire), vivent des éléphants, plusieurs espèces de singes, des léopards, des oiseaux, etc. On ne peut y circuler qu'à pied, et il n'y a pas d'hébergement. La Gbele Game Production Reserve couvre 54 690 hectares près de Tumu, dans l'Ouest supérieur et fait l'objet d'un plan d'aménagement touristique.

Ankasa Game Production Reserve qui comprend 30 740 hectares et Nini-Suhien National Park (10 630 ha), créés en 1976, dans la région de l'Ouest, sont accessibles par Mpabata et sont tous les deux recouverts par la forêt tropicale, abritant les mêmes espèces que le parc de Bia. Kalakpa Game Production Reserve (32 440 ha dans la région de la Volta, à quelques kilomètres de la route Accra-Ho), est aussi dans une zone de forêt épaisse et abrite à peu près la même population animale que Mole, mais sans éléphants ni lions.

Bomfobiri Wildlife Sanctuary (5 180 ha) et Owabi Wildlife Sanctuary (7 260 ha), tous les deux en région Ashanti, appartiennent à la zone de transition entre forêt et savane, avec des bois espacés. Aucune route ne les traverse et il n'existe pas d'hébergement permettant d'observer leurs oiseaux, singes et petites antilopes.

Wli Falls, à la frontière togolaise, est accessible par une piste carrossable. Mais ses 1 200 hectares sont uniquement parcourus de merveilleux sentiers pédestres et il est interdit d'y cueillir fleurs ou fruits sauvages.

Boabeng-Fiemi Sanctuary, à l'est de l'axe Kintampo-Nkoranza, dans la région du Brong-Ahafo, est connu pour ses singes colobus noirs et blancs, révérés par la population locale qui voit en eux des génies protecteurs. Dans la journée, ils entrent librement dans les maisons et, la nuit, retournent dormir dans la forêt.

Dans la région centrale ont été délimitées récemment les réserves de Kakum et d'Assin-Attandanso, entre Cape Coast et Elmina, représentant 420 km^2 de forêt tropicale semi-caduque. Un minutieux travail de recensement a prouvé qu'y vivait encore un grand nombre d'animaux dont certains menacés d'extinction, tels que l'éléphant de forêt, le buffle de forêt, le bongo (rarissime antilope), la panthère, les singes colobes et bien d'autres espèces, y compris des oiseaux, des serpents, des crocodiles du Nil, ainsi que la flore qui peut leur permettre de vivre dans un milieu favorable. Faisant précédemment partie d'une zone d'exploitation forestière, ces territoires ont été transformés en parc et réserve où il est interdit de chasser et d'abattre les arbres. Cela protège en même temps la rivière Kakum qui est la seule ressource en eau potable de la région. A noter que les fonds attribués à créer ce parc, donc à préserver la nature, doivent être déduits par les organismes financiers internationaux de la dette contractée pour l'énorme projet de développement qui concerne cette région.

Dans la région de la Volta, au sud-est, un autre sanctuaire est également projeté dans la zone de Hohoe.

Les promenades à pied sont autorisées et même conseillées dans tous les parcs et réserves, y compris le parc de Mole, en dépit de la présence d'animaux relativement dangereux. La seule condition exigée est la présence d'un guide armé, chargé de veiller à la sécurité des touristes, mais plus encore d'empêcher ceux-ci de provoquer par leur comportement des attaques qui ne se produisent jamais si l'animal ne se sent pas menacé. On ne saurait trop féliciter les autorités du Département d'avoir adopté cette politique : elle rend au touriste un statut d'adulte et lui donne la possibilité d'avoir, avec la vie sauvage, des contacts authentiques qui lui sont partout ailleurs refusés.

Un tourisme en expansion

Pendant longtemps, le tourisme n'a pas représenté un objectif majeur, bien que la Ghana Tourist Corporation ait été organisée en 1968 pour déterminer une politique en la matière, puis transformée en Ghana Tourist Board en novembre 1973.

Un autre organisme d'État, la State Hotels Corporation, gérait sept hôtels de luxe, dont quatre dans la zone Accra-Tema, totalisant 572 chambres, et trois à Kumasi (70 ch.), Takoradi (70 ch.), Akosombo (40 ch.). Il s'occupait aussi d'établissements situés en dehors de la capitale et répondant à une catégorie moins luxueuse, appelée catering rest-houses. Leur capacité totale était de 82 chambres.

Mais depuis, la politique hôtelière a profondément changé. Le tourisme a été reconnu comme prioritaire par la loi 116 de 1985, avec un planning établi sur dix ans, remplacé, à expiration, par un nouveau schéma directeur portant sur quinze ans. Il confirme la ligne de conduite du gouvernement qui a privatisé un à un les établissements d'autrefois gérés par la State Hotels Corporation et favorise, dans ce domaine comme dans tous les autres, les investissements privés, qu'il s'agisse d'étrangers ou de Ghanéens. C'est d'ailleurs parce que le secteur privé était systématiquement encouragé, qu'il s'est organisé en Association des Hôteliers du Ghana tandis que des associations similaires se formaient pour les restaurants et night-clubs, les snacks-bars, les bars, les clubs touristiques, les agences de voyages et de tourisme et même les artisans. Excepté la dernière, elles constituent un Forum qui traite avec le ministère du Tourisme, créé en 1994.

Le nouveau schéma directeur est chargé de provoquer un développement capable de donner au tourisme la deuxième place comme source de devises et non plus seulement la troisième comme c'est encore le cas au début de 1997, tout en veillant à

Très soucieux de protéger son environnement,
le Ghana a aménagé beaucoup de parcs nationaux
sur tout son territoire,
où s'ébattent de nombreux animaux de la grande faune africaine :
antilopes, crocodiles, éléphants, lions, etc.

ce qu'il ne s'accompagne pas des effets pervers qu'il provoque parfois.

Un des traits caractéristiques de la société ghanéenne, à tous les niveaux, est sa fierté, sans ostentation ni réserve, à l'égard de sa culture. Rien ne traduit mieux cet état d'esprit que la tenue du Président portant le costume des paysans du Nord, même en visite officielle, de même que les grands festivals traditionnels, se déroulant dans tout le pays ou les cérémonies sur lesquelles on a parfois la chance de tomber dans un village. Cette fierté, il convient de la préserver, en évitant que le pays ne soit submergé par une masse trop importante de visiteurs incompréhensifs.

Mais dans son héritage, conjointement à cette culture purement africaine, le Ghana a bénéficié aussi de l'immense richesse architecturale que constituent les trente-six forts construits, entre le quatorzième et le dix-huitième siècles, par les divers envahisseurs européens qui se livraient alors une guerre acharnée sur la côte, forts qui servirent de points d'embarquement aux esclaves, expédiés en Amérique.

Contrairement à beaucoup d'ex-colonies qui veulent oublier un passé encore à vif, les Ghanéens ont en la matière une politique beaucoup plus pragmatique : douloureux ou non, les épisodes liés à ces forts font partie intégrante d'une Histoire qu'il n'est jamais sain d'occulter. De plus, sur le plan touristique, cette chaîne de citadelles évocatrices de tant de tragédies représente un atout capital, car elles attirent de plus en plus une clientèle noire-américaine à la recherche de ses origines.

Depuis longtemps, d'ailleurs, on peut loger dans certains de ces forts, vaguement aménagés, qui ravissent tous les « sacs à dos » de passage ! Mais la priorité en matière d'équipement hôtelier a d'abord été accordée à Accra.

En 1988, un « Novotel » a été construit au cœur d'Accra, avec 200 chambres, une piscine, un centre pour hommes d'affaires, en copropriété entre différents investisseurs dont la Ghana Tourist Development Co, tandis que dans la zone de l'aéroport, s'ouvrait le « Shangri-La », 3 étoiles, beaucoup plus petit (36 chambres) comportant piscine, terrain de polo, centre de remise en forme et sauna. D'anciens hôtels, comme le « Continental », près de l'aéroport, devenu le « Golden Tulip », étaient rénovés et de nouvelles constructions complétaient un hébergement répondant à un afflux de plus en plus important de visiteurs et de délégations commerciales ou politiques,

qu'il fallait accueillir selon les normes auxquelles ils sont habitués.

C'est le cas du « Labadi Beach », l'un des plus luxueux, construit dans la périphérie est d'Accra, en bordure de la plage du même nom, en face des bâtiments de la Foire Internationale, sur la route de Tema, la grande ville industrielle, doublée d'un port. Cet emplacement privilégié en fait évidemment un des favoris de la clientèle d'hommes d'affaires, partageant leur temps entre le centre de la capitale et Tema.

Une potentialité hôtelière intéressante

En 1997, le grand Accra comporte : trois 5 étoiles, deux 4 étoiles, deux 3 étoiles, quatorze 2 étoiles et de nombreux établissements, non classés, évidemment moins confortables mais facilitant le séjour de voyageurs à moyens limités.

Jusqu'à présent, c'est incontestablement Accra qui contient l'immense majorité des chambres classées et non classées du pays. Les autres régions sont pourvues de rares trois étoiles, à Elmina, Kumasi, Akosombo sur le lac Volta et Ada sur la côte est, ainsi que d'une douzaine de deux étoiles, principalement à Kumasi et Takoradi. Un très important projet concerne l'aménagement de Bramu Beach, bordant le village de Brenu Akyinm, à 10 km à l'est d'Elmina, plage de 3 km de sable bordée de cocotiers et protégée au large par une barre rocheuse qui assure aux nageurs un plan d'eau calme. Faisant partie d'un plan de restructuration concernant l'économie de la région, la réhabilitation des forts d'Elmina et de Cape Coast, ce projet, qui en est aux travaux d'infrastructure, comprendra la construction de villas et de complexes hôteliers. Mais il reste beaucoup à faire, à commencer par l'aménagement de nombreux forts en hôtels de petite capacité : toujours admirablement situés, ils représentent un hébergement unique au monde et font d'ailleurs l'objet d'un projet de réhabilitation.

Il semble à ceux qui apprécient la beauté du pays, l'authenticité de ses coutumes, la fierté et l'amabilité de son peuple, que la solution idéale, en dehors des villes, serait celle de ces forts aménagés ou de rest-houses de petites dimensions pour que jamais un village ne soit submergé par des groupes trop importants d'étrangers. Ces rest-houses existent fréquemment et, souvent, il ne faudrait que quelques petites améliorations pour qu'ils comblent les désirs d'une clientèle axée sur la découverte réelle du pays. En particulier, il serait souhaitable qu'il y ait à proximité un magasin d'alimentation ou un restaurant.

Il est certain que bien des excursions sont réalisables à partir des capitales de régions. Aussi le principal effort de création d'hôtels leur a-t-il été consacré pour atteindre le chiffre de 5 500 chambres en hôtels de classe internationale et 4 300 chambres en hôtels non classés que le pays s'était fixé comme objectif pour recevoir les 334 000 visiteurs prévus pour 1997-1998 (145 000 en 1990 dont 60 000 non-africains).

Mais cela ne remplacera pas la possibilité de loger dans les villages et d'y avoir des contacts suffisamment prolongés avec une population qui ne demande qu'à communiquer avec ses visiteurs et à les faire participer à sa vie.

Souhaitons qu'un certain nombre d'investisseurs privés soient séduits notamment par les admirables paysages montagneux de l'Est, éclairés de rivières et de cascades ou par les savanes du Nord... à condition qu'ils sachent y intégrer leurs installations avec discrétion !

Les familles ethniques

En réalité, la diversité des ethnies est moins grande qu'elle ne le paraît, car de nombreux groupes sont issus d'une même famille ethnique. Mais celle-ci a fait généralement son apparition dans le pays par petites migrations successives ou s'est ensuite divisée. Les circonstances : environnement plus ou moins différent, contacts avec des autochtones qui fuyaient ou se mêlaient aux nouveaux arrivants, ont provoqué ensuite entre ces parents des divergences plus ou moins accentuées au niveau de la langue et des coutumes. Mais les similitudes font retrouver, sous un certain éparpillement, les souches communes.

La région d'Accra — avant que la capitale ait attiré tellement d'habitants de toutes les régions qu'ils représentent maintenant 48 % de sa population — était essentiellement occupée par les Ga. Ceux-ci ont la même origine que les Adangbe arrivés au Ghana avec eux et qui se sont divisés en Ada, à l'embouchure de la Volta, en Shaï et en Krobo. Les Shaï, après avoir occupé longtemps les collines du même nom, au nord-est d'Accra, se sont peu à peu répandus dans la plaine côtière. Les Krobo vivent sur l'extrémité orientale du plateau Kwahu jusqu'à la rive ouest de la Volta. Mais les Ga trouvèrent sur place des gens d'une autre origine, d'ailleurs assez mystérieuse, les Kpesi, appartenant au groupe Guan. Malgré une presque totale assimilation, ils ont influencé le groupe Ga.

On retrouve ces Guan un peu partout dans le pays. Sont-ils des autochtones ? Appartiennent-ils, comme certains l'ont prétendu, au groupe Akan, l'un des plus importants du Ghana, qu'ils auraient précédé ? La question reste posée. Toujours est-il qu'ils ont une langue bien à eux, qui se juxtapose dans beaucoup d'endroits à celle de la majorité.

C'est le cas dans la région Ouest, occupée par des communautés Akan, comme les Nzima, à l'extrême-ouest, les Ahanta, et les Fanti qui se trouvent entre la rivière Pra et les limites du Grand Accra. Dans des villes comme Winneba ou Senya Beraku, le langage et certaines coutumes Guan coexistent avec ceux des Fanti.

La famille Akan comprend bien d'autres groupes que ceux de la côte, puisqu'elle s'est étalée jusqu'aux limites de la région du Nord et a envahi par conséquent la totalité de la forêt, du nord au sud et de la frontière ouest aux confins de la région est où elle voisine avec les Krobo.

Parmi ces groupes, il faut citer les Ashanti, qui ont donné leur nom à l'une des neuf régions administratives, les Adanse, les Denkyera, plus au sud, les Akwamu et les Akim à l'est et les Brong au nord.

De l'autre côté de la Volta, le delta, ainsi qu'une grande partie des collines du Togo, est occupé par les Ewe. Mais au nord de la Volta Region se juxtaposent de nombreux groupuscules qui ont fui les guerres que se livraient des ethnies plus puissantes au Ghana et au Togo.

En plein territoire Ewe, il faut citer les Avatine, probablement d'origine Guan, qui ont fui les Ahanta de la côte ouest, et ont suivi le bord de l'océan jusqu'à Prampram, pour finalement venir s'établir dans les montagnes au nord de Ho.

Les régions du Nord (Northern et Upper Regions) offrent également une grande variété de populations. Cependant, certaines ont une origine commune.

En remontant du sud vers le nord, on rencontre d'abord les Gonja. Ce sont des Mandé venus du Sahel et ayant probablement appartenu à l'empire du Mali. Ils se frayèrent un chemin en repoussant les Guan, mais aussi les Dagomba qui se sont installés à l'est, ainsi que les Nanumba dont ils sont proches parents. Le groupe Mamprusi, dont les ancêtres sont les mêmes que ceux des Dagomba

Fièrement dressé sur son promontoire,
le château fort d'Elmina,
sur la côte est un des
plus importants témoignages du passage
des Européens au Ghana.

et des Nanumba, s'étend jusqu'aux frontières du nord et du nord-est, où il cohabite avec plusieurs petites minorités : à l'est de la Volta Blanche, se succèdent les Konkomba, contre la frontière togolaise, considérés comme autochtones ou en tout cas ayant habité le pays antérieurement aux Mamprusi, les Kusala à Bawku, les Nafeba, les Koma et les Chamba. A l'ouest du fleuve, les Frafra occupent la région de Bolgatanga, tandis que les Talensi se sont réfugiés dans la montagne de Tongo, à quelques kilomètres au sud-est de cette ville. Plus à l'ouest, les Sissala englobent un petit noyau Dagati. Mais la plus grande partie des Dagati s'est installée un peu plus au sud, le long de la frontière ouest malgré quelques enclaves Lobi.

Du dieu unique au dieu suprême

A cette diversité ethnique correspond en apparence une grande variété de croyances religieuses. Pourtant, en analysant ces divergences, on trouve des analogies profondes.

D'une manière générale, les régions côtières, en relation depuis plusieurs siècles avec les Occidentaux et leurs missionnaires, ont été presque complètement christianisées. Mais comme ces missionnaires appartenaient à des églises différentes, il en résulte un véritable puzzle où toutes les sectes protestantes sont à peu près représentées, ainsi que les catholiques.

Le Nord, au contraire, a été islamisé à peu près totalement : d'abord sous l'influence des caravaniers qui venaient des bords du Niger, depuis longtemps en contact avec les Arabes, puis à la suite de l'installation dans le pays de groupes Mandé.

Dans le Centre, les religions chrétiennes et islamiques coexistent avec l'animisme. Mais celui-ci disparaît-il jamais de l'âme d'un Ghanéen ? D'ailleurs, pourquoi disparaîtrait-il s'il n'est pas incompatible avec les religions monothéistes ?

Pour beaucoup, l'animisme se confond avec l'adoration de nombreux dieux. Il serait plus juste de dire que le Ghanéen croit en un dieu suprême, créateur du monde, mais que ce dieu lui

L'ESPRIT DES FÊTES TRADITIONNELLES

Quelle que soit la région, en dehors des fêtes qui concernent un groupe familial, comme les rites de baptême, mariage ou mort, les festivals célébrés par la population d'une agglomération ou même de l'ethnie entière ont en gros trois motivations principales qui se rattachent aux croyances communes.

La première concerne la célébration des ancêtres fondateurs, par exemple, dans le cas des Ashanti, grâce à la présence des tabourets sacrés dont le premier, en or, fut celui du roi Osei Tutu, tabourets qui servent de support aux sacrifices.

Directement issue de cette célébration vient la volonté de rappeler aux vivants l'Histoire de leur peuple, qui constitue entre eux le lien le plus fort, et aux morts leur devoir de protection à l'égard de leurs descendants.

Enfin, cette célébration s'accompagne toujours de rites de purification qui permettront au groupe de considérer l'avenir avec confiance, d'autant mieux que ces rites comprennent très souvent une sorte d'explication générale au cours de laquelle les griefs sont exposés et pardonnés. Il est facile de voir l'importance, sur le plan social, de telles coutumes, chargées de vider les querelles, qu'elles soient familiales ou interfamiliales, généralement sans qu'il soit nécessaire de créer un arbitrage, le fait de pouvoir dire ce que l'on a sur le cœur, suffisant bien souvent à en faire voir la futilité ou à provoquer de la part du « coupable » une explication

paraît être une puissance trop importante pour qu'on l'importune avec les préoccupations journalières des humains. Aussi s'adressera-t-il de préférence à des déités, subordonnées à ce dieu suprême, à moins qu'elles ne le représentent tout simplement sous ses multiples aspects. Car Dieu est partout et dans tout.

Mais si la conception de Dieu peut varier d'un Ghanéen à un autre, l'unanimité est totale en ce qui concerne l'attitude à l'égard des ancêtres, dont la présence, invisible mais constante, assure une protection indispensable.

Encore faut-il avoir accompli les rites qui lui permettent de mener une existence décente dans un au-delà très proche (dans tous les sens du terme) de la vie quotidienne. Les ancêtres restent les véritables propriétaires du sol dont les vivants ont l'usufruit. Cela signifie que ces derniers conservent sur la terre de leurs ancêtres des droits inaliénables, mais qu'ils ne peuvent pas la vendre, sous peine de provoquer la colère et le ressentiment de celui à qui elle appartient.

Indépendamment des ancêtres que leurs descendants ont personnellement connus, existent ceux, plus ou moins mythiques, qui sont à l'origine des clans. La notion de clan est, elle aussi, commune à toutes les ethnies.

La notion de clan

Un clan englobe tous les individus qui se réfèrent à un ancêtre-fondateur commun. Dans une ville ou un village coexistent des membres de différents clans. Tous ceux qui représentent le même clan dans une agglomération donnée forment un lignage, dont l'homme le plus âgé prend la tête. Chaque porte-parole d'un lignage ou ancien fait partie d'un conseil qui élit un chef parmi les hommes d'un lignage particulier, toujours le même. Comme dans les familles royales européennes, le pouvoir se transmet donc à l'intérieur d'un groupe favorisé. Mais contrairement à la loi salique et à celle de primogéniture, le fils aîné n'a parfois aucun droit et jamais de droit particulier. Dans chaque lignage il existe plusieurs candidats possibles. En outre, un chef convaincu de faute grave peut être destitué par le conseil des anciens

dissipant des malentendus. D'ailleurs, à l'exposé des griefs correspond l'aveu des fautes également obligatoire.
Le prétexte officiel peut être une fête liée au travail de la terre, comme les moissons, ou l'anniversaire d'un événement. Mais on retrouve dans toutes les caractères précédents.
En analysant ces derniers, on s'aperçoit des similitudes qui existent souvent entre eux et des traits de la religion chrétienne : communion des saints, fêtes célébrant un patron, grand « pardon », aveu des fautes et même rite de la communion autour de l'animal sacrifié et dont on partage la viande au cours du repas pris en commun. Ces similitudes permettent de comprendre comment il est possible de se convertir à l'une des religions chrétiennes tout en conservant le culte de la religion maternelle.
Si, dans le passé, les prêtres catholiques ou les pasteurs protestants, tous blancs, voyaient d'un très mauvais œil que leurs ouailles continuent à assister aux fêtes traditionnelles locales, les choses ont bien changé à notre époque, avec l'existence d'un clergé ghanéen, dans l'une et l'autre branches du christianisme. Aussi est-il fréquent, désormais, que la même personne participe activement à un festival traditionnel, le samedi, et assiste à la messe ou à un office protestant, le dimanche... Ce sont ces interférences qui donnent un charme vivant à la vie ghanéenne.

(D'après Festivals of Ghana, de A.A. Opoku)

et remplacé par un autre membre du lignage.

Filiation patrilinéaire ou matrilinéaire

Mais entre les Akan et les autres ethnies, il existe une différence fondamentale ; chez eux la filiation à l'intérieur du lignage et du clan s'opère par les femmes, alors que chez tous les autres cette filiation est patrilinéaire. Chaque Akan appartient au lignage et au clan de sa mère, ou Abusua, et l'héritage d'un homme n'ira pas à ses propres enfants, mais à ceux de son clan, en quelque endroit qu'ils se trouvent.

Lors de l'élection d'un chef, le choix ne s'effectue pas parmi ses fils, mais parmi ses oncles, ses cousins maternels, ses frères de même mère ou ses neveux issus d'une de ses sœurs.

Ce mode de filiation a entraîné pour les femmes une considération particulière, et c'est ainsi que la reine mère a toujours eu et conserve une grande influence sur le choix d'un prétendant au « tabouret » (insigne sacré du pouvoir) et même sur les affaires courantes.

Cela ne signifie pas pour autant que l'enfant n'a aucun lien avec son père. Pour les Akan, chaque être vivant tient son sang de sa mère, mais son esprit de son père. A côté de l'Abusua, le clan fondé sur les liens du sang, le Ntoro établit une filiation par l'esprit, c'est-à-dire par le père, jusqu'au fondateur initial, généralement surnaturel.

Les noms qui désignent les différents groupes Akan répartis géographiquement ne se réfèrent pas aux clans ni aux ntoros, mais à des classifications par États, c'est-à-dire à des confédérations de localités dont les chefs ont accepté, pour des raisons politiques, un lien de vassalité avec un « paramount chief ». Ils reconnaissent son autorité, mais, comme les anciens dans leur propre ville, ils forment un conseil de sous-chefs, élisent le paramount chief et l'aident à régler les affaires de la confédération.

Par conséquent, indépendamment du nom de l'Etat auquel ils appartiennent, les Akan font tous partie d'un des huit clans ou abusua et d'un des huit ntoros reconnus.

Loin de vouloir les supprimer, le gouvernement du Ghana reconnaît aux chefs un pouvoir moral, social et politique.

Différents actes du Parlement ou décrets ont cherché, depuis la création de l'Etat du Ghana, à définir et garantir la fonction des chefs. C'est ainsi qu'un

*Tout le faste des anciens royaumes, avec leurs
courtisans, leurs orchestres et leurs griots, se retrouve encore
au Ghana, où les chefs et souverains traditionnels jouent
toujours aujourd'hui un grand rôle (en bas à g. : l'Asantehene
des Ashanti et en haut à g. : le roi des Wala).*

décret de 1972 a entériné la création précédemment décidée d'une chambre nationale des chefs, qui coiffe les chambres régionales. En conséquence, les chefs de toutes les régions ont une action à différents niveaux : dans les conseils traditionnels des agglomérations, même les plus petites, dans les chambres régionales et dans la chambre nationale. Ils agissent comme conseil auprès du gouvernement, notamment en ce qui concerne la révision nécessaire des lois coutumières. Dans sa communauté, le chef tient une place plus ou moins importante selon sa propre valeur.

Idéalement, il reste le « leader » social et politique et doit organiser le développement de sa ville ou de sa région, en accord, bien entendu, avec les plans nationaux. Parfois il occupe un poste éminent dans les grands organismes d'État et constitue ainsi un lien très efficace entre le gouvernement et les populations. Enfin, chaque chef organise les différents festivals traditionnels de sa région. Ceux-ci représentent, pour tous les membres d'une communauté, l'occasion de se retrouver, lorsque certains ont été obligés de la quitter pour aller travailler ailleurs, et souvent de se réconcilier, en cas de disputes dans le courant de l'année.

Du monde traditionnel au monde moderne

Si le gouvernement ne renie rien du passé et fait participer les chefs traditionnels à la vie politique quotidienne, il entend également que ceux-ci l'aident à moderniser certaines coutumes désuètes. Après avoir pris le pouvoir en 1981, le gouvernement du PNDC (Provisional National Defence Council ou Conseil de Défense nationale provisoire), dirigé par le lieutenant de l'armée de l'air Jerry John Rawlings, a dû faire face à une situation économique et politique extrêmement difficile et complexe. Tout était pratiquement à refaire et à organiser dans le pays, qu'il s'agisse des infrastructures, du commerce intérieur et extérieur, des rouages de l'Etat. La reconstruction de la société, notamment, a été conçue comme « un processus révolutionnaire dirigé contre les mécanismes précédents reposant sur l'injustice et l'exploitation ».

Cette bonne intention, loin de rester au stade des vœux pieux, s'est traduite dans les faits. Après d'inévitables tâtonnements, comme nous le verrons dans le chapitre « Economie », des progrès spectaculaires ont été enregistrés, particulièrement depuis 1983 et la mise sur pied de l'« Economic Recovery Programme » (ERP).

Il fallait à la fois : faire la chasse aux abus et toute forme de concussion ; réduire massivement dépenses et emplois dans toutes les administrations ; privatiser sur une grande échelle les sociétés d'État ; poursuivre inlassablement une campagne de responsabilisation des citoyens à tous les niveaux. Cela ne s'est pas réalisé sans douleur, notamment quand il a fallu licencier des milliers de personnes et accentuer un chômage qui atteint environ 30 % de la population. C'est à ce prix que le taux de progression économique a pu se maintenir à 5 % par an, tout en reconstruisant une infrastructure délabrée.

Des réformes pluridirectionnelles

Mais qu'est la croissance économique, si l'on n'attaque en même temps des problèmes tels qu'une progression démographique de 3 %, des maladies endémiques ravageant en particulier les enfants, la santé et l'éducation publiques ou encore une sécurité sociale qui n'ont pas encore trouvé leur statut définitif ? La plupart des grands problèmes passent d'abord par une revalorisation de la condition féminine, à laquelle Nana Konadu Agyeman-Rawlings, femme du chef de l'État, a, dès 1982, apporté son concours en fondant le « Mouvement des femmes ghanéennes du 31 décembre », (date de la prise de pouvoir du « Chairman » Rawlings) visant à favoriser leur formation et leur prise de conscience, qu'il s'agisse du développement rural dans lequel elles doivent prendre une place décisive ou de tout autre secteur, comme le rappelait Mrs Rawling en inaugurant en 1996 le premier salon des femmes entrepreneurs à Accra.

L'action de cette femme infatigable et au charisme incontestable s'exerce ainsi dans tous les domaines propres aux femmes, comme celui de l'éducation des enfants, de la santé ou celui, capital, de contrôle des naissances. Il est vrai que le Ghana a été le premier pays d'Afrique subsaharienne à adopter une politique de contrôle des naissances, mais transformer les mentalités sur ce point est long et difficile. Notons qu'a été inauguré, en janvier 1997, à Tamale, le premier centre de formation du pays pour les agents du planning familial dans les régions du Nord, du Nord-Est et du Nord-Ouest. De leur succès dépendra la transformation du Ghana en « pays à revenus moyens » vers 2020, conformément aux plans du gouvernement.

Sur le plan de l'évolution des traditions, ont déjà été inscrits dans la législation la garantie des droits d'héritage pour les veuves et leurs enfants, un unique système d'héritage unilatéral pour tout le pays, la reconnaissance officielle d'un seul mariage et la recommandation d'abandonner peu à peu à la tradition de la dot que les jeunes gens étaient contraints de verser sous une forme ou une autre à leurs futurs beaux-parents.

L'éducation sous toutes ses formes

Lutter contre une natalité en excès ne veut pas dire négliger les vivants. Là encore l'éducation des femmes est indispensable. Contre la poliomyélite, Nana Konadu Agyeman Rawlings a lancé une campagne de vaccination pour tous les enfants en dessous de cinq ans. Par ailleurs le programme d'éradication du ver de Guinée ou dracunculose, maladie transmise par l'eau, a donné, depuis son lancement en 1989, d'excellents résultats, en apprenant aux femmes du nord, où cette maladie est endémique, à filtrer et à faire bouillir l'eau et à utiliser un traitement à base de plantes régionales, mis au point dans la région du Brong-Ahafo.

Rappelons qu'une eau saine n'est pas seulement vitale pour éviter la sinistre dracunculose, mais bien d'autres maladies tropicales endémiques et la propagation de nombreux parasites.

Mais si la sensibilisation de la femme aux problèmes d'hygiène et de santé est capitale, elle doit s'accompagner de celle de l'homme pendant les cours d'alphabétisation : aucune femme dans le nord ne limitera vraiment le nombre de ses grossesses si son mari s'y oppose ! De même doivent également être « avertis » les chefs traditionnels, dont l'autorité est immense. C'est également sur la transformation des mentalités masculines que repose l'envoi à l'école des petites filles dont le nombre est toujours inférieur à celui des garçons, surtout en zone rurale. Car il est évident que c'est bien, partout et toujours, dès le plus jeune âge que se joue l'éducation des citoyens.

Jusque dans les années 60, le Ghana était fier du nombre de ses alphabétisés (70 %), de ses écoles et de ses trois universités, à Accra-Legon, Kumasi et Cape Coast. Malheureusement les choses avaient changé dans les années 70. Les investissements du gouvernement avaient

L'UNIVERSITÉ DU GHANA, LEGON

■ *L'Université du Ghana a été fondée par un acte du Parlement le 1er octobre 1961, mais elle fonctionnait bien avant, c'est-à-dire depuis 1948, sous le nom de « University College » de la Côte de l'Or. D'abord en étroites relations avec l'Université de Londres et sous son contrôle, elle préparait les étudiants à entrer dans cette dernière, jusqu'à ce qu'elle soit devenue elle-même une université volant de ses propres ailes. Une cité universitaire permet de loger presque tous les étudiants d'octobre à juin, dans 5 bâtiments principaux et 6 annexes. L'Université comprend 7 facultés : Agriculture, Médecine, Arts, Droit, Études sociales, Administration et Sciences, qui englobent 44 subdivisions en tout. De plus, lui sont rattachés l'Institut d'Études africaines, l'Institut de Formation des adultes, l'Institut de Statistiques et de Recherches sociales et économiques et l'Institut de Journalisme et d'Études sur les moyens de communication. Enfin, elle patronne également des institutions de recherches, telles que le Centre linguistique et le Projet de Recherche sur le Bassin de la Volta qui étudie toutes les répercussions sur l'environnement du lac Volta.*

*Dans un cadre magnifique de collines verdoyantes
et de jardins suspendus,
l'université de Legon,
aux portes d'Accra,
forme la jeunesse intellectuelle du Ghana.*

baissé de 70 % par tête d'habitant et de nombreux enseignants avaient dû quitter leur zone d'affectation. Il a fallu tout réorganiser. Les instituteurs du primaire, représentant 168 000 sur un total de 238 000 ont été réaffectés sur tout le territoire. Des logements seront construits pour eux, grâce à un programme de 1 351 milliards de dollars.

La scolarité primaire a été fixée à neuf années d'études. Elle sera obligatoire pour tous les enfants et totalement gratuite dans les écoles publiques. A partir de 2005, les livres seront gratuits dans les établissements privés et publics jusqu'à la sixième classe. Ensuite, les élèves devront en payer une petite partie (environ 10 %). Autre réforme importante : la décentralisation de la gestion des établissements scolaires sera confiée aux pouvoirs locaux, c'est-à-dire aux districts. On retrouve la confirmation de la volonté du chef de l'État de renforcer sa politique de décentralisation en favorisant toutes les initiatives de développement, qu'il s'agisse de la part des communautés locales d'investir dans des centres de santé, des puits ou des écoles. Au primaire succèdent un cycle secondaire de trois ans, puis un cycle universitaire.

Un programme d'action sociale

Pour compenser le coût de l'ajustement social, le gouvernement a décidé, dès 1987, d'adopter un programme d'action sociale : le PAMSCAD. C'est dans ce cadre qu'il est envisagé de créer un système de restauration financé par l'État pour les élèves sans moyens et d'aider les groupes les plus vulnérables dans les domaines de l'adduction d'eau, de la santé, de la nutrition.

En ce qui concerne les problèmes de sécurité sociale, la Caisse Nationale d'Assurance et de Prévoyance sociale prend en charge tous les travailleurs, dès qu'ils ont cotisé, qu'ils appartiennent au secteur formel ou informel. Elle assure la retraite se montant à 50 % du salaire des trois meilleures années au bout de vingt ans de cotisations. Sont également assurées les pensions d'invalidité en cas d'accident et, en cas de décès, le versement aux héritiers d'un capital ou d'une pension. Est actuellement envisagée l'assurance couvrant tous les accidents et non plus seulement ceux du travail et la responsabilité civile. Un système d'assurance-maladie, moyennant une cotisation supplémentaire, est aussi envisagé. Jusqu'à présent, les entreprises avaient souvent un système d'assurance-maladie pour leur personnel. Elles fonctionneraient à l'avenir comme une assurance complémentaire.

l'art et la culture

■ Au Ghana, dans la tradition, l'art pour l'art n'existe pas. Rien n'est élaboré seulement pour orner ou charmer, mais d'abord pour remplir une fonction, et le moindre objet a toujours un lien avec une croyance religieuse.

Puisque, pour un animiste, Dieu est partout présent, cet objet établit déjà une relation avec le monde surnaturel au niveau de sa matière, particulièrement le bois, issu d'un arbre dans lequel vivait un esprit. Il faut apaiser cet esprit par des prières, mais il n'est pas non plus inutile de choisir des couleurs, une forme, des motifs sculptés particulièrement appropriés.

Ce qui pour un Occidental serait décoration est langage pour un Ghanéen et s'adresse à une divinité ou aux autres membres de la communauté, tous capables d'en saisir le symbole.

Au Ghana, tout est chargé de symbolisme : exprimer une idée, un désir, une crainte permet de les faire vivre ou de les combattre, et seul le symbole peut traduire en clair des concepts abstraits. Il paraît donc rationnel et économique de se servir de tout ce qui compose l'environnement journalier, à la fois comme outil et comme support d'expression.

Les sculptures sur métal

Les poids à peser l'or des peuples Akan sont un parfait exemple de cette double utilisation. Ces petits rectangles de cuivre, réalisés par la technique de la cire perdue, sont toujours décorés. La plupart du temps, leurs dessins représentent un proverbe. Ainsi la personne qui les emploie accomplit l'acte pratique de peser l'or, mais en même temps envoie un message à son interlocuteur... ou à elle-même, comme lorsqu'on fait un nœud à son mouchoir.

Ce message a parfois deux niveaux. Ainsi, un modèle répandu représente deux crocodiles avec deux têtes, deux queues mais un seul corps. Il signifie qu'à l'intérieur d'un peuple les conflits peuvent naître, même s'ils ne riment à rien, à la manière de ces crocodiles qui se battent pour saisir la nourriture, chacun voulant la goûter bien qu'elle profite de toutes façons à leur unique estomac.

Et le sens profond du proverbe est l'unité dans la diversité qui caractérise l'homme.

Ces poids sont souvent ornés de dessins géométriques, mais les spécialistes eux-mêmes ne sont pas absolument sûrs de leur signification.

Le cas des balances, des cuillers, des boîtes utilisées pour la poudre d'or est à peu près le même que celui des poids.

Les « kuduo » sont des récipients en cuivre dans lesquels les Akan déposent les offrandes destinées aux dieux ou aux ancêtres. Ils sont à la fois des objets de culte et l'occasion pour leur propriétaire d'exprimer ses croyances et ses préoccupations. Sur le couvercle d'un de ces récipients, d'origine Akwamu, exposé au Musée national d'Accra, figure un léopard attaquant un porc-épic. Le premier est l'emblème des Akwamu, le second celui des Ashanti qui se sont livré une guerre sans merci au siècle dernier. De plus, une scène gravée sur le même couvercle représente un conseil de guerre. Or la cérémonie à laquelle servait le kuduo pouvait avoir pour but de demander la victoire. Le langage de l'objet peut donc renforcer celui des prières.

Le « forowa » est un autre type de récipient Akan, à usage domestique ou religieux. Il se distingue du précédent par l'absence de figurines surajoutées, mais le métal est toujours gravé de scènes symboliques.

Les différents insignes royaux Akan, comme les bâtons de chef, les pendentifs, les attaches permettant de retenir les sandales sur le coup de pied, les rectangles reliés les uns aux autres pour former une couronne, ciselés dans l'or ou sculptés dans du bois et recouverts d'or, portent également toujours des motifs gravés ou en relief.

C'est le cas des poignées d'épées royales, dont la lame, parfois double, est en fer ouvragé et ajouré représentant des animaux, des figurines géométriques ou abstraites.

Dans le Nord, les poignards et les dagues comportent des lames ciselées avec une poignée et un fourreau en métal ou en bois décoré. Parfois le fourreau est en cuir, matériau typique du Nord.

La poterie, riche et variée

Cet art millénaire, pratiqué par les femmes, a été poussé très loin dans toutes les régions du Ghana. On a trouvé de nombreux fragments de poteries de toutes sortes dans les sites archéologiques dont certains remontent à 3000 ans.

Bien des catégories d'objets étaient fabriquées en argile : des lampes à huile, des vases, des coupes, des récipients divers, avec ou sans couvercle, avec figurines en relief ou motifs gravés dans l'argile avant cuisson. Celle-ci s'effectuait généralement à la flamme nue, et la poterie était ensuite polie par saupoudrage de sable, frotté avec du cuir bien sec.

Au Musée d'Accra est exposé un pot à eau, venant de la région de Kpandu, sur le lac Volta. Deux oiseaux servent d'anses, tandis qu'un troisième permet de saisir le couvercle. Venant de la même région, un récipient pour conserver l'eau au frais emprunte la forme d'un rhinocéros.

Un très grand pot a été retrouvé à Labadi, un des quartiers d'Accra, au bord de l'Océan. De forme arrondie, il est recouvert de sculptures en relief représentant des serpents, des lézards, des tortues. Son origine est inconnue, mais il est probable qu'il servait à des rites religieux.

Le pays Akan est riche en céramiques variées ; coupes parfois à peine décorées, carafes à col très fin terminé par un bouchon sculpté, pots destinés à des rites funéraires. L'un de ceux-ci porte un couvercle formé d'une figurine humaine dont on peut se demander si elle ne constituait pas un portrait du défunt.

Le Ghana, environné par des peuples qui ont poussé très loin l'emploi de masques dans leurs cérémonies religieuses, fait absolument exception. Cela ne signifie naturellement pas que les sociétés ghanéennes ignorent la magie, c'est-à-dire les moyens pratiques d'entrer en relation, grâce à des objets, avec les puissances invisibles, soit pour leur demander de révéler l'avenir, soit pour obtenir d'elles une action quelconque.

Le travail du bois

Mais ce but est obtenu par l'intermédiaire de statuettes, en argile ou en bois. Ces statues sont placées sur des autels, dans une pièce spéciale des « maisons de fétiches » — sortes de temples animistes — souvent habitées par le prêtre qui y officie. Elles se voient aussi à l'intérieur ou à l'extérieur des habitations, dans une niche, sur une petite estrade.

Parfois il s'agit d'une poupée, masculine ou féminine. Son usage est triple. Elle peut être un simple jouet sans implication magique. Mais une femme stérile portera sur son dos une ou deux poupées suivant qu'elle désire avoir des enfants

LE SYMBOLISME DES GHANÉENS

■ *Aussi bien les couleurs que les formes ont une valeur symbolique au Ghana et contribuent à faire parler les vêtements, les poids à peser l'or, et en général tout ce qui peut recevoir des motifs sculptés ou peints. L'or et le jaune représentent la présence de Dieu, la royauté, la vie éternelle, la prospérité, la chaleur. Le blanc indique la pureté, la vertu, la joie, la victoire, tandis que le vert est signe de nouveauté, de fertilité, de vitalité. Le rouge est utilisé dans les occasions tristes, comme la mort d'un ami, la guerre, une crise nationale. Le bleu est la couleur de l'amour ou symbolise le pouvoir de la reine mère, chez les Akan. La combinaison du jaune et du rouge signifie la puissance de la vie et sa supériorité sur la maladie.*
Quant aux principales figures géométriques, leur sens est différent selon qu'elles sont utilisées seules ou en combinaison avec d'autres. Isolé, le cercle est le symbole de la présence de Dieu et de son pouvoir. Le rectangle et le carré indiquent la sainteté et la virilité, alors que le triangle représente la féminité, mais aussi le point focal vers lequel les regards convergent. Dans sa première acception, il évoque le charme, l'amitié, voire l'amour. Le bâton qu'un jeune homme donne à sa femme à l'occasion de son initiation et de son passage au stade de femme adulte est de forme triangulaire et signifie qu'il s'engage à l'aimer toute sa vie. Dans sa deuxième acception, il représente la situation en vue du chef. Dans les régions du nord, il figure toujours dans les ornements de cour.

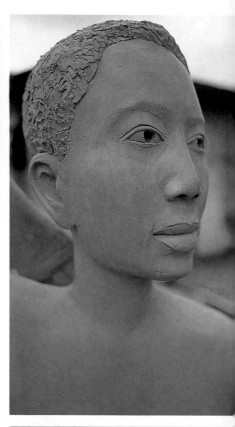

*Depuis des siècles se perpétue au Ghana une tradition artistique
qui s'exprime au travers de la sculpture sur bois
(tabourets « stools » de chefs),
de la terre et de la pierre,
ou par la fonte de ces poids-proverbes en bronze.*

d'un seul sexe ou des deux. Son désir va se transmettre peu à peu à la poupée qui se charge d'une force capable de capter les influences divines et de rendre la fécondité à celle avec laquelle elle reste en contact permanent. Enfin la poupée, placée à l'entrée du village, veille sur lui et repousse les esprits démoniaques.

Le sculpteur cherche à parer ces statues de tout ce qui pour lui et les gens de même culture représente la beauté humaine, comme un certain embonpoint ou un visage ovale pour une femme ou bien une tête légèrement rectangulaire pour un homme. Les scarifications indiquent l'origine ethnique ou explicitent ce qui est demandé au dieu, en cas de maladie.

Les ouvertures pratiquées dans le nez, la bouche ou les oreilles d'une poupée féminine traduisent souvent l'attitude de la société à l'égard des femmes : elles signifient par exemple que celles-ci ne doivent ni entendre, ni surtout répondre quoi que ce soit à un homme, même s'il les insulte !

Les tabourets ou « stools »

Une place toute particulière doit être accordée au tabouret, objet de première nécessité, véritable prolongement de l'individu chez tous les peuples du centre et du sud du Ghana, et plus particulièrement chez les Akan.

C'est le premier cadeau que fait un père à son enfant et un fiancé à sa future femme. Chacun a un tabouret de prédilection dont il ne se sépare pas et sur lequel, après sa mort, il sera baigné, assis, avant d'être enterré. Une association étroite se forme entre la personne et l'objet qui s'imprègne de l'esprit de son propriétaire et en reste marqué après la disparition de celui-ci. Voilà pourquoi le tabouret de certaines personnalités est conservé après leur mort. Il reçoit un traitement spécial qui le noircit et il est placé dans la pièce réservée aux ancêtres où il sera honoré à l'occasion de nombreuses cérémonies. De là est née la coutume de considérer le « stool » comme l'insigne suprême du chef, au point que l'on parlera de « destoolment », quand un roi est détrôné.

Le tabouret est constitué de trois parties : le socle, rectangulaire ; le siège, formé d'un rectangle incurvé ; enfin une zone médiane qui lui donne sa hauteur et surtout lui confère sa personnalité, car elle est toujours sculptée. Le nombre des thèmes utilisés est infini, et ils ont toujours une signification symbolique. Certains sont réservés à des catégories spéciales d'individus, comme le roi qui, en revanche, peut choisir n'importe quel modèle. Il en existe qui sont spécialement destinés aux femmes, ou aux hommes, alors que d'autres peuvent appartenir aux deux sexes.

Très rarement, et toujours pour des personnages importants comme la reine mère, ils sont recouverts d'argent. Mais seul un roi peut avoir un tabouret d'or et, en fait, il n'existe qu'un seul Tabouret d'or : celui qui est descendu du ciel à l'époque du roi Osei Tutu, créateur du royaume Ashanti. Au cours de la cérémonie à laquelle participaient tous les chefs de la confédération Ashanti qui venaient de remporter la victoire contre un autre peuple Akan, leur esprit se communiqua au tabouret qui désormais contenait ainsi la présence réelle des ancêtres-fondateurs de la nation et devenait le symbole sacré de celle-ci. Personne, pas même le chef suprême des Ashanti, l'Asantehene ne peut s'asseoir sur ce tabouret, conservé de façon à rester à l'abri de tout contact avec le monde extérieur, sauf en de très rares occasions, et reposant lui-même sur un tabouret spécial ou sur une peau d'animal.

Les tabourets sont laissés bruts, c'est-à-dire qu'ils ne sont ni peints ni cirés, mais simplement lavés de temps à autre. La couleur noire n'est donnée à un tabouret qu'après la mort de son propriétaire et à condition qu'il s'agisse d'un personnage non seulement important mais vertueux. On utilise un mélange de suie, de jaune d'œuf et de sang de mouton. Naturellement, ces éléments correspondent à des symboles : le mouton évoque la paix... comme l'agneau pascal. L'œuf qui demande à être manié avec douceur est signe de prudence, de patience, de persévérance et de calme.

Les sculpteurs de tabourets occupent dans la société une place très importante. Ils exercent de véritables fonctions religieuses, car certaines cérémonies rituelles doivent être pratiquées au moment où l'arbre dont le bois sera utilisé est coupé et avant de se servir des outils qui permettront de le travailler.

Les mêmes précautions sont à prendre avec un tam-tam, objet à destinations multiples, à la fois instrument de musique profane ou sacrée, messager transmettant au loin les nouvelles, signe distinctif d'une cérémonie ou d'un personnage.

Pendant les « durbars », cérémonies au cours desquelles les « paramount chiefs » reçoivent l'hommage de leurs vassaux de tous rangs, ils sont portés sur des palanquins, en partie ou en totalité réalisés en bois sculpté, avec un siège de vannerie, ou avec un décor de plaques de cuivre ciselé.

Le rôle de la peinture

La peinture joue un rôle prépondérant dans la réalisation des pirogues traditionnelles. Celles-ci ne se fabriquent pas sur la côte, mais à l'intérieur de la forêt, à partir d'un arbre spécial, le wawa, dont le tronc est creusé d'une seule pièce, après des cérémonies rituelles analogues à celles qui sont accomplies pour les tabourets. On les transporte ensuite à dos d'homme jusqu'à l'endroit où elles doivent prendre la mer. Là, elles reçoivent un décor fait de motifs géométriques, peints dans des couleurs très vives, qui ont une signification symbolique, parfois explicitée par le nom de la pirogue ou par la sentence qui le remplace.

Il est intéressant de constater que ces sentences se retrouvent sur le fronton des véhicules hétéroclites servant de transports publics et appelés « mammy trucks » ou « tros-tros ». Quelle catégorie a influencé l'autre ? C'est difficile à dire, car les pirogues, bien évidemment antérieures à ces camions, n'ont pas toujours porté de telles inscriptions : leur décor peint en tenait lieu, surtout à une époque où nulle langue écrite n'était utilisée. En tout cas, le décor n'a pas laissé la place au langage en clair, et chez les Fanti il ajoute beaucoup à la splendeur du défilé des bateaux partant pour la pêche.

La peinture joue un rôle considérable dans bien d'autres aspects de la vie. Dans le sud, elle apparaît unie pour habiller les maisons de teintes pastel. Les constructions Ashanti classiques ne comportent qu'une couleur, l'ocre, qui revêt tous les murs dans leur tiers inférieur environ, le reste étant toujours blanc. Les villages du Nord, principalement entre Bawku et Navrongo, se distinguent par des fresques à dessins géométriques, réalisées dans un camaïeu de bruns, du jaune paille au marron-noir, recouvrant les murs extérieurs et, plus rarement, ceux donnant sur les cours intérieures.

Actuellement, la peinture a partout sa place au Ghana. Sans parler des œuvres de chevalet présentées à Accra dans les galeries d'art moderne, dans toutes les rues des quartiers populaires l'attention est sollicitée par des scènes très colorées peintes sur les murs et servant d'enseigne aux artisans et commerçants. Les slogans qui les accompagnent ont le même humour, la même étrange poésie que ceux des tro-tros, et les personnages dessinés attestent souvent un sens aigu de la caricature. Là encore l'artiste recherche moins l'harmonie que le message à plusieurs niveaux : il faut, certes, d'abord intéresser le client, mais cela n'empêche pas de traduire visuellement la façon dont on voit le monde. En fait le Ghanéen, qui possède un sens religieux très développé, est également un réaliste qui saisit immédiatement les ridicules, les faiblesses d'un être ou d'une situation. Pour noter ses remarques, pour démythifier les fléaux, pour humaniser une existence souvent difficile, pour réinventer une réalité meilleure, sans en être trop dupe, il se servira de tous les moyens d'expression possibles : sculpture, peinture... et tatouage : une femme ne possédant pas de montre n'a-t-elle pas eu l'idée charmante de s'en faire tatouer une sur le poignet ? Il s'agit là d'un autre art : l'art de vivre.

Une architecture à l'échelle humaine

S'il est un domaine où se manifeste cet art de vivre, c'est bien l'architecture.

Mais les temps ont changé et dans le Sud, la tradition sur ce plan ne se manifeste plus que par quelques villages côtiers, composés de paillotes de palmes tressées. Toutes les villes ont été modernisées, et seuls les extraordinaires « posuban » des Fanti, temples offerts par leurs compagnies guerrières aux dieux qui pouvaient leur donner la victoire, perpétuent de nos jours le génie de la race. Encore s'agit-il davantage de sculptures que d'architecture : le principal intérêt des posuban réside dans une statuaire envahissant totalement les vérandas et balcons qui entourent chaque temple, de la base au sommet. Elle emprunte ses thèmes aux traditions africaines, à la Bible, à l'histoire moderne, à la technique occidentale avec un libéralisme, une imagination, un sens de la synthèse et du raccourci qui éblouissent l'étranger.

Bien entendu, les nombreux châteaux et forts qui se succèdent sur la côte, particulièrement entre Accra et la frontière ivoirienne, attirent eux aussi les visiteurs pour leur très intéressante architecture. Mais celle-ci est exclusivement européenne et n'a donc rien à voir avec l'art ghanéen, même si elle a joué un rôle dans l'histoire du pays.

Or l'architecture a constitué un art

A l'intérieur des « kraals », maisons traditionnelles du Nord-Ghana,
se déroulent de charmantes petites scènes intimistes,
comme celle-ci, où la grande sœur
fait office de seconde maman
pour ses petits frères et sœurs.

authentique chez les Ashanti : on peut s'en convaincre en voyant les gravures représentant Kumasi avant sa destruction par les Anglais, grâce à la reconstitution d'un pavillon royal au Centre culturel de la ville actuelle et par quelques maisons de fétiches encore intactes dans la région.

La maison Ashanti se composait de quatre bâtiments, entourant une cour intérieure et tournant vers celle-ci des façades plus ou moins ouvertes, tandis que les parois donnant sur les rues étaient aveugles, à l'exception de la loggia centrale servant d'entrée aux maisons particulières. Cette loggia était soutenue par des colonnes sculptées et on y accédait par quelques marches ou parfois un escalier à double révolution. Pour les palais comme pour les maisons de fétiches, elle était remplacée par un passage-vestibule traversant l'extrémité d'un des quatre bâtiments, de la rue à la cour intérieure.

Autour de celle-ci, des symboles sculptés, en creux ou en relief, recouvraient totalement les murs, ainsi que les portes et les volets dont le bois se doublait parfois d'or ou d'argent ciselé.

A l'exception de quelques maisons de fétiches, tout cela a complètement disparu. Cependant, les maisons les plus modernes ont souvent conservé la loggia centrale qui servait à recevoir les visiteurs. Elle donne encore du cachet à des constructions par ailleurs banales.

Dans le Nord, les villes, petites ou grandes, ont également été modernisées. Mais les « kraals » ou « compounds » des campagnes sont pour la plupart intacts. On nomme kraal un ensemble de cases habitées par une famille élargie, c'est-à-dire les descendants sur deux ou trois générations d'un ancêtre commun qui tient le rôle de chef.

A partir de Tamale, pour apprécier l'art de vivre dont ces kraals sont une image, il faut accomplir un grand mouvement tournant, de l'est à l'ouest, en longeant la frontière du Nord. On voit alors se transformer insensiblement les formes, sinon l'esprit, de ce groupe d'habitations, toujours isolé au milieu des champs, et se refermant autour d'une ou de plusieurs cours. Le toit, plus ou moins pentu et recouvert de chaume, dans l'est, est peu à peu remplacé par un toit-terrasse, véritable pièce à vivre où les grains sont mis à sécher et où la famille dort la nuit pendant les périodes de grande chaleur.

Chaque ethnie a apporté la marque de sa personnalité en modifiant la taille et l'organisation intérieure des cases, leur mode d'articulation, la place plus ou moins visible accordée à la structure de bois, sur laquelle viennent se plaquer des murs d'argile ou s'accrocher des tuiles crues, planes ou bosselées. Le décor, uni, peint ou gravé, se métamorphose sans cesse, les accessoires de la vie quotidienne aussi, reflétant des coutumes un peu différentes. D'un kraal à l'autre, le visiteur découvre un détail nouveau, un trait du système collectif accentué ou minimisé, un perfectionnement apporté à un type d'occupation. Les habitants, à condition de ne pas être trop brutalement envahis, font les honneurs de leur logis avec une patience merveilleuse, ne renonçant jamais, quand un langage commun fait défaut, à expliquer par gestes leurs méthodes. Grâce à eux et à une architecture qui reste vivante, le voyage dans le Nord est passionnant.

Les « kente », au dessin complexe

Lorsqu'un visiteur de marque quitte le Ghana, la coutume veut qu'on lui offre un « kente ». Il s'agit d'une immense pièce de coton, drapé par les hommes comme une toge romaine, avec un pan rejeté sur leur épaule gauche. Le kente n'est jamais uni et ses motifs, tissés avec la trame, présentent une telle richesse de coloris et une telle variété de dessins que ce simple vêtement est considéré comme un des sommets du patrimoine artistique du pays.

Il est porté dans tout le Sud, d'ouest en est, et son tissage est réservé aux hommes, bien que quelques jeunes filles travaillent maintenant à côté des garçons dans l'atelier du Centre culturel de Kumasi et semblent fort bien s'en tirer. Habituellement, le mouvement du métier à tisser représente un effort physique considérable pour les jambes, qui appuient sans arrêt sur les pédales. Mais pour réaliser un travail aussi minutieux que celui du kente, il s'agit plus de patience et d'imagination que de muscles. Les dessins sont d'une telle complexité que l'artiste, environné de pelotes de coton de toutes les couleurs, en coupe parfois des petits morceaux, pour les passer sur une largeur qui peut être de l'ordre du centimètre, voire du millimètre, en comptant soigneusement les fils de trame.

Chaque roi ou reine mère Ashanti avait son propre tisserand, chargé de créer pour son auguste client des motifs originaux qu'il était seul à porter. Bien entendu, chacun avait une signification. L'un des kente exposés au Musée d'Accra, d'un degré de complexité insurpassable et qui ne pouvait habiller que l'Asantehene, veut dire : « Les idées ont une fin. » L'humour ne perd jamais ses droits au Ghana.

Les motifs utilisés sont uniquement des figures géométriques. Seuls leur combinaison, la variation et le dosage des couleurs créent la diversité.

L'« adinkra », dont les femmes ont le droit de se vêtir, est en coton, uni, blanc ou de couleur vive, et imprimé de motifs symboliques extrêmement variés noir ou brun foncé. Il s'associe davantage à un événement triste, contrairement au kente, plutôt réservé aux occasions joyeuses.

Musique, chants et danses

Dans n'importe quelle circonstance laïque ou religieuse, le Ghanéen chante et danse, avec ou sans accompagnement musical, qu'il soit un enfant ou un adulte, une femme ou un homme, un paysan ou un citadin, un simple citoyen ou un chef.

Les chants donnent souvent à l'étranger une impression de monotonie sur le plan musical. Mais si, à défaut de comprendre les paroles, on regarde l'assistance, on a vite fait de s'apercevoir que ces paroles expriment une grande variété de sentiments, racontent un événement, le commentent, bref tiennent la place du chœur antique grec dans de nombreuses occasions. Très souvent, entre les refrains chantés en chœur, un soliste improvise complètement les couplets, à la grande joie de l'assistance qui applaudit et rit de bon cœur quand cette improvisation est particulièrement spirituelle et lorsqu'elle « colle » parfaitement avec le rythme et le refrain.

Cependant, les cérémonies religieuses sont étroitement régies par un protocole qui exige un déroulement immuable des rites, des chants et de la musique.

Les instruments, qui varient selon les circonstances et parfois la qualité des assistants, se classent dans différentes catégories : les idiophones sont composés de matériaux vibrant sous la percussion, comme les xylophones, les gongs, les cloches, les crécelles, les sonnailles, les claquoirs, ou encore le « prempensua », sorte de piano comportant cinq touches en bois, accordées pour produire des tons différents. Les membraphones englobent toutes les variétés de tam-tams, faits dans du bois ou dans des fruits creusés, comme les calebasses. Leurs extrémités sont recouvertes de peaux (éléphant, mouton, chèvre, singe). On les frappe soit avec des bâtons recourbés, soit avec des baguettes ou encore plus simplement avec les mains. Certains sont réservés à des circonstances particulières, comme la guerre, ou à des personnages importants, comme l'Asantehene.

Le tam-tam accompagne souvent seul les chants, les danses, la marche ou certains travaux. Il sert à donner l'alarme et à transmettre des messages. Pour remplir cet office, un langage extrêmement sophistiqué a été élaboré, nécessitant l'emploi de deux tam-tams de tonalité différente. En jouant sur cette tonalité, sur le rythme des coups, sur les temps d'arrêt, sur l'intensité de la frappe, le messager obtient un véritable alphabet qui lui permet de tout raconter.

Enfin, les instruments à vent comprennent des cornes, des trompettes et des flûtes. Ils sont moins fréquemment utilisés, bien que toutes les régions du Ghana les connaissent sous une forme ou sous une autre. On trouve principalement dans le Nord les trompettes en bois sculpté, les flûtes, elles aussi en bois sculpté ou faites de tiges de bambou ou de mil. C'est également le Nord qui utilise le plus les instruments à cordes, tels que luths, harpes, lyres, cithares.

L'ensemble de ce patrimoine culturel, si vivant, personne au Ghana ne veut le laisser se perdre, et moins que quiconque le gouvernement.

Recherches et créations

L'université de Legon, avec sa bibliothèque et sa librairie, avec son Institut d'Etudes Africaines, constitue un des centres les plus actifs de recherches et de diffusion de tout ce qui concerne la musique, la danse, les chants, les traditions ghanéennes, avant tout orales. Cependant, un grand nombre de langues vernaculaires, comme le twi, l'ewe, le ga, le dagbani, le fanti, le haoussa, le nzima, le mamprusi, le wala, le frafra, le hasséna, grâce à ces recherches, peuvent désormais être écrites et certains sont imprimés par les soins du Bureau of National Languages. Près d'une cinquantaine d'écrivains ghanéens produisent romans, études, poèmes, pièces de théâtre, etc. Atukwei Okai, secrétaire-général de Pawa House (siège de l'Association des écrivains panafricains), poète écrivant dans plusieurs langues, a composé aussi en anglais des « nursery rhymes ». Mais le problème pour l'étranger avide de se familiariser avec leurs œuvres est de les trouver ! Au siège de la Ghana Publishing Corporation, principale maison d'édition

On peut certes considérer comme un art la possibilité
d'entasser gens, marchandise et même véhicules
pour en créer des tableaux vivants éblouissants
de couleurs, de gaité, de rires percutants !
C'est le cas du marché de Makola à Accra.

d'Accra, on serait bien en peine de découvrir le moindre écrit de littérature ghanéenne contemporaine.

Du théâtre à la télévision

Heureusement pour eux, les dramaturges ont du moins la chance de pouvoir s'exprimer au Théâtre national sur Independence Avenue, au Drama Studio, au Centre for National Culture d'Accra ou au Centre culturel de Kumasi, où sont données des représentations de toutes natures, spectacles traditionnels comme créations modernes, théâtre ou danse. A Tamale, un Art Council dirige également les recherches et les activités de la région en ce domaine. Dans les autres régions, d'autres centres culturels, comme celui de Bolgatanga, jouent le même rôle, ainsi que certains lieux, occasionnellement, lors de certaines fêtes, lors de distribution de prix dans les écoles ou de diplômes dans les universités.

Quant à la télévision nationale, elle permet également aux diverses troupes qui s'expriment généralement dans une des langues ghanéennes de se faire connaître.

Il n'y a évidemment pas que les jeunes qui bénéficient de ces tribunes : Koo Nimo, Ashanti de Kumasi, se produit à la radio, la télévision, dans des fêtes traditionnelles, où il raconte histoires, devinettes, charades qui ont une morale et une fonction éducative, comme le veut la tradition. Avec son groupe, il joue aussi du tam-tam et de la guitare et chante en ashanti. Il se réclame du professeur Manwere Opoku de l'Ecole de Danse et du professeur Kwabena Nketia, directeur de l'International Institute of African Music and Dance de Legon. Ce dernier, professeur d'ethno-musicologie à l'université de Pittsburgh, compositeur de musique, pianiste, a publié de nombreux ouvrages sur la musique traditionnelle, enregistré des chants dans tout le pays et en a composé lui-même.

Dans le domaine de la danse et de la musique, il faut souligner une expérience particulièrement intéressante pour les étrangers : l'Academy of African Music and Arts, dirigée par Mustapha Tetty Addy, propose des cours dans son école située au motel de Kokrobite, construit

ASSOCIATION DES ÉCRIVAINS PANAFRICAINS

Nul n'ignore le paradoxe que doivent affronter tous les écrivains africains : alors que la plupart d'entre eux ont conscience du rôle qu'il ont à jouer dans le maintien de leur culture personnelle, donc de la nécessité de s'exprimer dans leur langage maternel, les contraintes financières, exigeant un « marché » suffisant pour la publication d'un livre, et le fait que les lecteurs potentiels ont tous appris à lire dans une des langues des colonisateurs, les obligent à écrire en français ou en anglais. Encore doivent-ils ensuite convaincre les éditeurs que leurs écrits valent une publication : chacun sait que c'est un travail ardu !
Pour mieux tenter de résoudre des problèmes identiques d'un bout à l'autre du continent, une association a été fondée : la Pan African Writers Association (PAWA), sous la direction du poète ghanéen Atukwei Okai, après plusieurs années de consultations qui ont abouti à un congrès constitutif tenu à Accra en novembre 1989, regroupant 35 pays d'Afrique.
Tout en offrant à ses confrères au siège de l'Association, dans le quartier de Roman Ridge, à Accra, un cadre où se rencontrent des écrivains du monde entier, comme Wole Soyinka, le prix Nobel nigerian, Atukwei Okai poursuit désormais l'objectif majeur de créer une maison d'édition africaine à l'échelle du continent, consciente du rôle primordial des écrivains dans la découverte et l'épanouissement de l'âme africaine.

sur une plage à une trentaine de kilomètres d'Accra. Ainsi, chacun peut y suivre, pour des durées variables, des cours de danse, chant, tam-tam, percussion, fabrication de tam-tam, sculpture sur bois, peinture. Le dimanche, un festival de musique et danse africaines est proposé à tous, résidents ou clients de passage au motel.

Autre expérience bien ghanéenne pour se placer dans un contexte d'africanité, celle du Pan African Orchestra, première formation de musique classique africaine. En 1985, le compositeur et musicologue Nana Danso Abiam, descendant d'un chef coutumier, est nommé à la tête de cet orchestre pour y interpréter des œuvres classiques européennes. Frappé par l'influence exercée par la musique africaine sur des compositeurs comme Bartok ou Stravinski, il décide d'introduire dans l'orchestre des instruments purement africains. Se heurtant à des résistances, il quitte l'orchestre et en fonde un autre du même nom, où sont uniquement utilisés des instruments venant du Ghana, du Zimbabwe, du Mozambique, des pays mandingues. Pour les harmoniser, il invente un système nouveau de notation et recompose de façon originale le répertoire du terroir. A noter qu'il existait déjà de grands orchestres ghanéens au XVIIIe siècle, notamment à Cape Coast.

Ce fort courant de « panafricanité » qui vivifie toute la vie culturelle ghanéenne, on le retrouvera dans le « Panafest 97 », qui a lieu tous les trois ans à Cape Coast, Elmina et Accra. Les derniers thèmes étaient la renaissance de l'unité de la famille africaine, sa promotion pour le développement, l'étude de la véritable histoire de l'Afrique, l'héritage commun du continent et son impact sur la civilisation mondiale.

La vitalité des arts plastiques

Dans quelle catégorie classer le cinéma ghanéen ? Peu importe, l'essentiel est que non seulement le Ghana, grâce à des réalisateurs comme King Ampaw, Ata Yarney, Joe Daniels, Kofi Yirenkyi, Kwah Ansah, peut entrer en compétition avec n'importe quel pays africain, mais qu'il lui arrive de remporter la palme dans un festival international. Ce fut le cas pour Kwah Ansah en 1989 à Ouagadougou, avec son premier long métrage « Heritage Africa » produit dix ans plus tôt à Accra avec l'aide de sa seule famille, car ses compatriotes ne lui faisaient pas confiance !

Il a depuis réalisé un autre film : « Har-vest at seventeen », sur le problème de la délinquance et de la prostitution juvéniles, largement diffusé dans les cinémas, à la télévision, dans les écoles du Ghana. En 1997, Kwah Ansah a représenté son pays dans le comité de préparation du quinzième festival de cinéma de Ouagadougou, le FESPACO.

Phénomène nouveau : le développement de films locaux en vidéo, dont la plus grande vedette est un ancien instituteur, Mac Jordan Amartey. Le succès de ces films, malgré une qualité technique parfois défectueuse, est dû au choix de sujets pris dans la vie quotidienne.

Parallèlement à l'émergence du jeune cinéma ghanéen, il faut souligner le phénomène intéressant que constitue la naissance, depuis l'Indépendance, d'une peinture moderne, puisant son inspiration dans des sujets traditionnels ou modernes, tout en adoptant des techniques occidentales.

Les peintres les plus connus, (ils ont participé à des expositions de peinture internationales dans le monde entier, à Paris en particulier), sont Glover, figuratif et tachiste à la personnalité très forte, Kofi Sertordjie, Wiz Kudowor, Larry Otoo, Ofei Nyaku, El Anatsui, Nsuka, basé à l'Université du Nigeria. En 1993, Ablade Glover a fondé une galerie « Omanye House », à Nungua, quartier d'Accra, dont le succès repose sur la personnalité de son fondateur, et le fait qu'elle offre un courant permanent d'œuvres nouvelles, puisqu'on peut y acheter directement aux artistes, leurs peintures ou sculptures. Derniers venus sur la scène de l'art : Ayikai Amarteifio — peintre qui a sa propre galerie ; Robert Aryeety — peintre ; Dogbe — sculpteur ; Kofi Asante — céramiste ; Oko Mate — peintre ; tous exposant à Omanye House.

Plus ancien et plus près du Musée statique est le Centre For National Culture, ex-Arts Centre où sont exposées également des œuvres intéressantes comme celles de Victor Butler, Ato Delquis, d'inspiration naïve ; Sika, Christopher Yarney, Betty Acquab, Victor Odoi, Ankuh Golloh ou Tsatsu Doku, peintre sur soie et batik.

Il faut souligner l'émergence d'une haute couture de plus en plus remarquée dont une des vedettes fut Ricci Osei, basé à Labone. A proximité de son atelier, officie le fameux Kofi Ansah qui a souvent participé à des « défilés ». A Osu est installée Joyce Abadio, célèbre pour la robe du soir portée par Miss Ghana 1995. Autres personnalités de la mode : Mawuli Okudjeto, Tetteh Plahar, Margaret Ofori-Atta et Adzedu.

Outre la sculpture, la musique et la danse,
le talent des artistes ghanéens
s'exprime aussi dans la peinture :
ces tableaux servent en fait d'affiches,
pour annoncer une prochaine représentation théâtrale.

histoire du ghana

■ Avant de pouvoir établir sa devise « Un peuple, une nation, une destinée », le Ghana a connu presque autant de métamorphoses que l'homme lui-même, dont il a peut-être vu, sinon la naissance, du moins l'adolescence.

Au Ghana, les traces les plus anciennes d'habitat sédentaire se situent il y a 30 ou 40 000 ans, sur la côte, notamment près de Tema. Bien que l'on sache peu de chose sur les êtres humains qui y vivaient, leur existence même révolutionne les théories affirmant il y a tout juste quelques années que l'Afrique occidentale n'avait commencé au plus tôt à se peupler qu'au début de l'ère chrétienne.

Or non seulement la preuve est ainsi faite que le Ghana était déjà habité il y a plus de deux cents siècles, mais voilà que dans la région du Brong-Ahafo, à peu de distance de la Volta Noire, surgissent aussi les vestiges d'une civilisation datant de 1700 à 1500 av. J.-C., désignée sous le nom de culture de Kintampo.

Celle-ci s'étendait probablement entre la frontière de Côte d'Ivoire, à l'ouest, et le lac Volta, à l'est, de Kintampo, au sud, jusqu'à Ntereso, au nord.

Les représentants de cette culture étaient agriculteurs, éleveurs, pêcheurs et, à la fin du deuxième millénaire, ils avaient développé un art naturaliste. Qui étaient-ils ? Personne ne le sait, mais les Akan du village moderne d'Hani et de ses environs ont une bien curieuse croyance : ils prétendent que leurs ancêtres sont sortis de terre, par un trou situé à six kilomètres environ du village, c'est-à-dire à proximité immédiate de deux des sites ayant appartenu à la culture de Kintampo.

La tentation est grande de voir dans cette croyance la preuve que les ancêtres des Akan appartenaient à cette vieille civilisation. Mais il faut se garder de conclusions aussi hâtives. D'ailleurs, à un kilomètre de l'un de ces sites datant de vingt-cinq siècles, une véritable ville, Begho, surgit peu à peu des chantiers de fouilles. Cette fois, il s'agit d'une agglomération beaucoup plus jeune : la datation au carbone situe ses maisons entre 1350 et 1750 de l'ère chrétienne.

A quand remonte la sortie de terre des ancêtres des villageois d'Hani ? A la première époque ou à la seconde ? Se pourrait-il qu'ils n'aient jamais quitté la région depuis 2 500 ans ? Ou bien s'agit-il d'une légende destinée à légitimer *a posteriori* l'occupation d'une terre conquise ?

Quoi qu'il en soit, il semble improbable que la vie se soit arrêtée entre l'ère où florissait Kintempo et celle où Begho était un marché fréquenté par les caravanes venant du nord. En effet, c'est pendant cette période qu'avait eu le temps de naître — et de mourir — le puissant empire du Ghana.

Bien que les limites méridionales de cet empire, qui a existé du IVe au XIe siècle, aient eu le temps de se modifier plusieurs fois, elles n'ont jamais atteint les frontières du Ghana actuel. Tout au plus existait-il des liens commerciaux entre les deux régions. Peut-être aussi, de temps à autre, à la suite d'une rébellion ou d'une succession difficile à régler, un groupe de mécontents prenait-il le chemin du sud pour échapper à des représailles et s'installait-il à côté ou à la place des habitants autochtones.

Quand l'empire du Ghana s'effondre sous les coups des Arabes almoravides, il est connu depuis au moins deux siècles par les marchands d'Orient et d'Espagne, avec lesquels il entretient des relations bancaires. Que deviennent alors les populations qui en faisaient partie ? L'une des traditions du groupe Akan affirme que ces ancêtres fuirent la domination almoravide et qu'après avoir erré longtemps ils vinrent se fixer au confluent de la Pra et de l'Ofin, dans l'Adanse où se serait véritablement créée leur civilisation.

Une coïncidence fait rêver : l'écrivain arabe El Bakri décrit vers 1077 la richesse fabuleuse des rois du Ghana qui « attachaient leurs chevaux à des blocs d'or massif ». Or les liens de tout le groupe Akan avec l'or sont d'ordre mystique. Est-ce un reflet de l'époque où cet or rendait leurs aïeux tout-puissants ?

Les mystérieux Akan

Il est vraiment impossible de savoir d'où venaient ces derniers, tant les traditions de leurs descendants sont contradictoires : certains se proclament autochtones, d'autres affirment que leurs différents groupes vinrent petit à petit du nord de la forêt.

Une partie des Denkyira, fixés le long de la rivière Ofin, disent : « Nos ancêtres ont quitté les sources du Nil, traversé les pays musulmans et se sont établis à Nkyiraa, dans le Brong-Ahafo, pendant deux siècles. » Quant aux Adanse de Fomena, au nord du confluent de la Pra et de l'Ofin, non seulement ils se prétendent issus du sol qu'ils habitent actuellement, mais soutiennent également que c'est en Adanse que le créateur fit naître les huit clans du groupe Akan.

Les versions des historiens ne concordent pas davantage. Pour certains, les Akan étaient déjà installés autour de l'Ofin, il y a 2 000 ans. Ils commencèrent alors à absorber les habitants qui se trouvaient dans les plaines côtières et les forêts de l'ouest, développèrent leurs coutumes, leur organisation sociale, leur langue, et fondèrent les Etats Twifo, Adanse et Denkyira.

D'autres sont plus prudents et se bornent à constater qu'entre 1000 et 1400 un certain nombre de communautés existaient déjà, dont la plupart sur la côte.

Au XVe siècle, le royaume d'Acames (Acanni) était établi sur l'emplacement d'Elmina et, plus loin à l'ouest, celui d'Ahanta, puisque les premiers voyageurs européens en ces régions ont traité avec leurs chefs et décrit les insignes royaux (tabouret, tambours spéciaux, trompettes, etc.) qui sont restés en usage.

La destruction de l'empire du Ghana semble avoir donné le signal de migrations qui devaient peu à peu envahir les pays au sud du Niger.

Cependant, dans le Nord, un certain nombre d'ethnies étaient déjà installées à cette époque, telles que les Vagala, les Sissala, les Kassena, les Dagati, les Tampylensi, les Talensi, les Guan, les Konkomba, les Nafaba, les Koma et les Chamba.

Personne ne sait très exactement si ces ethnies étaient vraiment autochtones et, en ce qui concerne les Guan, le mystère est total. Certains veulent voir en eux l'avant-garde des Akan. En tout cas, ces éclaireurs avaient proliféré, car on les rencontre du nord au sud et de l'est à l'ouest. De plus, leur langue était entretemps devenue tout à fait distincte de celle des Akan... et elle l'est restée en dépit de toutes les conquêtes. Mais ils sont également très différents des autres ethnies du nord qui, en revanche, parlent des langues de même souche et vivent d'une manière analogue, c'est-à-dire en petites communautés sans rapports légaux les unes avec les autres sous l'autorité de l'homme le plus âgé de chaque famille. A côté de ces « chefs » de famille, au sens le plus fort, coexiste le Tindana, gardien de la terre, qui distribue celle-ci aux cultivateurs, dirige les festivals annuels et agit en tant que prêtre.

Au XIIIe siècle, les ancêtres des Mamprusi et des Dagomba quittent probable-

LA CULTURE DE KINTAMPO

■ *Ce n'est que depuis 1959 qu'au Congrès Panafricain de la Préhistoire à Léopoldville (actuel Kinshasa), l'archéologue Davies fit connaître cette culture jusque-là totalement ignorée. Depuis, d'énormes progrès ont été faits dans cette connaissance grâce aux fouilles réalisées à Mumute et Bonoase (près de Begho) dans le Brong-Ahafo, à Chukuto et à Ntereso au sud-ouest de Tamale dans le nord, aussi bien que près de Kintampo. Vers 1700 av. J.-C., les représentants de cette culture réalisèrent pour une raison inconnue que la chasse et la cueillette ne pouvaient plus leur assurer une nourriture suffisante. Pour la première fois ils défrichèrent la forêt et plantèrent des palmiers à huile, des pois et des fruits de celtis. Comme outils, ils avaient des haches de pierre qui étaient fabriquées en série à Kintampo, puis dans deux autres sites près des rivières Buruburo et Wiwi. En fait, on suppose que d'autres espèces étaient cultivées, mais les archéologues ne veulent se baser que sur les graines qu'ils ont retrouvées. De même, si l'on sait que des bovins étaient élevés par ces gens, c'est parce que des os ont été découverts sur les sites. A Ntereso, près de la rivière Volta, ces agriculteurs-éleveurs étaient aussi des pêcheurs et se servaient de harpons en os, de hameçons et de pointes de flèches. Ces outils étaient originaires du Sud-Sahara et du Niger. C'est également très probablement sous la même influence que les habitants de Ntereso adoptèrent le toit plat pour leurs maisons. Cette mode fut adoptée également par Chukuto, ainsi que le plan rectangulaire, tandis que la case ronde restait en faveur dans les autres villes de cette civilisation.*

ment le lac Tchad et traversent le nord Nigeria. Ils font en passant quelques raids, en compagnie d'un certain roi de Melle, à Tombouctou et Walata, villes appartenant à l'empire du Mali, alors tout-puissant. Peut-être se sont-ils attaqués à trop forte partie, car on les retrouve à Pusiga, à l'extrémité nord-est du Ghana, sous la direction de leur chef Gbewa. Ils sont entraînés à faire la guerre, ont un chef aux dents longues, des épées, des lances et des chevaux. Autant de raisons pour frapper de terreur les malheureuses ethnies locales qui vivaient jusque-là en bonne intelligence, ayant suffisamment de place pour ne pas se gêner.

Gbewa se taille donc un royaume dans la région comprise entre l'escarpement de Gambaga et la frontière nord. Naturellement, les choses se gâtent dès la génération de ses petits-fils, qui se disputent le pouvoir. Un certain Tohogu, héritier légitime, s'enfuit vers le sud-est jusqu'à Mamprugu, de l'autre côté de l'escarpement, tandis que ses deux frères, Sitobu et Mantambu ne le trouvant pas à Gambaga comme ils l'espéraient, continuent vers le sud et vont fonder les royaumes de Dagomba et de Nanumba. De nombreuses années plus tard, une branche de la famille royale des Dagomba, à la suite d'une histoire de succession, reprendra la route pour aller jusqu'à Wa, à proximité de la frontière ouest, où elle régnera sur les Dagati.

Mais Tohogu, après avoir déjoué ses frères ennemis, revient à Gambaga, crée la ville qui n'existait que comme établissement agricole, ainsi que le royaume de Mamprugu, tandis que ses sujets se baptisent Mamprusi. Lui-même prend le titre de Nayiri que ses successeurs conserveront.

Les descendants d'un de ses frères, les Dagomba, n'en ont pas fini avec les déménagements. Au XVIe siècle, arrivent du nord des Mandé, dont les aïeux ont probablement fait successivement partie du grand empire du Mali, puis de celui de Songhay. Ils sont musulmans et guerriers. Après s'être infiltrés dans le pays par le nord, à l'ouest de la Volta Blanche, ils s'installent à la place des Dagomba qui émigrent plus à l'est et fondent Yendi, qui restera leur capitale. Les Mandé, qui ont pris le nom de Gonja, occuperont désormais, sous le royaume Mamprusi, un très vaste territoire qui descend jusqu'à l'extrémité nord-ouest de l'actuel lac Volta.

Malgré une origine différente, les groupes Mamprusi-Dagomba et Gonja ont des institutions similaires. Ils ont tous un roi, équivalent du Nayiri, qui s'appuie sur un conseil d'anciens. La succession se fait par les mâles de la famille, donc seuls les fils, les frères de même père et les oncles paternels sont éligibles par le conseil des anciens. Cependant, le Tindana a gardé son rôle de gardien de la terre et il est même consulté dans les occasions importantes, notamment au moment de l'élection du roi.

De nouveaux venus

A l'exception des mystérieux ancêtres surgis de terre ou descendus du ciel, tout ce qui a compté dans l'histoire du pays est jusque-là venu du nord.

Mais au XIVe siècle, un événement se produit, qui tout d'abord passe presque inaperçu : des Dieppois longent le golfe de Guinée et fondent très probablement un comptoir à Elmina, qu'ils abandonneront dès le début du XVe siècle.

Tout se sait et les Portugais ont sans doute entendu parler des découvertes faites en Afrique par les marins français. En tout cas, ils s'installent à leur tour à Elmina et construisent le château de São Jorge.

Qui trouvent-ils sur cette côte où ils vont bientôt établir de nombreux camps à l'ouest de Cape Coast, qui s'appelle alors Oguaa ?

Le groupe Akan ne s'est pas contenté de la région du confluent de l'Ofin et de la Pra. Il s'est étendu vers le nord jusqu'au Brong-Ahafo qu'il a peu à peu entièrement occupé. Puis un autre groupe est redescendu sur la côte : ce sont les Fanti, qui se ménagent une place en poussant ou en tuant d'anciens occupants, tels que les Efutu ou les Asebu dont l'origine n'est pas claire. On a prétendu qu'ils faisaient partie du même groupe ethnique que les Guan... mais leur langage ressemble à celui des Fanti. Au XVIe siècle, Pacheco Pereira remarquera que les habitants de la côte entre la Pra et Senya Beraku, près d'Accra, parlent la même langue.

Pour tout compliquer, en dépit des traditions évoquant, d'ailleurs de plusieurs manières, les modalités de leur voyage depuis le Brong-Ahafo, les Fanti, comme les Efutu, proclament que leurs ancêtres sont descendus du ciel ou sortis de terre. De toute façon, ils sont là au moment où les Portugais se fixent au Ghana et décident de garder le monopole exclusif des énormes quantités d'or qu'ils découvrent à « El mina » et ses environs. De bons chrétiens, ces Portugais ! Pour faire respecter leurs « droits », ils arraisonnent purement et simplement tout navire européen croisant au large des côtes ghanéennes et incitent le pape Eugène IV à promulguer, en 1443, une bulle dans laquelle il accorde au Portugal tous les territoires entre le cap Bojador et les Indes Orientales. Son successeur, Sixte IV, fait bonne mesure en rajoutant l'interdiction formelle, sous peine d'excommunication, de pénétrer dans les territoires accordés aux Portugais.

Enfin, pour se défendre contre les usurpateurs, au cas où les deux premières mesures ne suffiraient pas, les nouveaux propriétaires construisent des forteresses à Axim, Shama et, près de l'embouchure de l'Ankobra, le fort Duma, aujourd'hui disparu.

Mais les Portugais avaient été maladroits : en faisant intervenir le pape pour se concéder des terres dont ils prétendaient par ailleurs qu'elles ne valaient pas le dérangement, en exécutant tous ceux qui essayaient d'en savoir davantage, ils n'avaient fait que persuader l'Europe entière que le gâteau était d'importance. Bientôt les marins des autres nations se feront de plus en plus audacieux et déclencheront d'effroyables règlements de comptes, auxquels participeront assez allègrement les populations côtières.

Encore des immigrants...

Peu après l'arrivée des Portugais, font leur apparition sur la côte Est les Ga-Adangbe, originaires de l'embouchure du Niger. Les premiers d'entre eux, les Ada, s'arrêtent sur la rive Ouest du delta de la Volta, tandis que leurs frères Adangbe, les Shaï et les Krobo, gagnent les plaines et les collines de l'intérieur, et commencent à défricher.

Les Ga, leurs proches parents, avaient continué un peu plus à l'ouest et avaient abordé les Kpesi, d'origine Guan, qui s'y trouvaient. Dans la seconde moitié du XVIIᵉ siècle, leur capitale, Accra, ainsi que la majeure partie du royaume qu'ils ont fondé dans les plaines de l'intérieur jusqu'aux collines de l'Akwapim, deviennent la proie d'un groupe Akan, les Akwamu. Il ne leur reste plus qu'à se réfugier à l'ombre des forts que les Européens ont construits sur le site actuel d'Accra, et par conséquent à faire bon ménage avec les étrangers, quels qu'ils soient.

Pendant ce temps s'était produite, à l'est de la Volta, une nouvelle migration, celle des Ewe qui venaient du Dahomey,

chassés de leurs terres par d'autres envahisseurs. Ils étaient partis vers l'ouest par petits groupes et s'étaient d'abord arrêtés au Togo sur le site de Nuatja où ils avaient fondé un royaume. Malheureusement, l'héritier du fondateur, Agokoli, se montrant tyrannique, une partie de ses sujets avaient tristement repris la route. Au milieu du XVIIᵉ siècle, les voilà arrivés dans le delta de la Volta. Ils resteront sur la rive orientale, peupleront la côte et l'intérieur des terres jusqu'aux collines du Togo qu'ils pénétreront peu à peu.

Guerres tribales et esclavage

Les Ewe forment de nombreux petits États indépendants, conduits à la fois par un chef et un conseil des anciens. Aux alentours de 1900, on en compte environ 120, dont l'Anlo, le Dzodze, l'Ave, le Peki, le Ho, le Kpandu, le Tongu, etc.

Les Européens avaient été attirés sur les côtes ghanéennes par l'or. Mais c'est une autre marchandise qui les y maintenait. Le Nouveau Monde avait été découvert, conquis, vidé de ses habitants, les Indiens, et pour cultiver les énormes étendues de l'Amérique et des îles, il fallait de la main-d'œuvre à bon compte ou, mieux encore, des esclaves. Où les prendre sinon sur les côtes africaines ?

L'esclavage existait au moins depuis l'époque des grands empires du Ghana, du Mali et du Songhay. Comme la coutume voulait que, dans chaque guerre, les vaincus deviennent les esclaves des vainqueurs, des migrations se produisaient, qui entraînaient de nouvelles guerres... et de nouveaux esclaves.

Depuis le XVIᵉ siècle, le groupe Akan ne cessait de s'étendre. Au XVIIᵉ siècle, une carte établie par les Hollandais cite vingt-neuf Etats Akan, depuis le Wenchi au nord, jusqu'aux Ahanta, Komenda, Fanti sur la côte, en passant au centre par l'Ashanti qui n'a pas fini de faire parler de lui. A l'est, les Akwamu font encore régner la terreur, mais ils vont bientôt avoir à leur tour des ennuis avec les Akim, d'autres Akan.

Ces Etats, bien que frères, ne se gênent guère pour se battre entre eux et faire des prisonniers... de plus en plus de prisonniers, au fur et à mesure que la demande en esclaves augmente.

Bien que de leur côté les nations européennes se combattent de moins en moins, sur le littoral, la traite étant si florissante qu'il y a du « travail » pour tout le monde, elles continuent à construire des forts. Les Akan, à quelque Etat qu'ils appartiennent, sont de bons guerriers et ne le prouvent que trop. Il est donc plus prudent d'enfermer solidement ce qu'on ne leur achète d'ailleurs plus avec des verroteries, mais avec des fusils. Au XVIIIe siècle, trente forteresses sont encore édifiées, dont douze par les Hollandais qui restent plus puissants dans la région que les Anglais. Au moment de l'abolition de l'esclavage, en 1848, le total des forts, d'inégale importance, sera de soixante-seize, depuis l'embouchure de l'Ankobra, à l'ouest, jusqu'à Keta, à l'est.

Les Européens avaient peu à peu pris conscience de l'horreur de l'esclavage. Cependant, il est étrange de constater que très peu d'années après son abolition définitive allait naître la poussée du colonialisme. Et il est encore plus étrange de réaliser qu'au Ghana la véritable ségrégation raciale qui, par exemple, n'avait pas eu lieu à Accra où bien des commerçants anglais ou hollandais habitaient dans les quartiers noirs, n'existerait qu'à partir de la colonisation.

Au Ghana, les Anglais rachetaient peu à peu les forts des Hollandais, tandis que les Allemands s'implantaient solidement au Togo. Pourtant, jusqu'au milieu du XIXe siècle, en général, les gouvernements ne s'occupent guère des intérêts des missionnaires qui fondent des écoles, ni de ceux des compagnies privées.

Le traité du 6 mars 1844

Le gouvernement anglais avait d'ailleurs prié les marchands d'administrer eux-mêmes leurs forts et de ne pas le mêler à leurs affaires. Le gouverneur Maclean, chargé par eux en 1830 de diriger l'ensemble des châteaux et forteresses, était là pour diriger les opérations militaires. Il fit également office de conciliateur entre les Ashanti et les Fanti et en siégeant dans les cours de justice africaines. Aussi, en 1843, l'État britannique reprend-il sous sa juridiction l'administration de la Côte de l'Or et signe-t-il un traité avec les chefs Fanti, le 6 mars 1844, pour définir les rapports des Anglais avec les populations du sud.

Mais ce n'est qu'en 1872, lorsque les Hollandais se seront retirés complètement du pays en cédant leurs droits aux Britanniques, que le gouvernement de la

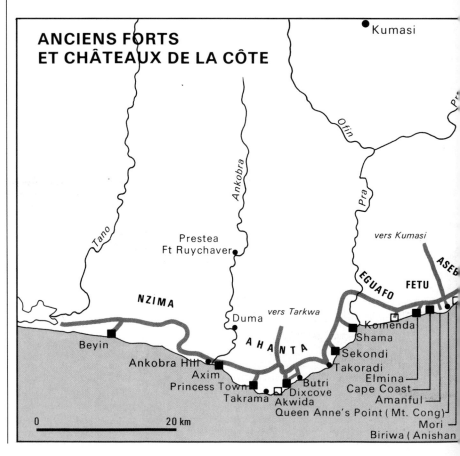

ANCIENS FORTS ET CHÂTEAUX DE LA CÔTE

Kumasi

Tano

Ankobra

Ofin

Pra

vers Kumasi

Prestea
Ft Ruychaver

EGUAFO

FETU

ASEB

NZIMA

Duma

vers Tarkwa

Komenda

Shama

Beyin

A H A N T A

Sekondi

Ankobra Hill

Takoradi

Axim

Elmina

Princess Town

Butri

Cape Coast

Dixcove

Amanful

Takrama

Akwida

Queen Anne's Point (Mt. Cong)

Mori

Biriwa (Anishan

0   20 km

reine Victoria commencera à mener réellement une politique colonialiste.

Il va avoir l'occasion de s'imposer grâce à la première des deux guerres qui vont opposer de front son armée et celle des Ashanti.

Pour comprendre comment ces derniers en étaient arrivés à une large union, il faut revenir au temps où le roi Osei Tutu, entre 1695 et 1711, avait mis fin à la domination du royaume Akan Denkyira en réunissant en confédération tous ses voisins. Son génial prêtre-ministre, Okomfo Anokye, avait eu alors l'inspiration de créer le fameux Tabouret d'or, qu'il avait affirmé être descendu du ciel et contenir l'esprit de la nation. Au cours d'une cérémonie solennelle, un breuvage spécial avait été partagé par les chefs puis répandu sur le tabouret. Désormais, l'union Ashanti prenait un caractère sacré, qui lui permettait d'exercer une emprise considérable sur les autres Etats, dont Kumasi était devenu la ville suzeraine. A partir de ce moment le peuple Ashanti repoussera ses limites territoriales dans toutes les directions et enverra un corps expéditionnaire jusque chez les Talensi de la région de Bolga-

tanga où, d'ailleurs, le dieu local le mettra en fuite. Son expansion s'exercera également vers l'est, aux dépens des Akim qui paieront par où ils avaient péché, puisqu'ils avaient fait subir le même traitement aux Akwamu. Les Ga, à leur tour, deviendront ses vassaux.

C'est alors que les Ashanti se tourneront vers la côte. Mais les Fanti n'étant pas disposés à se laisser faire, la guerre éclatera entre eux.

Maclean réussit pourtant provisoirement à faire régner la paix, mais après son départ les raids Ashanti sur la côte reprennent de plus belle et, en 1872, lorsque les Anglais achètent aux Hollandais le château d'Elmina, un retournement de situation intervient : avec l'aide des Fanti, pourtant leurs ennemis héréditaires, ils attaquent San Jorge. En 1873, l'Angleterre décide d'envoyer un corps expéditionnaire contre Kumasi. La guerre dure deux ans et se termine par la défaite des Ashanti. Aussitôt après, les Anglais fondent officiellement la colonie de la Côte de l'Or. Ses démêlés avec les Ashanti ne sont pas terminés pour autant, et voilà que s'élèvent des difficultés avec les Ga, qui refusent de payer les

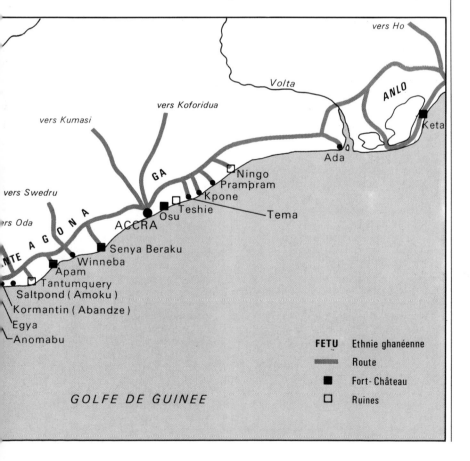

Transformé en musée, le fort britannique de Kumasi
recèle de nombreux documents sur l'histoire du Ghana,
comme ces portraits des rois ashanti Primpeh I et Primpeh II
avec leurs courtisans, ou ceux
de la garnison britannique lors du siège de Kumasi, en 1900.

taxes que les colonisateurs jugent nécessaires pour entretenir la ville d'Accra. Ces difficultés deviennent si sérieuses que pour mieux surveiller les Ga, les autorités décident de transférer le siège de leur administration de Cape Coast à Accra en 1877.

Jusque-là, seule la côte était sous la domination anglaise. Mais à partir des années 80, le besoin de matières premières se fait de plus en plus sentir dans une Europe en pleine compétition industrielle. Tous les yeux se tournent vers le continent noir, prometteur de richesses nouvelles. En 1884, à la Conférence de Berlin qui va s'étaler sur plusieurs années, 14 nations se réunissent pour disposer « légalement » des terres africaines. L'Allemagne de Bismarck fait accepter sa politique du plus fort et admettre ses droits sur le Cameroun, le Tanganyika et le Togo.

Cette fois l'aventure coloniale commence réellement.

Il devient indispensable aux Anglais de ne plus se cantonner au mince territoire du sud. Pour cela il faut réduire les Ashanti. En 1886, l'Asantehene est exilé aux Seychelles, tandis que des personnalités officielles sont envoyées dans les régions du nord pour signer des traités d'amitié avec les chefs traditionnels.

Plutôt que de risquer de perdre le Tabouret d'or, les Ashanti ont préféré ne pas s'opposer à l'arrestation du roi, Prempeh Ier. Et il est probable qu'ils n'auraient jamais repris les armes si le gouverneur anglais Frederick Hodgson, en mars 1900, n'avait commis l'erreur monumentale de réclamer le Tabouret d'or qu'il assimilait à un vulgaire insigne de pouvoir. Trois jours après, les Ashanti, pour qui cette exigence représentait le sacrilège absolu, attaquaient le fort de Kumasi.

Hélas ! cette fois la guerre se termine par leur soumission et par la destruction à peu près complète de leur capitale. En 1901, le pays Ashanti est définitivement conquis, alors que depuis 1898 les territoires du nord ont été placés sous protectorat. Il ne restait plus qu'à s'entendre sur le tracé des frontières avec les puissances coloniales voisines : les Français de Côte d'Ivoire et les Allemands du Togo. En 1902, trois ordonnances établissent les limites de la colonie proprement dite, du pays conquis sur les Ashanti et du protectorat du nord. Puis, en 1919, après la défaite des Allemands, le Togo est partagé entre la France et l'Angleterre, et cette dernière reçoit une partie de ce qui constitue le noyau de la Volta Region. Un plébiscite dans la région nord en 1956 a finalement déterminé quelle partie de cette région allait être intégrée dans le futur Ghana indépendant.

Les richesses de la Côte de l'Or

Depuis la fin du siècle, le cacao avait été introduit sur une grande échelle dans la région de l'Est. A partir de 1910, il devient la première production du pays, tandis que se développe l'extraction minière. En 1900, l'or était encore le seul minerai exporté. C'est pour en faciliter le transport que la première ligne de chemin de fer avait été décidée, non à partir de la capitale, mais entre Sekondi, alors le seul port de commerce, et Tarkwa, la plus grande ville minière. A cette ligne, construite entre 1898 et 1903, s'ajoute, de 1909 à 1923, celle reliant Accra à Kumasi. Elle passe à travers la région du cacao et s'arrête dans d'autres villes minières où sont extraits non seulement de l'or, mais aussi des diamants, du manganèse et de la bauxite. Si le commerce avait continué à s'effectuer par l'intermédiaire des Africains, comme autrefois l'huile de palme ou les noix de kola, le pays entier aurait pu profiter du « boom » que connut le cacao à partir des années 20. Mais le temps n'est plus où les Blancs traitaient avec les habitants de la Côte de l'Or et où naissait une classe bourgeoise de marchands. Cette classe est ruinée depuis que des sociétés étrangères exploitent le sol et les mines pour en exporter directement le produit en Europe ou achètent aux fermiers leur production à des prix qu'elles fixent unilatéralement tout comme le prix des articles qu'elles importent et vendent elles-mêmes. Partout il s'agit de salariés, d'ouvriers ou de petits cultivateurs dont les griefs s'accumulent peu à peu avec une progression économique dont ils constatent les effets sans en bénéficier.

Il y a pire. Primitivement locataires des maisons qu'ils habitaient dans les quartiers indigènes ou bénéficiant de simples concessions, les Européens obtiennent des terres à partir de 1892. C'est inacceptable pour des populations qui considèrent le sol comme appartenant aux ancêtres et par conséquent inaliénable. En 1897, naît la Société pour la protection des droits des Aborigènes, dirigée par un avocat, John Mensah Sarbah, essentiellement pour empêcher que les terres ne deviennent propriété de la Couronne anglaise ou des colons britanniques.

Cette société prouve malgré tout que les écoles qui se sont multipliées dans le pays ont porté leurs fruits. Parmi les Africains ayant reçu une éducation secondaire, les plus doués d'entre eux, tels le jeune Kwame Nkrumah, iront finir leurs études en Europe ou en Amérique. Ils y apprendront la manière de s'opposer aux lois par la loi et se formeront politiquement. C'est le cas de Kwame Nkrumah, de Joseph Smith et de J. Hutton Brew, secrétaires de la Confédération Fanti et de tous ceux qui ne cesseront de créer des mouvements nationalistes.

Le système de l'« indirect rule »

Le système de gouvernement indirect, adopté dans les années 20 et 30, permettait aux Anglais d'utiliser les chefs locaux dans la gestion du pays, les intégrant ainsi dans l'administration coloniale. Celle-ci voulait exclure tous les jeunes, éduqués à l'européenne, qui de leur côté ne reconnaissaient plus l'autorité des chefs, d'ailleurs contestable lorsqu'elle n'émanait pas des instances traditionnelles, mais du gouvernement colonial.

Par ailleurs, les chefs et rois légitimes n'étaient pas non plus satisfaits d'être rangés dans la même catégorie que ces nouveaux venus.

De plus, la position politique des Africains n'avait cessé de se détériorer depuis les débuts de la colonisation. Alors qu'en 1893 sur les 43 principaux postes administratifs 9 étaient tenus par des Africains, en 1908 ce chiffre était tombé à 5 sur 278 et 2 en 1919.

Enfin, la Société pour la Protection des Droits des Aborigènes, qui avait pu s'opposer à un certain nombre de lois, entre 1925 et 1927, est délibérément dissoute par le gouverneur Guggisberg, principal artisan de la barrière dressée entre les jeunes universitaires et les chefs traditionnels.

Pourtant un avocat, Joseph Casely Hayford, nommé membre du Conseil législatif en 1916, avait inauguré le Congrès ouest-africain en 1917 et cherchait à agir non seulement en Côte de l'Or, mais aussi dans les autres colonies britanniques d'Afrique. Il réclamait pour les Africains le droit de participer au gouvernement de leur pays, la liberté de vote, la suppression de la nomination (au lieu d'une élection) au Conseil législatif, l'établissement d'une Cour d'appel ouest-africaine et la création d'une Université pour l'Afrique de l'Ouest. Sans succès. Après la mort de son fondateur en 1930, le parti décline rapidement. Les mouvements de jeunesse,

créés par le docteur Azikiwe et le docteur Danquah, ne feront que maintenir vivante la politique nationale, mais ne représenteront pas la masse du pays.

La marche vers l'Indépendance

En août 1947 se forme à Sekondi l'United Gold Coast Convention, dont le but déclaré est de conduire le pays à un autogouvernement dans les plus brefs délais. Kwame Nkrumah, qui avait passé plusieurs années aux États-Unis, puis en Angleterre, est invité à en devenir le secrétaire général. Mais il en sort pour fonder son propre parti, le Convention People's Party, qui reçoit un appui total du monde des travailleurs.

C'est une orientation tout à fait nouvelle dans la lutte nationaliste qui jusquelà était conduite par des intellectuels, s'appuyant sur une intelligentsia, alors que le nouveau parti est soutenu par l'ensemble de la Nation.

La guerre avait provoqué une situation difficile : salaires peu élevés, hausse du coût de la vie, chômage. Et parmi ceux qui avaient combattu avec les Anglais à l'étranger, parfois dans des conditions d'égalité, personne n'était disposé à l'accepter.

En 1951 est formé un cabinet qui comprend huit Africains, dont Kwame Nkrumah. Celui-ci devient d'ailleurs Premier ministre l'année suivante. En 1954, les officiers britanniques, qui étaient encore ministres de la Défense et des Affaires étrangères, des Finances et de la Justice, sont remplacés par des Ghanéens. Le seul étranger est le gouverneur de ce cabinet, qui reste en place jusqu'au 6 mars 1957, jour où est déclarée l'Indépendance nationale de la Côte de l'Or, rebaptisée alors Ghana. Le 1er juillet 1960, celui-ci devient une République, avec le docteur Kwame Nkrumah comme premier Président.

Jusqu'en 1966, celui-ci sera le promoteur de l'expansion du Ghana dans tous les domaines : éducation, santé, services sociaux, industrialisation et surtout celui de la colossale réalisation que fut le barrage d'Akosombo. Mais le Président Nkrumah avait peut-être trop demandé à un peuple qui n'était pas préparé au surcroît d'effort exigé par un développement que le chef de l'État voulait rapide.

Le 24 février 1966, Kwame Nkrumah est renversé par les forces armées. Puis, le chef de la Justice, M. Edward Akuffo-Addo, est élu Président de la deuxième République.

Une seconde Constitution semble alors devoir instaurer un sain équilibre entre le président et les organes législatif, judiciaire, exécutif. Mais cet esprit démocratique n'étant pas respecté dans les faits, le 13 janvier 1972, les forces armées interviennent de nouveau et confient la charge de chef de l'État au colonel Achéampong, à son tour renversé en 1978 par un nouveau coup d'État dont le leader, Akuffo, sera lui aussi chassé du pouvoir, le 4 juin 1979, par le lieutenant de l'armée de l'air Jerry John Rawlings, chef du « Armed Forces Revolutionary Council ».

De la deuxième à la quatrième République

Mais cet homme étonnant proclame que le pouvoir ne l'intéresse pas et que s'il le prend, c'est afin de permettre des élections parlementaires libres. Dès que celles-ci ont lieu, le 24 septembre de la même année, le lieutenant Rawlings tient parole et s'en va, laissant la place au docteur Hilla Limann, élu démocratiquement, qui va gouverner, avec le People's National Party, pendant deux ans. Cependant, la situation économique et politique ne cessant de s'aggraver pour aboutir à un risque d'effondrement total, le lieutenant Rawlings décide d'intervenir de nouveau. Le 31 décembre 1981, il reprend ce pouvoir pour lequel il n'éprouve nul attrait. Son action, basée sur la lutte contre la corruption et sur une étude au plus près des intérêts majeurs de la nation, l'a contraint à une politique de rigueur et à des mesures parfois impopulaires. Mais « J.J. », comme ses partisans l'appellent familièrement, n'a jamais changé d'avis sur la nécessité pour son pays de devenir une réelle démocratie.

En 1992, des élections libres ont eu lieu, bien que les partis d'opposition aient alors choisi de les boycotter, et le lieutenant Rawlings est devenu le premier président élu de la quatrième République, tandis qu'étaient également élus les membres de l'Assemblée nationale et qu'une nouvelle Constitution établissait le cadre politique du pays. Quatre ans après, de nouvelles élections législatives et présidentielles ont eu lieu le 7 décembre 1996, avec un luxe de précautions remarquable pour s'assurer qu'aucune fraude ne puisse se produire, et avec la participation de six partis dont cinq d'opposition et le NDC, parti du Président Rawlings. Celui-ci a été réélu avec 57,6 % des suffrages, tandis que 133 des 200 sièges de l'Assemblée nationale étaient attribués à des membres de son parti.

Bien que militaire de carrière, le Président Rawlings
souligne dorénavant, par la tenue vestimentaire
qu'il aime adopter même dans les réunions
les plus procolaires, qu'il a été élu par le peuple
et qu'il estime en faire partie.

l'économie du ghana

■ Tous les gouvernements qui se sont succédé à la tête du Ghana depuis la chute de Kwame Nkrumah avaient comme objectif de sauver le pays d'une banqueroute imminente. La révolution du 31 décembre 1981 n'avait pas d'autre raison d'être. Mais à la différence des essais précédents, celui-ci a réussi.

Après dix ans d'austérité imposée à tous, tandis qu'à l'extérieur on continuait à croire le Ghana définitivement ruiné, brusquement les regards ont convergé vers le théâtre d'un véritable exploit : taux de croissance moyen de 5 %, déficit budgétaire en réduction constante, inflation divisée par dix, balance des paiements généralement positive. Depuis l'Indépendance, la société était étouffée par un pouvoir central tentaculaire, dirigiste à outrance, déresponsabilisant l'ensemble de la population et laissant en revanche les mains libres à une armée de fonctionnaires facilement tentés par la corruption. L'idéal du lieutenant, puis du Président Rawlings a toujours, au contraire, été d'instaurer une véritable démocratie en transférant le maximum d'initiatives à un peuple placé progressivement devant ses responsabilités. D'où

la politique instaurée par l'Economic Recovery Programme de 1983, puis par le Structural Adjustment Programme de 1986 : privatisation systématique, licenciement en masse des fonctionnaires surchargeant l'administration, promotion de l'investissement privé, autochtone ou étranger, libéralisation du marché, refonte du système bancaire, soutien aux secteurs productifs comme l'agriculture et les mines. Tout cela ne s'est pas accompli sans remous : la TVA, instaurée en 1995, a provoqué tant de manifestations qu'elle a été abolie la même année ; la diminution des fonctionnaires a grossi le nombre des chômeurs.

Inlassablement, il faut trouver l'équilibre entre les dépenses urgentes et les revenus à développer, faire face à des cours qui tombent parfois brusquement comme celui de l'or en 1996, tout en assurant le service de la dette : trois milliards de dollars, de 1983 à 1992, prêtés par la Banque mondiale et le FMI !

Comment concilier la libéralisation à outrance exigée par les bailleurs de fonds avec les intérêts nationaux ? Comment imposer des mesures nécessaires mais impopulaires en respectant les droits démocra-

LES PORTS DE TAKORADI ET DE TEMA

■ *Le port de Takoradi, construit en 1928 pour permettre les exportations de bois, de cacao et de minerai, a une entrée principale de 200 mètres de large et une profondeur de 12 mètres. Le bassin recouvre une superficie de 82 hectares et il est protégé par une jetée principale de 2 500 mètres. Des quais spéciaux ont été construits pour l'embarquement du manganèse, de la bauxite, du charbon, du bois, du cacao. Un quai principal peut abriter six navires.*
Le port de Tema, réalisé en 1961, a surtout été conçu pour les importations et le débarquement du matériel destiné à Akosombo et à la fonderie d'aluminium. Son entrée mesure 260 mètres de large et 12 mètres de profondeur. Son port principal recouvre une superficie de 172 hectares, avec une jetée principale d'environ 2 000 mètres. La longueur totale des quais représente 2 400 mètres. Ils sont reliés au réseau du chemin de fer. Un port de pêche, qui comprend un bassin extérieur et un bassin intérieur abritant des pirogues, des petits bateaux à moteur et un yacht-club, complète le port principal. De vastes travaux ont depuis agrandi les deux ports dont les bassins devraient encore être creusés vers l'intérieur. Ils seront aussi accompagnés, comme Kumasi, dans le centre du pays, par des zones franches industrielles qui bénéficient de statuts exceptionnels comme une exemption d'impôts.

tiques de tous ? Tel est le défi à relever par le gouvernement Rawlings, heureusement servi par une nature généreuse.

Les deux tiers des 239 460 km² du Ghana sont aptes à produire des cultures vivrières. Dans le nord règnent principalement les céréales, comme le mil de plusieurs espèces, le maïs, le sorgho, accompagnés de l'igname, des pois, des haricots, de l'arachide. Cette région de savane fournit aussi en abondance le karité dont les fruits produisent des matières grasses et des farines. Dans les vallées plus humides croissent le riz, la patate douce, les légumes comme les tomates, les aubergines, etc. Les plaines côtières, souvent sèches, produisent du manioc et du maïs, plantes peu gourmandes en eau, mais une bonne irrigation peut permettre bien d'autres cultures car le sol est fertile. Dans les régions de forêts réussissent les bananes — plantain ou sucrées —, les ignames, le manioc, le maïs, les légumes de potager, le riz, les ananas.

Les noix de kola et l'huile de palme formaient la base du commerce millénaire entre les caravanes du nord et les peuples de la forêt, puis entre ces derniers et les Européens, sur la côte. Kolatiers et palmiers poussent à l'état naturel dans la forêt, autrement dit là où devait être introduit un voisin envahissant, le cacaoyer. La kola s'est pourtant maintenue avec stabilité dans le Brong-Ahafo, le Nord-Ashanti, une partie des régions du Centre et de l'Est. Quant au palmier, après avoir représenté la plus importante exportation en 1884, il connut un déclin considérable par suite de l'introduction du cacao et n'a commencé à reconquérir sa place que longtemps plus tard.

Le café, aux alentours de 1850, était également un produit d'exportation, essentiellement cultivé dans les collines de l'Akwapim et de Krobo. Comme le palmier, il souffrit de l'introduction du cacao qui requérait les mêmes sols.

Le caoutchouc, extrait d'un arbre qui poussait à l'état naturel dans la forêt, était devenu une exportation importante à la fin du XIXᵉ siècle. Mais une maladie attaqua les arbres et sa qualité était inférieure à celle des produits asiatiques. Cependant, dès l'Indépendance, des plants d'hévéas ont été introduits dans le sud-ouest où ils réussirent très bien.

La canne à sucre pousse dans les régions de forêts et dans les vallées humides ou inondées pendant la saison des pluies. Les paysans ne la produisaient que pour leur propre consommation, sauf près de Komenda, sur la côte est, et d'Asutsuare, dans la région de l'est, où fonctionnent des raffineries.

Le tabac, importé par les Portugais, a attendu 1951 pour que la création de la Pioneer Tobacco Company provoque son expansion dans le Brong-Ahafo, la région de l'Est, celle de la Volta et plusieurs districts du Nord.

Jusqu'en 1920, le cocotier n'était sérieusement exploité que dans la région de Keta, sur la côte est. A partir de cette époque, on encouragea la création, tout le long du littoral, de fermes spécialisées dans le coprah, pulpe du fruit dont on extrait de l'huile pour l'exportation et la consommation locale.

Enfin, le jute est cultivé depuis l'Indépendance, surtout dans la région de Kumasi où il alimente une fabrique de sacs.

La révolution du cacao

C'est en 1879 qu'un Ghanéen, Tetteh Quarshie, introduisit des plants brésiliens de cacao et réussit à les acclimater dans la région de l'Akwapim. L'administration coloniale s'aperçut vite de l'intérêt de cette culture et, en 1890, établit dans le Jardin botanique d'Aburi, à quelques kilomètres d'Accra, une pépinière de cacaoyers, afin de distribuer des plants à bas prix aux cultivateurs. Le nouveau venu commença une carrière qui devait le conduire à envahir toute la zone de forêts et à devenir la plus importante source de revenus, avec les deux tiers du montant total des exportations.

Pendant longtemps, l'achat aux paysans et la vente du cacao furent assurés par des compagnies privées qui imposaient leurs conditions aux producteurs. Mais en 1947 fut créé le Cocoa Marketing Board, chargé de déterminer des conditions meilleures pour les producteurs et de s'occuper de la distribution sur les marchés mondiaux. Le prix d'achat étant plus bas que celui de la vente, la différence économisée servait de caisse de compensation en cas de chute du cours. Mais pendant toute la période précédant l'Indépendance, le commerce du cacao se fit dans d'excellentes conditions et l'épargne constitua une réserve considérable.

Il n'est pratiquement pas une ferme où ne soient élevés, dans toutes les régions, de la volaille, des moutons ou des chèvres. Les populations non musulmanes pratiquent également l'élevage du porc. Quant aux bœufs, on voit leurs troupeaux dans les plaines côtières et dans les savanes du nord. Pourtant le Ghana manque de viande et doit importer 60 pour cent de sa consommation.

Plusieurs causes expliquent cette défi-

*Région de savanes,
le Nord-Ghana est souvent victime de la sécheresse.
Mais lorsque les pluies tombent, le miracle s'accomplit :
tout reverdit et se transforme
en belles plantations ou en gras pâturages.*

cience. Jusqu'à présent, il n'a été fait aucune place à la culture de plantes fourragères. Le bétail se nourrit exclusivement des hautes herbes qui surgissent dès l'apparition des pluies, facteur déterminant qui a, lorsqu'elles sont insuffisantes, des répercussions catastrophiques sur la nourriture des animaux et sur leur boisson : dans le nord, de nombreuses rivières sont intermittentes et la soif menace cruellement les bêtes si les points d'eau sont trop rapidement asséchés. Même si le bétail ne meurt pas, la qualité et la quantité de viande s'en ressentent.

Par ailleurs, de nombreuses régions, dont l'humidité permanente assurerait de bons pâturages, sont infestées de mouches tsé-tsé, difficiles à détruire en zone de forêts, puisque la seule solution est souvent l'éradication des buissons qui les abritent.

Le déficit en protéines par manque de viande pourrait être comblé par la consommation du poisson qui en contient au moins autant. Les rivières permanentes du Ghana et le lac Bosumtwi sont riches en différentes espèces d'eau douce et, de tout temps, la pêche y a été pratiquée. Mais dans le passé cela ne représentait que des ressources assez minimes.

Dans le Sud, un certain nombre d'interdits restreignaient les méthodes de pêche ou même supprimaient celle-ci. Dans le Nord, les populations locales étaient traditionnellement bien davantage concernées par l'élevage. De toute façon, faute de camions frigorifiques et d'entrepôts, le poisson n'était pratiquement pas transportable, et par conséquent ne pouvait nullement constituer une ressource importante à l'échelle du pays.

Bien que les populations côtières aient toujours exploité les lagunes et la mer pour en tirer leur principale subsistance, cette pêche restait artisanale et se heurtait aux mêmes difficultés de transport pour alimenter l'intérieur.

Projet du barrage de la Volta

Dès 1915, un ingénieur de génie, Albert Kitson, avait découvert à la fois que le plateau Kwahu contenait une riche mine de bauxite ; que le Volta à Akosombo se prêtait admirablement à un barrage qui fournirait une énorme quantité d'électricité ; que le lac créé par la montée des eaux permettrait de transporter la bauxite jusqu'à Akosombo où une fonderie fonctionnant avec le courant de la centrale la transformerait en aluminium ; que la réserve d'eau du lac pourrait irriguer les terres incultes des plaines d'Accra. Il envoya son rapport au gouverneur Guggisberg qui, étant par ailleurs très occupé par la construction du port de Takoradi, le mit dans un tiroir.

Pendant des années, l'idée allait être périodiquement reprise, modifiée et abandonnée de nouveau, tandis que le coût du projet ne cessait de monter.

Mais pour le futur président Nkrumah, ce projet devint un but primordial à atteindre. Outre les possibilités énumérées par Kitson, il était devenu évident que les dimensions considérables du lac en feraient un moyen de communication parfait entre plusieurs régions, et que ses eaux, une fois empoissonnées, fourniraient un apport alimentaire de premier ordre aux populations riveraines. Grâce à l'électricité produite, le problème du stockage frigorifique pourrait être résolu, le départ serait donné à une industrie métallurgique où rien ne manquerait, depuis le minerai jusqu'à la transformation finale en articles de toute nature dont le pays avait besoin.

Enfin, l'électrification des différentes régions pourrait être réalisée.

Par ailleurs, depuis très longtemps, d'autres études avaient révélé que le site de Tema, à une vingtaine de kilomètres d'Accra, se prêtait parfaitement à la création d'un port en eau profonde.

L'industrialisation du pays

Et le projet du barrage s'était complété par celui d'un port qui équilibrerait à l'est la puissance commerciale et industrielle représentée depuis 1928 par Takoradi à l'ouest. Le président était convaincu que l'indépendance politique du Ghana devait se doubler d'une indépendance économique pour être effective. Dans ce but, il allait industrialiser le pays, donc réaliser coûte que coûte l'ensemble du programme.

Les capitaux à investir étaient considérables et, même s'il était possible d'obtenir des prêts, il serait indispensable que la rentabilité soit assez rapide pour permettre de faire face aux échéances. A long terme, elle ne faisait aucun doute. Mais dans les premières années ?

Des comptes serrés s'imposaient, incluant l'inventaire de toutes les ressources du pays, en dehors des réserves contenues dans les caisses du Cocoa Marketing Board.

L'or, qui avait tant attiré les étrangers, était obtenu en lavant le sable des rivières, telles que l'Ankobra et la Birim.

Ce n'est que vers 1877 qu'un Français, Pierre Bonnat, découvrit à Tarkwa une mine d'or exploitée depuis cinquante ans par des Africains : en 1882, six compagnies minières européennes fonctionnaient dans la région. Jusqu'en 1914, la seule production minière resta l'or. Mais à cette époque, un peu au sud de Tarkwa fut découvert du manganèse.

Les ressources minières et forestières

En 1919, furent trouvés les premiers diamants de la rivière Birim, au nord-ouest de Kibi. Plusieurs gisements importants furent ensuite répertoriés dans cette région, notamment à Oda et Akwatia, et exploités par des compagnies européennes, tandis que la vallée de la Bonsa, un peu moins riche en la matière, restait le domaine des prospecteurs privés africains.

Puis, ce fut le tour de la bauxite, découverte près de Bekwai et à Awaso. Mais pour extraire l'aluminium de la bauxite, il faut du courant à bon marché, aussi ce minerai était-il exporté brut.

Peu avant l'Indépendance, la production d'or atteignait environ 10 millions de livres sterling, celle du manganèse, 8,7 millions, celle de la bauxite 300 000 et celles des diamants environ 4 millions.

En tout, cela représentait un quart des exportations totales, et les gisements de bauxite du plateau Kwahu et de Kibi n'avaient pas encore été touchés.

La forêt contient des espèces de grande valeur marchande, dont l'exportation commença dès 1891. La difficulté initiale de transport, lorsqu'il fallait envoyer les billes de bois sur la côte en les faisant flotter le long des rivières, s'était trouvée résolue avec la création d'un chemin de fer traversant cette zone. Si le port de Takoradi avait été choisi de préférence à Tema, c'est parce qu'en 1928 la majorité des matières premières à exporter venait de l'ouest.

Trois cents espèces d'arbres étaient exploitées, mais l'acajou, jusqu'à la Deuxième Guerre mondiale, fut presque la seule essence exportée, les autres alimentant surtout les petites industries locales. La vente du bois au moment de l'Indépendance représentait entre 7 et 8 millions de livres sterling par an.

Les comptes faits, les risques calculés, les prêts obtenus, la décision de réaliser le barrage de la Volta fut prise.

Il avait fallu pourtant renoncer à l'extraction de la bauxite du plateau

LE BARRAGE D'AKOSOMBO

■ *Pour mieux résister à d'éventuels tremblements de terre (Accra a été à deux reprises au cours de son histoire à moitié détruit par des séismes), le barrage d'Akosombo n'a pas été réalisé en béton plein, mais avec un noyau central vertical en argile, recouvert des deux côtés par une couche de rochers concassés et par des murs extérieurs, fermés de larges blocs rocheux entassés. De chaque côté du barrage principal, un canal de dérivation conduit à la centrale électrique tandis que de l'autre deux conduites dirigent vers l'aval de la rivière les eaux du trop-plein. Un autre barrage, conçu de la même façon, retient les eaux d'un bras secondaire du fleuve.*

La hauteur du barrage principal est de 134,50 mètres, sa largeur à la base de 368,40 mètres et sa longueur, en surface des eaux, de 675 mètres. La centrale électrique, qui mesure 171 mètres de long, sur 52 de large et 32 de haut, comprend 6 générateurs d'une puissance totale de 912 000 kilowatts.

Le lac représente 8 469 kilomètres carrés, contient 147 600 millions de mètres cubes, mesure 402,50 kilomètres de long pour 4 830 kilomètres de rivage. Lorsque la saison des pluies provoque la montée du lac, il arrive que celui-ci inonde environ 101 250 hectares supplémentaires.

Kwahu. Pour alimenter la fonderie qui utiliserait le courant de la centrale, il serait nécessaire d'importer la matière première. Ce sacrifice était imposé par le budget, et malgré l'économie réalisée, réunir les fonds nécessaires avait représenté un tour de force.

La réalisation d'Akosombo

En avril 1961, le Parlement créa la Volta River Authority, présidée par le chef de l'État. Elle était chargée de planifier, exécuter et gérer l'ensemble des opérations, y compris le déplacement des 80 000 personnes chassées par la montée des eaux du lac. Ce n'était pas une mince affaire, ni sur le plan pratique ni sur le plan humain, car il fallait construire des maisons, équiper des villages, trouver aux paysans des terres équivalentes à celles qu'ils devaient abandonner.

Les travaux du barrage et de la centrale hydro-électrique commencèrent en juillet 1961, tandis que s'édifiaient la ville d'Akosombo, le port de Tema — indispensable pour importer le matériel nécessité par la réalisation du projet — et sa zone industrielle, avec la fonderie. On avait en effet jugé préférable de placer cette dernière à proximité du port où serait débarquée l'alumine, puisque de toute façon Tema serait électrifiée par le courant de la centrale.

Ces projets s'emboîtaient les uns dans les autres avec une logique rigoureuse, et il apparaissait que les résultats seraient à la mesure de la révolution politique engendrée par l'Indépendance : à l'est, Tema équilibrerait Takoradi sur le plan des activités, des emplois, du commerce extérieur ; les paysans et citadins déplacés bénéficieraient d'installations plus confortables ; plusieurs ports de pêche seraient créés sur le pourtour du lac et celui-ci fournirait toute l'eau nécessaire à l'irrigation des plaines du Sud. Rien ne manquait.

Malheureusement, la facture était lourde, car les répercussions secondaires coûtaient beaucoup d'argent : nécessité de payer de nombreux techniciens étrangers et d'envoyer en Occident de jeunes Ghanéens pour une formation accélérée, relogement comprenant une véritable ville, celle de Keta-Krachi, sur la rive nord du lac, équipement des nouvelles flottilles de pêche, sans parler de la ville de Tema ni des autres transformations qui s'accomplissaient dans les régions.

De plus, après l'Indépendance, le prix du cacao avait à plusieurs reprises baissé d'une façon dramatique, tandis que de nombreux arbres malades avaient dû être détruits.

Le président Nkrumah, qui pourtant avait vu juste, fut rendu responsable des difficultés budgétaires entraînées par cette conjonction de dettes à rembourser et d'appauvrissement des revenus, et son gouvernement fut renversé, sans d'ailleurs que ses successeurs réussissent à sortir de l'impasse économique.

Mais aujourd'hui plus personne n'accuse le responsable du projet d'Akosombo d'avoir ruiné son pays, comme ce fut le cas à la fin des années 60. Non seulement l'électrification permise par le barrage est capitale pour le pays tout entier, notamment pour son industrie, comme nous le verrons plus loin, mais le Ghana fournit en énergie électrique la plupart de ses voisins : Togo, Bénin, Côte d'Ivoire. Quant au lac, il est utilisé pour le transport des marchandises, nettement moins cher que par route, et facilite le commerce avec les États de la région. Il est prévu, par exemple, que le pétrole venant de Tema soit ainsi acheminé vers le Burkina-Faso.

Akosombo, qui pendant des années ne s'est guère développé en tant que station touristique, pourrait bien prendre son essor avec la réhabilitation de son hôtel et l'installation d'un établissement 4 étoiles.

Enfin ses eaux, comme prévu, ont été largement empoissonnées et fournissent un apport en protéines important.

Le développement de la pêche

En ce qui concerne la pêche, la création du lac Volta a eu une double importance, en provoquant une réserve de poissons considérable, mais surtout en incitant de nombreux paysans à se livrer à cette activité nouvelle pour eux. Le développement de celle-ci a été soutenu par une propagande en profondeur et par une aide matérielle. Toutes les régions ont pris conscience du fait que les barrages, si nécessaires à l'irrigation et à la création de pâturages et cultures diverses, pouvaient aussi représenter des ressources nouvelles en poisson, comme cela a été le cas avec le lac Volta.

L'aménagement des rives de celui-ci sur le plan de la pêche continue. C'est ainsi qu'à Kpandu ont été construits pendant les années 70 un complexe facilitant l'accostage des bateaux, un entrepôt frigorifique et de distribution du poisson, ainsi qu'un chantier de construction de bateaux de pêche. A Akosombo fonctionne un atelier de réparation.

*Le fort San Jorge d'Elmina,
peut-être commencé par les Dieppois à
la fin du XIVe siècle, puis continué par les Portugais,
se dresse entre l'océan et la lagune
qui abrite le port de pêche.*

La pêche représente donc un facteur non négligeable dans l'économie du pays, en constante progression, puisque son rapport, de 93 millions de cédis en 1984, atteignait 115 millions au début de la décennie. Depuis, les exportations, particulièrement de thon, de langoustes et de crevettes n'ont cessé de se développer, avec mise en boîtes à Tema. Environ 30 000 tonnes de poisson, congelé ou en conserves, sont ainsi vendus chaque année à l'étranger.

Cependant la pêche ne constitue pas la principale source de ces devises, sans lesquelles il ne peut y avoir d'équilibre financier.

L'industrie du cacao

En dépit d'un cours mondial toujours fixé par les acheteurs étrangers sans que les producteurs aient leur mot à dire, le cacao est resté longtemps le premier produit d'exportation du Ghana.

Malheureusement, c'est dans ce domaine qu'est survenu dans le passé le pire des effondrements. Premier producteur mondial au moment de l'Indépendance, le Ghana, qui avait atteint le chiffre record de 500 000 tonnes en 1965, a vu ensuite ce tonnage diminuer jusqu'à 150 000 en 1983/84. Dans l'Economic Recovery Programme, justement lancé en 1983, ce secteur a naturellement fait partie des priorités. Le tonnage était remonté à 250 000 en 1990/91 et il atteignait presque les 400 000 tonnes en 1996. En 1997, le cacao représente 28 % des recettes d'exportation, recouvre 1 100 000 hectares soit 40 % des terres cultivées et fait vivre près de six millions de personnes.

Situation qui n'a rien d'idéal, puisqu'elle rend le Ghana trop dépendant d'un produit aux prix susceptibles de baisse brutale et soumis à de nombreux problèmes comme le manque de pluie, le vieillissement des plants et même celui des paysans, trop de jeunes ayant tendance à abandonner les plantations familiales pour la ville.

En attendant de voir cette production relayée par des sources de revenus plus fiables, il a fallu tout faire pour en augmenter le tonnage et améliorer la qualité, à commencer par une politique plus incitative à l'égard des agriculteurs : la part qui revient à ceux-ci est passée progressivement de 16 % à 50 % dans le prix du cacao, ce qui a considérablement joué en faveur d'un accroissement des cultures. Sur d'autres facteurs, comme la sécheresse qui sévit régulièrement, il n'est pas

facile de jouer, bien que certaines espèces puissent mieux que d'autres résister au manque d'eau. Restent le vieillissement des plants, leurs maladies, la taille des exploitations, le mode de culture, etc., tous problèmes dont l'étude et la solution ont reposé sur un organisme central, le Ghana Cocoa Board ou Cocobod.

L'empire du Cocobod

Cette administration a possédé jusqu'en 1992 le monopole légal de la vente du cacao dont elle fixait le prix d'achat et regroupait un institut de recherche, avec plusieurs laboratoires, chargé de ce qui concerne les plants et leurs traitements non seulement de cacao, mais de café et de karité (Cocoa Research Institute) ; un service chargé de la formation des fermiers, du contrôle sanitaire du produit, de la distribution des moyens de production et des semences, de la gestion de certaines unités extensives (Cocoa Services division) ; un département agissant directement comme producteur avec 21 plantations de cacao et 19 de café (Cocobod Plantation Ltd) ; un service d'inspection pour le cacao, le café et la noix de karité (Produce Inspection Division) ; une unité chargée de l'achat, du stockage et du transport des produits (Produce Buying Company), jusqu'aux ports de Tema et de Takoradi où ils devenaient la propriété d'une autre section du même Cocobod, la Cocoa Marketing Company, chargée de leur vente à l'étranger.

Il s'agissait donc d'un énorme organisme dont l'ampleur même compromettait l'efficacité.

Même si dans le passé l'institut de recherche a permis de trouver des espèces plus résistantes, d'étudier de meilleurs remèdes contre les maladies et parasites, de mettre au point un engrais à base de cabosses de cacao, utilisant des déchets jusque-là improductifs et pouvant être préparés par les paysans eux-mêmes, le Cocobod, dans son ensemble, avait besoin à son tour de sérieuses réformes. La mesure la plus spectaculaire a été la réduction des effectifs de 125 000 employés en 1980 à 11 000 en 1995, tandis que le monopole de la commercialisation intérieure, détenu par la Cocobod, prenait fin en 1992.

Désormais une douzaine de compagnies privées peuvent acheter les fèves sur le marché local, les plantations de l'État ont été vendues, ainsi que trois sur quatre des usines de transformation. Désengagé d'un côté, l'État a pu entreprendre d'importants travaux transformant la vie des paysans : infrastructure routière, approvisionnement en eau, équipement en électricité. Qui plus est les producteurs de cacao sont exonérés d'impôt sur le revenu : toutes ces mesures prises pour revaloriser le travail des planteurs ont porté leurs fruits comme les chiffres donnés plus haut en témoignent... et personne n'a été surpris que les partisans du Président Rawlings se soient trouvés, au moment des élections, davantage dans le secteur paysan que dans les villes.

Il semble pourtant que la libéralisation du commerce du cacao ait eu un effet pervers : la pression sur les paysans d'acheteurs peu scrupuleux, manquant d'expérience et refusant d'attendre la bonne maturité des fèves, a fait baisser la qualité, tandis que l'achat cash et sans contrôle encourageait le vol sur les plantations.

Encore ces inconvénients restaient-ils de peu d'envergure tant qu'ils ne concernaient que le marché intérieur. Mais voilà que les bailleurs de fonds internationaux exigent la libéralisation du commerce extérieur du cacao (laissé jusqu'à présent au contrôle du Cocobod), bien que les experts anglais consultés par la Banque mondiale aient conclu qu'il valait mieux conserver le système actuel. On peut se demander ce que cache une telle exigence, condition du prêt de 1,6 milliard de dollars, nécessaire pour poursuivre la modernisation des méthodes et de l'outillage des planteurs, ainsi que le remplacement des arbres trop vieux et du matériel usé !

Libéralisation et privatisation

Certes le Ghana a prouvé qu'il avait tourné le dos aux expériences issues du collectivisme soviétique et qu'il adoptait la voie de la libéralisation. Mais cela n'empêche pas la prudence et le souci d'empêcher que cette libéralisation ne débouche rapidement sur une exploitation des plus faibles ou des plus naïfs, ni sur la tentation de gagner plus en vendant trop tôt des produits de moins bonne qualité. Surtout lorsqu'il s'agit d'un produit d'une telle importance pour l'économie du pays.

Cependant l'orientation générale est celle qui a été notamment adoptée pour le café faisait partie des prérogatives du Cocobod. Lui aussi, son marché a été complètement privatisé.

Un comité de mise en œuvre des privatisations, le DIC, a d'ailleurs été mis en place pour que « les ressources humaines, financières et technologiques soient enfin utilisées de façon efficace ». Cela concerne aussi des petites compagnies du secteur de l'agriculture, aux composantes multiples.

Diversification des produits agricoles

Si aucun produit agricole ne peut encore rivaliser avec le cacao, il y a pourtant longtemps que le pays s'efforce à la diversification. Il ne s'agit pas seulement de tendre vers une autosuffisance alimentaire qui allégerait évidemment les importations, mais en même temps d'augmenter le volume et la variété des exportations agricoles. D'ailleurs en une dizaine d'années les exportations non traditionnelles (qui incluent les produits agricoles et non agricoles) ont dépassé 100 millions de dollars.

Tout a été fait pour augmenter la production de sorgho, d'arachides, de riz (passé de 36 000 à 147 000 t en dix ans), de maïs (passé de 245 000 à 875 000 t), de manioc qui atteint 5,7 millions, doublant dans le même laps de temps. Par ailleurs plus de soixante produits agricoles sont maintenant vendus à l'étranger, comme les épices, les herbes médicinales, les fruits, les fleurs, les légumes, les noix de cajou, les graines de coton, le tabac, la sève d'hévéa (caoutchouc naturel). Une part croissante est faite aux produits manufacturés comme les jus de fruits, l'huile de palme, la bière, le chocolat, vendus, par exemple, de plus en plus aux Etats-Unis.

Sur le plan des exportations possibles, il faut citer une demande intéressante, faite par la Société suisse OSEC portant sur des légumes et des fruits produits selon la méthode biologique, proscrivant les engrais et les insecticides chimiques. Ces produits seraient achetés plus chers que les autres dans la mesure où ils seraient garantis « bios ».

Le chef de l'État, dans son discours du 21 janvier 1997, passant en revue tous les secteurs économiques, évoquait la volonté de son gouvernement de susciter dans chaque région une vingtaine de grosses entreprises agricoles indépendantes, constituant des moteurs de développement.

Elles serviraient de centres de commercialisation et de diffusion de technologies modernes pour tous les petits fermiers des environs. Dans le même temps le gouvernement veut initier une nouvelle politique d'acquisition et de financement des terres pour faciliter l'installation des jeunes agriculteurs.

Mais si l'agriculture, d'après le chef de l'État, reste la colonne vertébrale de l'économie du pays, par son rôle dans

*Le cacao et la pêche, l'or et la bauxite,
mais aussi l'industrie de transformation,
l'artisanat et, bientôt, le tourisme
(en bas, à gauche, le parc de l'hôtel Novotel à Accra),
constituent les piliers de l'économie du Ghana.*

l'approvisionnement en nourriture et en matières premières ou par les emplois qu'elle assure, sur le plan de l'exportation, elle est dépassée largement par l'or, première exportation du Ghana.

L'or, première exportation

Dans l'ancien empire du Ghana, qui pourtant se situait nettement plus au nord-ouest que le Ghana moderne, la principale source de richesse fut pendant des siècles l'or du Haut-Sénégal.

Curieusement cet or, de tout temps révéré par le groupe Akan et qui au moment de l'Indépendance représentait déjà un apport sérieux – n'a cessé de prendre de l'importance, formant ainsi un lien symbolique entre le vieil empire et le jeune État. Pourtant la situation avait mal tourné dans les années 60 !

En 1961, les mines étaient devenues propriété d'État, à l'exception de celles d'Obuasi, dont la State Gold Mining Corporation (SGMC) devait acquérir 55 % des parts dix ans plus tard…, et la production n'avait pas cessé de chuter ! En 1984, l'actuel gouvernement décida de prendre des mesures énergiques et de faire du secteur minier le support de son programme, l'ERP qui fut renforcé en 1986 par le Code minéral et minier (Minerals and Mining Law). En 1982, la production était tombée à 261 000 onces par an, contre 915 000 en 1960. Ce dernier chiffre a enfin été retrouvé, puis dépassé en 1994 avec 1,3 million d'onces pour retomber légèrement sous la barre du million.

La principale société minière du pays, Ashanti Goldfields Company, centrée sur Obuasi, fut en grande partie privatisée, l'État ne conservant que 20 % des parts, et s'est ouverte, comme toute l'industrie minière, aux capitaux privés, locaux et étrangers. En même temps étaient redéfinis les procédures de prospection et de permis d'exploitation, ainsi que la fiscalité du secteur, avec diminution importante des royalties payées à l'État, et la possibilité de transférer les profits à l'étranger ou de les réinvestir sur place. Bref les nombreuses facilités accordées aux sociétés ont permis l'investissement dans la recherche de sites et de techniques comme dans l'équipement.

En 1989, une loi a rendu également aux artisans le droit légal d'exploiter l'or alluvial, tandis que les grandes compagnies se voient réserver les mines. Mais pour obtenir une licence, elles doivent présenter en même temps un programme de réhabilita-

tion du site, lorsque le gisement sera totalement exploité, et donner les assurances d'une exploitation aussi respectueuse que possible de l'environnement. Dans son discours d'ouverture du Parlement en janvier 1997, le chef de l'État a rappelé encore la nécessité d'observer une stricte protection des sites et des gens habitant à proximité.

Le Ghana est déjà, derrière l'Afrique du Sud, le deuxième producteur d'or du continent et occupe la douzième place dans le monde. Grâce à sa filière, Ashanti Exploration Limited, l'AGC entend bien accroître encore son importance en prospectant tous azimuts non seulement en Afrique (Tanzanie, Soudan, Zimbabwe, Sénégal, Erythrée, Guinée, Mali), mais jusque dans l'ex-URSS. Et tandis que des rivaux aux dents longues rêvent à une OPA qui leur livrerait Ashanti Goldfields (ce qui rend pratiquement impossible le fait qu'il faut l'accord du gouvernement pour tout changement important à l'intérieur de la compagnie), celle-ci sort de son fief d'Obuasi et, par la prise de participation dans d'autres compagnies comme Cluff, s'implante dans la mine de Ayanfuri, sur un site de 900 km^2 dans le Nord-Ghana compris dans la ceinture d'or de Najodi… et ailleurs, aussi bien au Ghana qu'à l'extérieur.

En 1995, les exportations d'or des neuf principales compagnies ont représenté 40 % de toutes celles du Ghana, atteignant le montant de 647 millions de dollars. Malgré une baisse de son cours en 1996, à la suite de la vente par certains pays d'une partie de leurs réserves, l'or ne semble pas près de descendre du podium.

Autres richesses minières

Le Ghana est classé parmi les dix premiers extracteurs mondiaux de diamants avec une production annuelle totale tournant autour de 600 000 carats. Un organisme d'État, « Precious Mineral Marketing », est chargé de les acheter aux producteurs dont le principal est la Ghana Consolidated Diamonds Ltd. A noter que la même société d'État achète également la production des sociétés privées extractrices de diamants, dont la production, après avoir chuté, a repris son cours ascendant grâce à des méthodes de travail plus modernes et l'achat au prix du marché libre. Elle achète aussi la production d'or alluvial venant des artisans. Enfin, la Corporation a commencé à fabriquer des bijoux à base d'or et de diamants, reprenant des motifs figurant dans l'art traditionnel, comme le tabouret d'or ashanti ou la poupée de fertilité, montés en pendentifs et perpétuant un art de la bijouterie largement répandu dans le pays depuis des siècles : les bijoux des chefs traditionnels en font foi. Dans tout le Ghana, il existe encore des bijoutiers d'or, artisans qui d'ailleurs ont le projet de former une association sous le contrôle de la Corporation.

Autres richesses minières : le manganèse ainsi que la bauxite de la région d'Akosombo, celle-là même dont l'extraction avait été une des raisons poussant à la création du barrage pour obtenir l'énergie nécessaire. Aucune usine de transformation de bauxite en alumine n'existant encore au Ghana, cette bauxite est vendue à l'étranger, et l'alumine importée pour être transformée à Tema en aluminium. La Ghana Bauxite Corporation a une production moyenne de 500 000 tonnes depuis 1993.

Dans le domaine minier, le gouvernement mène la même politique de désengagement qu'ailleurs : des négociations sont menées avec des investisseurs privés étrangers pour qu'ils se substituent à l'État comme actionnaires. C'est ainsi que des négociations ont été menées avec la De Beers pour que celle-ci entre dans le capital de la Ghana Consolidated Co, mais la société sud-africaine a jugé insuffisant le profit qu'elle pouvait en escompter, malgré les 40 millions de carats de réserve qui lui étaient garantis par la GCC. Il est pourtant à souhaiter qu'un partenaire se présente pour faire face aux dépenses d'un équipement qui, en 1997, s'avère indispensable.

L'industrie du bois

C'est encore en 1997, la troisième source d'exportation du pays, avec une augmentation de la production régulière, rapportant environ 220 millions de dollars par an. Par ailleurs, si l'on ajoute aux emplois générés par l'industrie du bois, tous ceux qui dépendent de la forêt, qu'il s'agisse de ramasseurs de miel sauvage ou de plantes médicinales, ce sont deux millions de personnes qu'elle fait vivre.

Pourtant, cette richesse, comme partout dans le monde, est sérieusement menacée par un abattage qui ne respecte pas les réserves indispensables et par les fléaux que représentent les incendies et surtout la transformation du bois en énergie domestique. Une vigoureuse campagne est menée pour remédier à cette situation.

Un quart de la forêt tropicale a été classé « protégée », tandis que l'abattage du bois était limité à 1,2 million de m³ par an, avec obligation de ne toucher qu'aux arbres arrivés à maturité. De plus l'accent est mis sur le reboisement et les plantations industrielles, ainsi que sur la nécessité d'éviter l'exportation des grumes bruts pour favoriser les industries de transformation, du contreplaqué aux meubles.

L'Office du Bois, avec l'aide de la Banque mondiale, a ouvert un centre d'apprentissage pour apprendre aux professionnels à utiliser les 600 essences secondaires existant, et non pas seulement les quinze généralement exploitées, et à mieux sécher le bois.

Mais pour éviter le déboisement, il faut aussi trouver d'autres sources d'énergie domestique, comme le soleil ou le vent, que l'on tend à prendre enfin en considération. Une expérience de transformation de l'énergie solaire en électricité a été faite à Kokrobite.

Le pétrole et ses dérivés

Cependant c'est surtout vers l'utilisation du gaz liquéfié que se portent actuellement les efforts pour supprimer l'usage domestique du bois et du charbon de bois.

La Ghana National Petroleum Corporation (GNPC), créée en 1983 pour coiffer les activités d'importation de pétrole brut, raffiné dans l'usine de la Tema Oil Refinery et revendu ensuite par elle aux grandes compagnies, a également pour mission d'orchestrer les explorations dans les bassins sédimentaires ghanéens : le gisement de Saltpond, en région centrale, exploité depuis 1978 ; le bassin d'Accra-Keta,, à l'est ; le Bassin voltaïque, qui occupe presque la moitié du pays et n'a pratiquement pas été exploré ; enfin le bassin de Tano, à l'ouest, s'étendant également en Côte d'Ivoire. Il contient non seulement du pétrole off-shore et on-shore, mais aussi du gaz qui fait l'objet du principal projet actuel de la GNPC. Ce gaz alimentera une centrale thermique à Effasu, la première unité ghanéenne de ce genre, destinée à être couplée avec la nouvelle centrale thermique de Takoradi. Il servira donc de complément à une production d'électricité qui devient insuffisante pour une électrification spectaculaire du pays ; la progression de l'énergie électrique qui s'est effectuée au rythme de 10 % annuellement sur les douze dernières années devra être portée à 16 %, quelle que soit son origine, pour que soit atteinte la croissance économique annuelle de 8 % prévue dans le programme « Vision 2020 » destiné à sortir l'ensemble de la population de la pauvreté.

Si de nouveaux sites hydroélectriques voient également le jour dans les bassins de la Volta blanche, de la Volta noire, de l'Oti, notamment à Bui, on compte désormais surtout sur le gaz. Celui contenu dans les gisements de Tano intéresse vivement les investisseurs étrangers comme l'Institut Français des Pétroles et la Caisse Française de Développement.

Les infrastructures de la zone serviront aussi à la Côte d'Ivoire qui a également des problèmes énergétiques. Un projet, piloté par la GNPC et l'United Meridian, concerne un oléoduc/gazoduc, destiné à relier les deux pays. La GNPC est également active dans le projet de construction d'un gazoduc permettant de transporter au Bénin, Togo, Ghana et, plus tard, dans d'autres pays de l'Afrique de l'ouest, le gaz du Nigeria, dont 25 millions de mètres cubes sont chaque jour brûlés en pure perte sur ses champs de pétrole !

Indépendamment de l'aide importante que procurera ce gaz sur le plan énergétique, il favorise un projet de collaboration entre des pays appartenant à la Communauté économique de États de l'Afrique de l'Ouest (CEAO), qui facilitera entre eux une intégration économique lente, à se faire. Quel progrès quand on se souvient de la paix armée qui régnait naguère entre le Ghana et la Côte d'Ivoire, dont désormais le président, Konan Bédié, n'hésite pas à se rendre au Ghana, notamment à l'occasion des fêtes de l'Indépendance, en 1997…

Par ailleurs la GNPC s'emploie à développer le gaz de pétrole liquéfié (GPL), utilisable dans des cuisinières et appareils de cuisson. Son objectif est de voir se multiplier ces appareils dans tout le pays pour supprimer ou du moins freiner l'usage désastreux du bois et charbon de bois.

Cette nouvelle orientation, capitale pour préserver les forêts, représente aussi une excellente opportunité commerciale pour la GNPC qui a beaucoup investi ces dernières années et pour les investisseurs étrangers qui ont commencé à équiper de nombreuses villes ghanéennes en dépôts de GPL.

Le problème de l'eau

Si l'électrification du pays, notamment des campagnes, a constitué et constitue toujours une priorité, la distribution de l'eau compte également parmi les problèmes les plus sérieux, pour l'irrigation comme pour les besoins domestiques et surtout l'alimentation dont dépend la santé publique, l'eau étant le facteur de propagation de nombreuses maladies.

La fourniture d'eau potable représente l'activité principale de la Ghana Water

Grand port de pêche
et de commerce,
Tema est également
un des plus grands pôles industriels
du Ghana.

and Severage Corporation (GWSC) dont la Division pour l'eau et les services sanitaires des communautés s'adresse surtout aux centres ruraux. En 1996, 16 000 puits avaient été creusés, dont la moitié à la main, pour une dépense qui a été couverte grâce à l'aide internationale. On espère que 80 % de la population rurale auront de l'eau potable d'ici 2009, les 20 % restant devant être pourvus dans les dix ans suivants. Encore faut-il convaincre les gens qu'il s'agit d'un bienfait qui a un prix et dont il faut être disposé à entretenir les installations.

On ne sait que trop ce que coûte un peu partout l'attitude mentale « pourquoi changer ce qui a toujours existé »… Certains semblant peu disposés à payer les modiques frais d'entretien, on a donc donné la préférence aux villages qui en faisaient la demande et semblaient prêts à s'impliquer. On forme les gens à une technique, d'ailleurs peu contraignante, car on s'efforce de mettre à leur disposition un outillage aussi simple que possible dans l'utilisation comme sur le plan des pièces détachées faciles à trouver. Dans cet esprit, la Ghanira fabrique environ deux mille pompes à main par an pouvant extraire l'eau depuis 20 mètres de profondeur jusqu'à plus de 60 mètres et dont la maintenance peut être confiée aux femmes qui les utilisent.

En même temps, sont construites ou encouragées des installations sanitaires peu coûteuses comme des latrines aérées. Par ailleurs, une campagne nationale sensibilise les gens sur la nécessité d'être très vigilant sur la qualité de l'eau, en particulier pour l'alimentation des bébés, surtout dans le nord où sévit le ver de Guinée et bien d'autres fléaux transmissibles par la boisson. Dans ce secteur comme dans les autres, la politique du gouvernement est de responsabiliser la population. Des milliards d'investissement ne riment à rien si les intéressés ne sont pas prêts à assumer leur part de charges quelle qu'elle soit.

Des travaux d'infrastructure

Parmi les difficultés à surmonter à la fin des années 70, on pouvait compter l'état déplorable des routes qui représentait partout un obstacle pour la commercialisation des produits agricoles. Un effort colossal a déjà été réalisé dans ce sens pour désenclaver toutes les régions. Plus de la moitié des routes ont été réhabilitées, d'autres construites ou en projet. Mais ce que vise le Ghana, c'est d'être « une porte ouverte » sur l'Afrique de l'Ouest. Ce qui est une façon plus conviviale de formuler le vieux rêve de Nkrumah de faire de son pays le « leader » de l'Afrique ! Pour que le Ghana soit cette porte ouverte, ce nœud de communications entre l'Europe, l'Amérique et l'Afrique occidentale, il compte sur ses dessertes aériennes et maritimes. A ses voisins du nord, il peut déjà proposer deux ports importants en eau profonde : Tema et Takoradi. Tema, à 28 km d'Accra a subi une modernisation de 100 millions de dollars et sa productivité est comparable à celle de n'importe quel grand port moderne. De plus, ses 200 000 m^2 de surface de stockage serviront davantage après l'installation de la zone franche prévue à proximité. Takoradi est particulièrement bien relié aux régions minières et agricoles et assure la majeure partie des exportations. Les deux ports vont voir leur rade agrandie vers l'intérieur, tandis qu'il est prévu des installation portuaires sur les rives du lac Volta et un second port de pêche à Sekondi, voisine de Takoradi.

Développement des transports aériens

Du côté des transports aériens, l'aéroport d'Accra, Kotoka, compte une piste refaite et une nouvelle zone de frêt, dont l'exploitation a été confiée à une société privée étrangère. D'ailleurs la compagnie nationale Ghana Airways a été privatisée et vise à renforcer ses liaisons avec l'Europe et l'ensemble de l'Afrique, tandis qu'une nouvelle compagnie privée, la Golden Airways, dirigée par Mframa Airlines et deux partenaires d'Afrique du Sud et de la Fédération de Russie, entrait en action pour desservir Kumasi, Takoradi et Tamale. Il est prévu la construction d'un deuxième aéroport pour le début du siècle prochain.

Sur le plan des télécommunications, qui sont l'objet de la même politique de privatisation, avec celle de Ghana Telecom, le retard était important et il est prévu de le combler en faisant surtout appel aux téléphones mobiles et à la digitalisation. Une nouvelle compagnie de portables, Iridum Limited, cherche à s'interconnecter avec le réseau national et pourrait s'installer dans le courant de 1997, dès qu'elle aura obtenu le droit d'utiliser une fréquence. Elle serait opérationnelle un an plus tard et pourrait communiquer par le système digital avec n'importe quel téléphone dans le monde. De son côté, Africom pourrait fournir, à partir de 1999, entre 600 000 et deux millions de téléphones cellulaires au Ghana et dans toute l'Afrique. Ces installations, jointes aux multimédia qui explosent dans le monde pourront évidemment métamorphoser les relations entre États africains.

Zones industrielles et zones franches

Les travaux d'infrastructure, qu'il s'agisse d'électrification, de transports, de télécommunications, sont inséparables de tout développement industriel. Rien d'étonnant à ce que les trois principales zones consacrées à celui-ci soient : Accra et son aéroport international jusqu'à Tema, proche d'Akosombo et grand port qui se développe de plus en plus ; Sekondi-Takoradi, deuxième port du pays essentiel pour l'exportation et Kumasi, la capitale de la région Centre. Dans la première sont installés notamment la GNPC et de nombreuses grandes sociétés, essentiellement vouées à la conserverie ou à la transformation, qu'il s'agisse d'agro-alimentaire ou de produits comme ceux dérivés de l'aluminium. A Takoradi règnent les industries nées du bois. A Kumasi, les sociétés les plus importantes sont la Glue Factory, la Tomos (fabrication de bicyclettes, de vélomoteurs, etc.).

Mais pour atteindre l'objectif de hisser le Ghana au rang de pays à revenus moyens et le sortir de la pauvreté, J.J. Rawlings et son gouvernement se voient acculés à développer l'industrie privée et à faire appel aux investisseurs étrangers.

Les aides extérieures se sont montrées trop irrégulières et souvent insuffisantes et on sait bien que cette aide est à double tranchant puisqu'il faut payer le service de la dette et que pour obtenir les prêts, il faut obéir à des contraintes comme les plans d'ajustement structurel, qui se sont avérés parfois désastreux dans le monde entier, ou faire face à des exigences comme la libéralisation du commerce extérieur du cacao, qu'elle soit ou non bonne pour le pays. Le Ghana, malgré tous les handicaps : ceux hérités du passé, ceux que la société occidentale connaît aussi, malgré les pressions revendicatives qui ont accompagné le passage à un gouvernement démocratique en 1992 et qui ont provoqué un ralentissement de la croissance et des difficultés budgétaires, maintient une pente ascendante. Tout en se pliant, dans une certaine mesure, aux exigences des bailleurs de fonds internationaux, il a réussi à garder la croissance aux alentours de 5 % et à augmenter la consommation intérieure malgré le chômage provoqué par les licenciements dus aux privatisations et restructurations. Le milieu paysan notamment vit beaucoup mieux qu'avant.

Mais il est apparu clairement que pour atteindre les objectifs définis dans « Ghana Vision 2020 », il fallait attirer les investisseurs privés étrangers.

Le Ghana : vision 2020

En 1994, un décret de promotion des investissements (Investment Promotion Centre Act) a remplacé le Code d'investissement de 1985 pour rendre encore plus attrayantes les conditions d'installation faites aux sociétés étrangères et il a été suivi par le Free Zone Act 504, destiné à créer dans différents endroits des zones franches encore plus favorables aux investisseurs.

Dans son discours au Parlement de janvier 1997, le chef de l'État parlait de douze compagnies ayant déjà reçu l'approbation du bureau des zones franches (Free Zones Board) et de cinquante autres attendues dans le courant de l'année. Il s'agit de créer, autour d'Accra, Tema, Takoradi, Kumasi des noyaux d'activité comme l'agro-alimentaire, l'électronique, l'industrie chimique et pharmaceutique, le textile, essentiellement destinées à l'exportation. Dans ces zones, destinées également à des sociétés de service, banques, assurances, messageries, sociétés de conseil financier, des compagnies internationales pourront établir leur quartier général régional. Leur dimension est extrêmement variable puisque certaines peuvent ne comporter qu'un seul établissement et leur localisation ne sera pas uniquement centrée sur les grands pôles industriels actuels. Le Sud-Est asiatique est visé en priorité dans les deux sens : comme zone d'exportation, mais également de candidats investisseurs en Afrique à qui il faut inspirer de donner la préférence au Ghana pour sa stabilité, ses développements, son emplacement géographique, son rôle dans le grand marché ECOWAS.

De la réussite de ce développement, maintenant que la stabilité politique est assurée par le résultat des élections de 1996, dépendra celle du premier Plan national de Développement quinquennal, qui fait partie du plus vaste « Ghana : Vision 2020 ». Le plan, qui vient tout juste de sortir, est le résultat de données émanant de chaque district, au lieu, comme le déclarait le chef de l'État, d'avoir été conçu par une petite équipe de spécialistes basés à Accra et décidant de ce qui est bon pour le reste du Ghana.

ville par ville
site par site

accra

■ Le masque africain — qu'au demeurant les Ghanéens n'utilisent pas — symbolise la multiplicité de visages que possède en réalité chaque être humain. Il serait donc un emblème idéal pour Accra, ville secrète, ville « interdite » au visiteur qui se contentera de la parcourir en voiture.

Comment pourrait-il deviner que, sous un aspect au premier abord assez décevant, en marchant il discernera peu à peu plusieurs Accra, juxtaposés ou « fondus-enchaînés », comme des images cinématographiques, dont le charme ne se révèle qu'à condition de les voir au ralenti : Accra-village ou Accra-buildings, Accra des Banques ou Accra des Dieux, Accra tam-tam ou Accra night-club, Accra sportif ou Accra cols-blancs, Accra de tous les passés ou Accra du futur.

Aucune ville au monde n'est moins faite pour la visite organisée, avec haut-parleur et tête droite, tête gauche.

Accra se perçoit, se devine, s'imagine et se livre, en zigzag, en instantanés, en temps d'arrêt, en sourires échangés et aussi, avant toutes choses, en lectures sur son histoire.

Il était une fois...

Il y a longtemps — qui sait exactement depuis quand — vivaient sur cette côte sauvage, battue par des vagues violentes, les Kpesi qui n'existent plus que dans le souvenir des Ga, leurs vainqueurs. Ces derniers, venus du Nigeria, envahirent par petits groupes les plaines du sud au début du XVIe siècle. Invasion peut-être pacifique d'ailleurs, et la disparition des Kpesi s'explique probablement plus par l'absorption due à des mariages que par l'extermination.

Les Ga en effet étaient un peu des guerriers, mais surtout des agriculteurs que tentait un sol plat et facile à cultiver. Avec l'arrivée des Européens, ils allaient se révéler d'excellents commerçants et d'habiles négociateurs.

Il ne leur fallut pas longtemps pour comprendre qu'il était plus profitable de fournir à ces étrangers les différentes marchandises qu'ils venaient chercher de si loin que de les produire eux-mêmes... surtout lorsque, parmi ces marchandises, figuraient en bonne place les esclaves.

Les nombreuses guerres tribales, provoquées par l'installation progressive des ethnies venant du nord et du nord-est, entraînaient la capture de prisonniers qui servaient de monnaie d'échange. Peu à peu, les Ga devinrent des intermédiaires entre les peuples de l'intérieur et les commerçants européens à qui ils livraient, indépendamment des esclaves, de l'or, de l'huile de palme et des noix de kola, quitte à se faire payer en or ou en armes.

Le premier Accra

Pour faire du commerce, il faut des comptoirs. Les Ga s'étaient donc installés à l'ouest du lagon Korle, dans un village qui devait devenir le plus ancien des quartiers de la future et encore très lointaine capitale. Il ne s'agissait alors que d'un hameau de pêcheurs, car on ne vit pas que d'or ou de fusils, et les Ga, entre deux négociations, avaient le temps de prendre du poisson, qu'ils revendaient d'ailleurs également aux étrangers.

Du côté européen, les choses étaient plus compliquées. De simples habitations ne suffisaient pas : des places fortes s'imposaient pour se protéger contre les rivaux occidentaux. Car, malgré leur bonne habitude de couper la tête de tous ceux qui les gênaient, les Portugais, dès le milieu du XVIIe siècle, avaient perdu le monopole exclusif de la « Côte de l'Or » et de nombreux pays s'affrontaient avec rage.

Sur le site d'Accra, à moins de cinq kilomètres de distance, les Ga avaient cédé du terrain à trois d'entre elles : aux Hollandais, en 1650, promoteurs de Fort Crève-cœur, qui devait devenir Ussher Fort, à l'est du port actuel ; aux Suédois, en 1657, pour l'édification de Christiansborg Castle, beaucoup plus à l'est, appelé aux plus hautes gloires, comme siège du gouverneur anglais, puis du chef de l'État indépendant du Ghana ; aux Anglais, en 1673, qui bâtirent James Fort. Celui-ci, longtemps après transformé en phare, éclaire toujours l'extrémité du port, alors que Ussher Fort est devenu une prison.

On peut s'étonner que les Ga aient si facilement permis à ces étrangers fort inquiétants d'occuper une position retranchée qui les rendait inexpugnables. Mais ils étaient aux prises avec de redoutables voisins, les Akwamu, dont les raids fréquents leur compliquaient la vie. Aussi ne voyaient-il donc pas d'un mauvais œil la possibilité de se réfugier contre les murailles, où de nombreux canons menaçaient aussi bien la terre, c'est à dire les Akwamu, que la mer.

Ainsi naquirent, à l'ombre des trois châteaux, des villages qui existent toujours, même si les habitations ont changé d'aspect. Aux pieds de Christiansborg s'étend Osu ; et les forts de Ussher et de

James ont suscité Ussher Town et James Town qui encadrent le port, au nord et à l'ouest jusqu'à la lagune Korle, de l'autre côté de laquelle le primitif village de pêcheurs est devenu Korle Gonno.

A trois kilomètres environ de Christiansborg Castle Labadi (aujourd'hui rebaptisé La), peuplé également de Ga, était resté essentiellement agricole : il fallait bien nourrir non seulement la population, mais aussi les habitants des forts. Depuis lors, Labadi a perdu ses murailles de protection en terre et ses champs et s'est transformé lui aussi en quartier du Grand Accra.

Mais si les Ga s'implantaient de plus en plus solidement grâce à leur monopole d'intermédiaires, les propriétaires des forts changeaient. Christiansborg, quatre ans après sa création, passait entre les mains des Danois, puis en 1679 des Portugais, pour revenir à nouveau aux Danois en 1682. Mais voilà qu'en 1693, les dangereux Akwamu s'en emparent. On imagine aisément la réaction des Ga, trop contents de voir, quelques mois après, les Danois reprendre leur bien... qu'ils céderont pourtant aux Anglais, mais seulement en 1850. En 1868, les mêmes Anglais acquièrent le Fort Crèvecœur, rebaptisé Ussher Fort.

Une population incorrigible

Tant que la discorde avait régné entre les nations européennes, les Ga avaient eu la paix. Une nouvelle classe de marchands était née, indépendante, peu soucieuse de respecter l'autorité des chefs traditionnels et, comme ses modèles étrangers, avide de s'enrichir en déboursant le moins possible.

Au moment où les Anglais restent maîtres du terrain, la plupart d'entre eux, loin d'habiter dans les forts, vivent dans des maisons louées, au milieu de la population des trois villages : peu à peu le danger né des incursions des rivaux européens s'est dissipé et les civils trouvent plus pratique de cohabiter avec leurs clients et jusque-là amis. Une autre partie réside à Cape Coast, capitale de la colonie britannique.

La discorde allait cependant naître entre eux pour de simples questions de cohabitation. Car la population se souciait bien peu de détruire les ordures, foyer d'infection, tandis que les étrangers, qui ne craignaient plus de passer de vie à trépas par les armes, trouvaient mauvais de mourir de maladie à une cadence accélérée. Ils exigèrent donc que les chefs obtiennent de leurs sujets

qu'ils tiennent compte de ces exigences. Mais lesdits sujets, par l'intermédiaire des mêmes chefs, complètement débordés, leur firent vertement répondre qu'ils n'avaient aucune intention de passer leur temps à des choses aussi futiles. De discussions en discussions, la situation s'envenima : trois ans après l'annexion pure et simple par les Anglais de la côte et sa tranformation en colonie britannique, en 1874, le nouveau gouverneur transféra la capitale de la colonie, de Cape Coast à Accra, pour mieux surveiller ces « sujets » si indisciplinés.

En 1862, un tremblement de terre avait détruit plus qu'à moitié Christiansborg Castle, James Fort, et toutes les maisons de pierre habitées par les Européens dans James Town n'étaient plus que décombres. S'imposaient de ce fait la nécessité de concevoir un programme de reconstruction et celle d'un certain urbanisme, même rudimentaire.

La transformation d'Accra en capitale avait entraîné la création de bâtiments administratifs dans le nouveau quartier de Victoriaborg, à la limite est de Ussher Town, puis celle de bungalows pour loger les Européens. C'est ainsi que naquit entre les deux communautés une ségrégation qui ne fit que s'accentuer dès que les colons, las de leur célibat forcé, commencèrent à faire venir femmes et enfants. Victoriaborg s'étendit de préférence vers l'intérieur des terres jugées plus saines, parce que moins humides que le bord de la mer à l'atmosphère toujours pleine d'embruns.

Construction des nouveaux quartiers

Entre 1885 et 1900 prit forme ce nouveau quartier, très aéré, aux maisons sur pilotis entourées de grands jardins, particulièrement à partir de 1892, quand l'acquisition des terres fut officiellement décrétée.

Parallèlement à ces travaux, se discutait l'organisation politique de la ville. D'abord favorable à l'idée de confier aux chefs traditionnels le soin — épineux — de percevoir les taxes nécessaires à l'entretien urbain et de veiller à ce que celui-ci soit correctement fait, l'administration britannique, d'échecs en échecs, avait décidé de créer un conseil mixte. Il devait comprendre des chefs, des représentants de la nouvelle classe bourgeoise africaine et des Anglais. Mais aucun résultat positif ne put être obtenu avant 1898. A cette époque, le conseil totalise dix membres, nommés par le gouverneur,

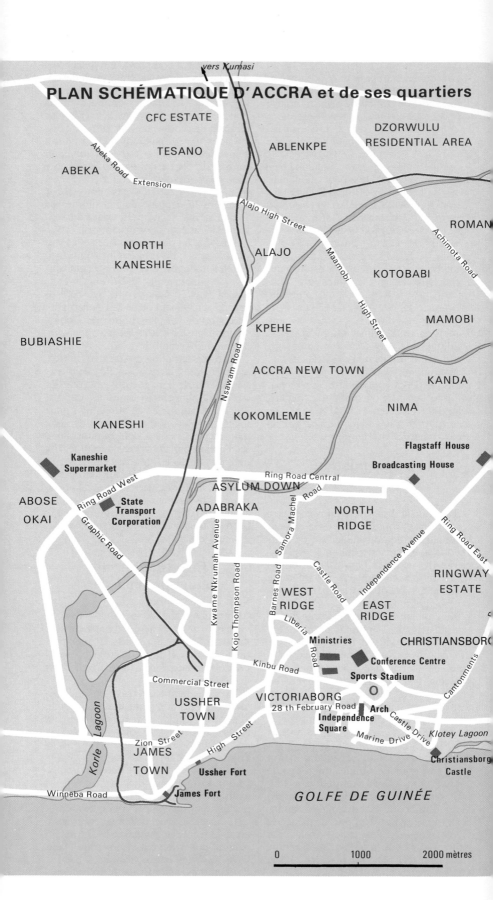

PLAN SCHÉMATIQUE D'ACCRA et de ses quartiers

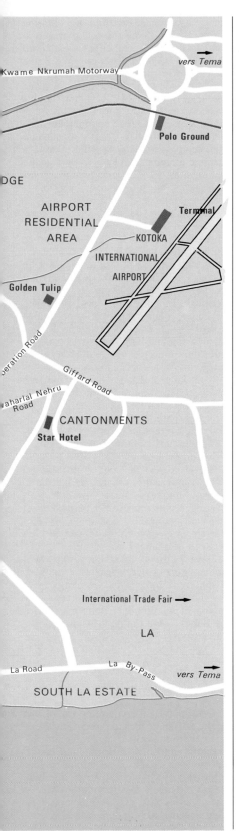

et la ville englobe Ussher Town, James Town, Victoriaborg et la bande côtière jusqu'au château qui, restauré, devient en 1903 la résidence du gouverneur.

A cette date, les guerres ashanti s'étaient terminées par la conquête de la région du centre, tandis que le nord avait été acquis aux Anglais par des traités plus ou moins librement consentis par les chefs locaux.

Un axe routier : Liberty Avenue

La création de moyens de communication vers l'intérieur s'imposait donc. Dès 1895, un grand axe routier avait peu à peu été construit en bordure de Ussher Town vers le nord-ouest, c'est-à-dire Nsawam. Cet axe deviendra Liberty Avenue (puis, plus tard Kwame Nkrumah Avenue). Il entraînera la naissance sur ses bords de nouveaux quartiers et, sur l'avenue même, l'établissement de nombreuses maisons de commerce. Aujourd'hui sont venus s'y ajouter des immeubles de bureaux et la plupart des compagnies aériennes. Le quartier résidentiel d'Adabraka commence alors à surgir de terre, bordé au nord par l'anneau de Ring Road, l'une des principales artères d'Accra.

Au nord-est de la ville, c'est la route conduisant vers Aburi qui provoquera l'apparition progressive, de part et d'autre de ce qui est devenu Independence Avenue, des quartiers de West et East Ridge, de Ringway Estate et de celui, immense, des Cantonments, occupé par des ambassades et de très belles villas de l'autre côté du « Captain Thomas Sankana circle » sur Ring Road, à l'est de Liberation Road qui prolonge Independence Avenue. Plus tard au-delà du quartier des Cantonments sera construit l'aéroport de Kotoka avec, en face, son quartier résidentiel.

Mais, auparavant, le développement de la ville fut accéléré dès 1909 par les travaux du chemin de fer en direction de Nsawam, Tafo et Kumasi.

Une ville moderne était née, dotée d'un télégraphe, d'une poste et d'une municipalité au rôle enfin effectif, facilité depuis que l'épidémie de peste bubonique de 1907 avait fait comprendre à la population le rôle essentiel de l'hygiène.

Entre 1919 et 1927, le gouverneur Guggisberg accéléra fortement la construction et l'équipement d'Accra. C'est à lui notamment que sont dus le pont sur le Korle Lagoon et l'hôpital de Korlebu ainsi que la célèbre école secondaire d'Achimota, à la limite nord du Grand Accra. Sous sa juridiction, les quartiers de Tudu et Adabraka, le long de l'axe nord, ont définitivement pris forme, ainsi que ceux de Korle Gonno et Mamprobi, le long de la côte ouest, ou encore les quartiers résidentiels européens qui s'étendent vers l'est jusqu'à et au-delà de Christiansborg. Malheureusement, en 1939, nouveau et grave tremblement de terre. Il faut encore reconstruire, vers l'est, Christiansborg et la zone sud de Labadi qui fera, peu après, partie de la municipalité d'Accra. Du côté ouest et nord-ouest, les secteurs de Korle Gonno, de Lartebiorkoshie, d'Abose Okai, de Kaneshie seront, à la suite du sinistre, métamorphosés et pourvus de maisons modernes, à louer ou à acheter.

A partir de 1954, Accra s'étend de plus en plus : vers le nord-est, le long d'Independence Avenue ou au nord de Ring Road, avec Kokomlemle, Accra New Town, Nima, Kanda. Sur la côte, à partir de Christiansborg, Osu se développe pour former une chaîne ininterrompue de constructions jusqu'à Labadi. Enfin, la naissance de l'Université du Ghana, Legon, à l'est d'Achimota, suscitera une nouvelle zone résidentielle d'ouest en est, à la limite nord d'Accra, formée de splendides jardins, de part et d'autre d'un golf.

Une fois le livre d'histoire fermé, l'étranger désire voir sur le terrain le visage actuel d'Accra (v. plan général p. 82).

Accra-pêcheurs

Par où commencer ? A tout seigneur tout honneur : *Christiansborg*, par son ancienneté, sa situation géographique et politique en vue, est tout indiqué pour servir de point de départ à cette visite. L'idéal serait de la situer un samedi d'août, lorsque la fête d'Homowo secoue gaiement tous les quartiers populaires d'Accra.

C'est alors que le promeneur, au fur et à mesure de sa marche, recevra comme un cadeau les mille tableaux vivants, colorés, contrastés de cette cité africaine, partiellement convertie au week-end européen, où se succéderont les clameurs et le silence, l'agitation et une certaine torpeur.

Si Christiansborg sert de point de repère, il ne se visite pas puisqu'il est le siège du gouvernement et il ne s'approche même pas. Mais son profil s'apprécie depuis la plage qu'il domine à l'est,

une plage longée de loin par Marine Drive. De ses abords, on découvrira avec stupéfaction qu'Accra, ville bâtie au bord de l'océan, a choisi de tourner le dos à la mer. De Christiansborg jusqu'à la jetée qui ferme son port très modeste, le rivage est resté à peu près le même depuis l'époque où les Ga cumulaient les fonctions de pêcheurs et de commerçants. En dehors de l'hôtel « Riviera », naguère l'un des plus beaux de la ville et dont la terrasse domine la plage à pic, aucun bâtiment moderne ne jette de note discordante dans ce qui est resté une image vivante du passé.

Mais la plage de sable, allongée dans le creux d'une baie, cède la place, peu après l'hôtel, à une falaise escarpée qu'à marée basse il est possible de suivre du côté de la mer, en sautant de rocher en rocher. Parfois, le chemin est coupé, et il faut grimper par d'étroits sentiers le long de cette muraille rocheuse, pour longer les habitations accrochées à ses bords. C'est le domaine des femmes qui fument le poisson que leurs hommes viennent de rapporter. Leur vie n'est pas facile et le repos — ou la promenade — n'y existent guère. Mieux vaut avoir la décence de ne pas s'y attarder, quand on est bardé de ces appareils-photos dont l'apparence coûteuse représente une provocation. D'ailleurs les photos sont interdites à proximité d'Ussher Fort, situé au coin de High Street et d'une placette où aboutit un escalier escarpé venant de la grève. Même l'écriture y semble suspecte aux policiers qui l'occupent et qui insistent pour savoir si ce que l'on vient d'écrire, assis sur les marches, est bien à usage personnel !

Il est d'ailleurs bien décevant ce fort, ancien fort « Crève-cœur » que se disputèrent longtemps les Anglais et les Hollandais. Rien n'incite à s'y attarder, pas plus que dans les ruelles de James Town qui se croisent au-dessus du port.

Accra - Durbar

Celui-ci est entièrement consacré à la pêche artisanale, ce qui plonge le visiteur dans l'étonnement : généralement les capitales maritimes se doublent d'installations industrielles à la hauteur de leur importance. Mais Accra se moque bien de ne pas avoir la suprématie dans ce domaine et cette grande métropole est bien la seule au monde à ne pas se soucier de l'image modeste qu'elle offre depuis la mer et à ne pas avoir honte des quartiers populaires qui occupent sur son rivage la place d'honneur.

Si à James Town on a souvent l'impression que les regards de cette population besogneuse signifient qu'on n'y aime pas trop les flâneurs, on trouvera une ambiance toute différente à Ussher Town, quartier aussi populaire, pour peu que l'on s'y trouve le samedi après-midi pendant Homowo. Partout des groupes se forment autour de danseurs au visage et au corps maquillés de kaolin, entraînés par le rythme de tam-tams.

Au début, l'étranger est intimidé par cette foule où tout le monde se connaît, échange des plaisanteries, regarde du coin de l'œil comment se comporte la jeune génération dans ces danses traditionnelles. Il faut surmonter cette gêne et oser demander des explications qui sont toujours données avec la plus grande gentillesse.

Indépendamment de ces groupes qui évoquent un peu l'atmosphère de nos kermesses, parfois des pétarades fournies signalent l'arrivée d'un cortège impressionnant : des chefs en grande tenue, portés sur palanquins et abrités sous un dais se succèdent, entourés par les gens de leur maison et par une foule de gamins qui hurlent de joie. A l'odeur de la poudre, que des fusils de tous calibres et de tous âges contribuent à répandre, se mêle alors celle du schnaps des libations et l'excitation générale est à son comble. Sur cet Accra intemporel, immuable, ni l'histoire, ni la vie contemporaine n'ont de prise.

Accra - chiffons

Pour visiter le lieux saint des pagnes et de tous les vêtements qui peuvent en être issus, pas besoin de choisir un jour de fête ou plutôt tous les jours y sont des fêtes, même si elles se déroulent sur un ton moins assourdissant.

De James Town où l'on se sera sans doute trouvé dans la matinée, le plus simple est de suivre High Street jusqu'à Lutteroot Street que l'on prend jusqu'à Lutteroot Circle, où débouche Asafoatoe Nettey Road qui borne au sud Ussher Town. De chaque côté de la rue se succèdent les boutiques de tissus, mais

« AIDE-TOI, LE CIEL T'AIDERA »

Telle est la philosophie des femmes qui adhèrent au Mouvement du 31 décembre, dirigé par une personnalité frappant par son dynamisme et sa chaleur humaine, Nana Konadu Agyeman-Rawlings, la « First Lady » du pays.
La Constitution du mouvement stipule en effet que ses membres doivent être « conscientes de leurs responsabilités et contribuer à la reconstruction nationale ». Pour ce faire, elles se sont attaquées à ce qui constitue pour elles une des priorités : la garde et l'éducation des enfants.
C'est grâce à leur travail que les deux premiers « Day care centres » pour enfants de 2 à 5 ans ont été construits, puis 723 dans tout le pays.
A Accra, c'est un plaisir de visiter celui qui est inclus dans le marché de Makola ou celui qui jouxte Independence Square et de voir tous ces petits, impeccablement propres, chanter, dessiner, voire répéter un spectacle, bref faire l'apprentissage de la vie, apprendre des techniques, prendre l'habitude de respecter les règles d'hygiène alimentaire tout en étant nourris de manière équilibrée. 178 enfants dans le premier, 290 dans le second sont ainsi pris en charge pour le prix de 2 000 cédis pour quatre mois et 250 cédis par semaine pour les deux repas quotidiens. Mais le Mouvement a réalisé aussi un peu partout des manufactures diverses, des fermes gérées uniquement par des femmes, a construit des boutiques.

aussi de boubous, de robes, plus ou moins inspirées de modèles africains transformés au gré du « designer », rebrodés ou non, confectionnés dans des pagnes ou inspirés des « kente », aux figures géométriques exécutées dans le tissage et évoquant un peu les motifs de l'écossais.

Certaines boutiques sont renommées, comme « Gyamfi Garments » sur le côté droit de la rue, lorsqu'on tourne le dos à l'immense bâtiment de la Poste centrale qui occupe tout un pâté de maisons entre Luttery Street, l'extrémité de Asafoatse Nettey Road et Pagan Road. Peu après Gyamfi Garments, quand on revient sur ses pas, sur la gauche débouche Zongo Lane, ruelle bordée davantage d'échoppes aux marchandises indéfinissables et où l'on s'attend à dénicher d'introuvables pièces détachées, que de boutiques de mode. Mais il faut abandonner les idées préconçues et errer dans ce triangle où les défroques voisinent avec de jolies choses, pas chères, puisqu'un boubou d'homme se marchande à partir de 50 000 cédis et les robes-pagne à partir de 25 000 cédis. Chez « Festus », dans la rue principale, on trouvera même des objets de toutes sortes, mêlés à des robes parfois tentantes. Zongo Lane, quand on a épuisé les joies de ce shopping, conduit jusqu'à une esplanade. Opera Square, arrêt central des autobus urbains, en face d'un grand magasin très fréquenté, Melcom, est longé par Pagan Road qui débouche sur la grande place de la Poste, dominée par une tour à horloge. Là, c'en est bien fini des chiffons et des nippes, à l'exception du magasin qui se dresse sur High Street, le Multistores. De chaque côté de cette place se suivent des banques et en face, de l'autre côté de High Street, au milieu des arbres, ce sont les murs de pierre de Holy Trinity Cathedral que l'on distingue.

Le samedi, jour des funérailles traditionnelles, mais aussi des cérémonies chrétiennes d'enterrement, on y verra parfois une synthèse des deux avec les femmes portant le deuil, revêtues, comme partout en pays animiste, de pagnes spécialement imprimés pour l'occasion.

Des banques au Centre for National Culture

Après cette sainte escale, on replonge dans l'empire de la puissance financière et de la justice, qui voisinent géographiquement sur le côté gauche de High Street… sinon toujours dans la vie ! Barclays, Standard Chartered, Bank of Ghana, Ghana Commercial Bank se succèdent avant de céder la place aux bâtiments de petite hauteur, mais de style imposant que sont Parliament House et la Supreme Court.

Qu'y a-t-il de commun entre ce monde et celui des pêcheurs ? Entre lui et les marchands de souvenirs et antiquaires qui ont installé leurs échoppes sur le côté droit de High Street, puis de 28th February Street qui lui fait suite ? Là encore, comme partout, le contraste est grand. Encore ne devine-t-on pas tout de suite que l'on se trouve dans un lieu historique ! Au milieu du parc longé par High Street, après Community Centre, se dresse un monument dominé par la statue d'un homme, le bras et le doigt tendus devant lui. Monument et statue ne prennent toute leur valeur que lorsqu'on apprend que le Président Kwame Nkrumah, d'abord enterré modestement dans son Axim natal, fut ramené solennellement ici, à l'endroit même où il proclama l'indépendance de son pays, dans l'ancien terrain de polo. Quant au doigt tendu de la statue qui le représente, il désigne l'avenir et rappelle une phrase inscrite dans le cœur de tous : « Ghana is free for ever » (le Ghana est libre pour toujours).

Peu après, le long de 28th February Street, on découvre le Centre for National Culture qui, pour d'autres raisons, mérite l'attention.

Le samedi après-midi, une jeunesse turbulente s'y regroupe pour assister à des spectacles de toutes sortes : théâtre, danses traditionnelles, coupe nationale des jeunes troupes de pop ou de rap. Mais il n'y en pas que pour les jeunes ou plutôt ceux-ci savent apprécier les anciens, lorsqu'il s'agit par exemple de Koo Nimo et de son groupe de musiciens qui chantent la vie, la mort, le mariage, les enfants à préserver, la nature à aimer, selon la vieille coutume qui veut que l'on éduque et forme en distrayant. Ici les « vieux » ne sont pas considérés comme séniles et hors d'usage, bien au contraire. (Voir le chapitre sur l'art et la culture).

Mais le Centre, à côté et derrière l'auditorium (reconstruit en 1991), a d'autres vocations que la musique ou le théâtre : un bâtiment contient une salle vouée à la peinture moderne ; le promeneur découvrira des artistes qui commencent à être connus des amateurs éclairés du monde entier et plus seulement des collectionneurs ghanéens. Derrière cette salle, une autre est consacrée à un choix de bijoux en or et en argent, autre tradition qui est largement perpétuée. En revanche la sculpture sur bois ou la fonderie de sta-

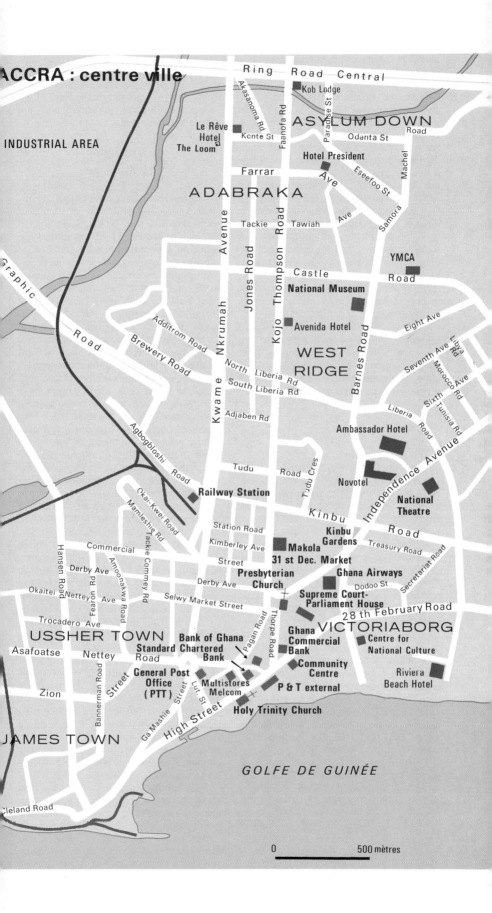

ACCRA : centre ville

INDUSTRIAL AREA

Ring Road Central

Kob Lodge

ASYLUM DOWN

Le Rêve Hotel
The Loom

Kente St
Akasanoma Rd
Faanofa Rd
Paradise St
Odanta St
Road
Machel

Hotel President

Farrar Ave
Eseefoo St
Samora

ADABRAKA

Tackie Tawiah Ave

Farrar Avenue

Jones Road
Kojo Thompson Road

Castle Road

YMCA

National Museum

Additrom Road
Brewery Road
Nkrumah Avenue

Avenida Hotel

Barnes Road

Eight Ave

WEST RIDGE

Seventh Ave
Libya Rd
Morocco Ave
Sixth Tunisia Rd

North Liberia Rd
South Liberia Rd

Kwame

Adjaben Rd

Liberia Road

Graphic Road

Agbogbloshi Road

Tudu Road

Tudu Cres

Ambassador Hotel

Novotel

Independence Avenue

National Theatre

Okai-Kwei Road
Mamleshie Rd
Mamleshie Tackie Commey Rd

Railway Station

Station Road

Kimberley Ave

Kinbu Road

Kinbu Gardens

Treasury Road

Secretariat Road

Commercial Street

Derby Ave
Fearon Rd
Netteyon Ave
Amoonakwa Road

Street

Makola
31 st Dec. Market

Presbyterian Church

Ghana Airways

Dodoo St

Hansen Road
Okaitei
Trocadero Ave

Derby Ave

Selwy Market Street

Supreme Court-Parliament House

28 th February Road

USSHER TOWN

Bank of Ghana
Standard Chartered Bank

Pagan Road
Thorpe Road

Ghana Commercial Bank

VICTORIABORG

Centre for National Culture

Asafoatse
Nettey Road

General Post Office (PTT)

Lut. St.

Multistores Melcom

Community Centre

P & T external

Riviera Beach Hotel

Zion

Bannerman Road
Ga Mashie Street

High Street

Holy Trinity Church

JAMES TOWN

GOLFE DE GUINÉE

Cleland Road

0   500 mètres

tuettes et ustensiles par la technique de la cire perdue, qui a donné dans le passé tant d'objets de culte admirables, ne font plus preuve de la même créativité. On se contente de copier les œuvres du passé et quand on innove — ce qui de toute façon mérite les encouragements — on ne fait pas preuve, comme les peintres, de grande originalité. On remarque pourtant une statue de femme... en ciment, réalisée par Alex Sefa ou, particulièrement pour leur intérêt anecdotique, des statuettes en bois représentant des personnages de la vie moderne. Sous un toit-auvent, derrière l'auditorium, des potiers cuisent leur œuvre dans un grand four. Plus loin encore, s'ouvre une longue allée bordée d'échoppes où se vend le bric-à-brac habituel d'objets plus ou moins anciens, de copies, parfois assez fidèles pour tenter l'amateur, en particulier les « stools » (tabourets des ancêtres), exécutés dans toutes les tailles, y compris pour de jeunes enfants. Il faut avoir du temps, pour découvrir parmi les choses sans intérêt, celle qu'on aura envie non seulement d'acheter, mais de garder !

Accra -
flâneurs

Après le Centre for National Culture, l'avenue longe de nouveau une promenade ombragée dont les bancs accueillent à toute heure de nombreux dormeurs, allongés au soleil aussi bien qu'à l'ombre, parfois en équilibre instable sur les branches basses des arbres. Des groupes d'hommes conversent posément, quelqu'un fait la lecture à un groupe d'enfants, un autre lit le journal... L'étranger a parfois l'impression de traverser un monde de rêve où règne une étrange torpeur, un peu comme si tous ces personnages dont il ne comprend pas les conversations et qu'il voit comme de simples silhouettes, se mouvaient au ralenti.

Et cette impression devient particulièrement forte pour peu que la promenade bien entendu trop longue pour être effectuée d'une traite, soit reprise un autre jour à une autre heure, mais avec des personnages qui semblent être toujours les mêmes.

En suivant 28th February Street, on parvient à un carrefour : à droite, une large rue conduit à l'hôtel Riviera, à gauche Liberia Road se dirige vers Independence Avenue après avoir dépassé sur la gauche le Théâtre national, puis décrit une large boucle encerclant l'Ambassador Hotel, traverse Barnes Road et se divise en deux branches avant d'aboutir à

Kwame Nkrumah Avenue, l'une des artères les plus animées de la capitale. En continuant tout droit la 28th February Road, on peut aussi parvenir jusqu'à l'Independence Square où commence une toute autre promenade.

Ombre
et lumière

Independence Square est entouré d'immenses gradins qu'il faut évidemment voir lorsqu'ils sont pleins, les jours de cérémonie, quand 30 000 spectateurs s'y entassent pour assister à une parade ou un « durbar ». Le reste du temps, il est désert et on poursuit son chemin sans s'attarder vers la place contiguë et l'Arche qui commémore le Jour de l'Indépendance du Ghana, le 6 mars 1957. Parfois des clameurs attirent encore plus loin, vers le stade mitoyen. A l'occasion d'une fête ou d'un grand match de football, devant l'entrée, des voitures de toutes tailles, des autocars, des camions déversent des centaines d'aficionados qui s'apprêtent à manifester bruyamment leurs sentiments. Certes la passion du football fait vibrer toutes les populations africaines, mais, au Ghana, elle s'accompagne d'une fierté particulière lorsqu'on rappelle qu'une des vedettes mondiales de ce sport universel, Abedi Pelé, est ghanéen ! Même si le visiteur ne partage pas cet amour du sport, il en entendra longtemps les échos, peu à peu affaiblis par l'éloignement, lorsqu'il aura fait le tour du stade par Stadium Road, et sera passé devant l'entrée du parking du Conference Centre, construit en 1991 à la place du champ de courses. Le soleil inonde cette rue dépourvue d'arbres et l'on aspire à trouver enfin de l'ombre lorsqu'on débouche sur Castle Road qui part à gauche. Mais, avant de s'abriter sous de véritables frondaisons, il faut d'abord longer un cimetière, puis les jardins de State House, sur la droite, l'esplanade du Conference Centre. Sur la gauche State House fut le premier centre de conférences d'Accra, aménagé dans l'ancienne résidence officielle pour la réunion de l'OUA en 1965. Récemment agrandie et modernisée, elle abrite les sessions du Parlement tenues pendant quelques années dans le Conference Centre.

A la lumière crue et à la rumeur du stade succèdent pénombre, silence, fraîcheur. L'ensemble d'East Ridge, découpé par le quadrillage d'avenues pas encore toutes goudronnées, se compose d'anciennes maisons coloniales entourées de verdure. Contraste encore, avec la zone que l'on vient de quitter, où les bâtiments l'emportent sur la végétation. Ici, comme dans de très nombreux autres quartiers résidentiels s'étendant surtout au sud de la boucle de Ring Road, les jolies demeures, généralement sur pilotis, dont l'étage unique comporte une galerie extérieure, construites avant la Deuxième Guerre mondiale, sont remarquables de discrétion, d'unité architecturale, et, grâce à leur jardin touffu, elles font d'une grande partie d'Accra une ville verte et aérée.

Les clameurs venant du stade se sont tues et le silence est à peine troublé par l'écho léger des balles, échangées sur des courts de tennis que l'on devine, plus qu'on ne les voit. Puis, on perçoit une autre rumeur, celle de musiques de manèges, car Castle Road, entre Independence Avenue et Gamel Abdul Nasser Avenue, longe un parc réservé aux enfants, particulièrement fréquenté le samedi par des gamins de tout âge escortés par leur famille.

Retour vers le centre

En suivant la deuxième route, on passe devant l'église anglicane, à l'angle d'Egypt Road. Ses abords, à l'occasion d'un mariage, sont envahis par une foule un peu compassée, dont les tenues féminines européennes, font appel bien souvent à la mousseline de tous les tons pastel. Plus loin, l'avenue débouche dans Liberia Avenue. Sur le côté gauche de celle-ci se succèdent les « Ministries », comme à l'époque où les Britanniques firent construire les premiers bâtiments administratifs. En prenant Liberia Road sur la droite, presqu'en face se dresse le Théâtre National, puis l'on débouche sur Independence Avenue. On pourrait penser que cette artère, l'une des plus anciennes de la capitale, est depuis longtemps occupée, sur ses deux rives, de bâtiments de toutes sortes. Pas du tout. Depuis Captain Sankara Circle, sur Ring Road, au-delà de laquelle elle devient Libération Road, et particulièrement à partir d'African Liberation Square, où débouche Castle Road, les terrains vagues sont encore fréquents, et même les mini-plantations de maïs ou de bananiers. Les buildings comme la Bank of Ghana, comme l'hôtel Ambassador, en train de renaître de ses cendres, ou le Novotel, qui est séparé de ce dernier précisément par un « noman's land » encombré de machines n'en paraissent que plus imposants. Sur le plan des contrastes, le Novotel, depuis neuf ans symbole de

l'Accra-Affaires, ne craint personne, lorsqu'on contemple sa silhouette depuis la gare routière dont la marée humaine vient battre ses murs, à l'angle d'Independence Avenue, de Barnes Road et de Kinbu Road.

Si l'on continue de suivre Independence Avenue vers le sud-ouest, on ne tarde pas à longer ce qui reste le marché le plus important de la capitale : Makola.

Mais si le nom n'a pas changé, l'emplacement n'est plus le même : les trois marchés ainsi désignés se succédaient autrefois jusqu'à Kwame Nkrumah Avenue. En 1979, fut démoli ce qui s'étendait entre cette avenue et Kojo Thompson Road et qui fut remplacé par des boutiques et par Rawlings Park. Makola continuait à exploser de couleurs, de sons... et d'odeurs de l'autre côté de Kojo jusqu'à son intersection au sud avec Independence Avenue. En 1995, un incendie en face de Rawlings Park a dévoré une partie de ce dédale de ruelles bordées d'échoppes en planches, et une galerie marchande à étages y a été édifiée, abritant une nouvelle banque internationale. Voilà qui change quelque peu l'atmosphère de ce marché populaire où l'on a pourtant aussi la surprise d'entendre parfois éclater des rires et des chants émanant de voix dont on doute qu'elles soient celles des matrones du marché ! Effectivement il s'agit d'un des premiers jardins d'enfants réalisés sous l'égide du mouvement des femmes dit « du 31 décembre », présidé par Nana Konadu Agyeman-Rawlings, femme du « Chairman » de la Nation (voir encadré p. 85).

Une des entrées-sorties du marché, au coin de Kojo Thompson Road, fait face à Pagan Road, que l'on peut prendre pour atteindre Asafoatse Nettey Road, la rue des tissus.

Kwame Nkrumah Avenue

C'est une des rues les plus commerçantes d'Accra, depuis l'ancien emplacement de Makola, sur une place maintenant dégagée, peu après Lutteroot Circle, sur la droite, presque en face des grands magasins de la SCOA et d'UTC, celui-ci a été transformé en boutiques privées comme celles qui se succèdent dans des maisons aux rez-de-chaussée bordés de galeries couvertes, faisant face à des buildings plus modernes, comme Liberty House. En face de l'ancien UTC se dresse maintenant le grand magasin Lava Ltd.

Sur la gauche, en se dirigeant vers le

nord, la gare du chemin de fer, avec sa tour à horloge, apparaît bien modeste après ces bâtiments. C'est à peu près à sa hauteur que l'avenue comporte deux voies séparées par un terre-plein qui obligera l'automobiliste à un long détour pour atteindre l'autre côté. Mieux vaut renoncer à sa voiture, comme c'est toujours le cas pour des petites distances dans cette ville où le trafic est redoutable ! Il y a peu d'années le marasme économique avait supprimé en grande partie le parc automobile : à en juger par les voitures en circulation, ce marasme est bien fini.

Un peu plus loin, à gauche, Cocoa House regroupe une dizaine de compagnies d'aviation et d'agences diverses. Elle est suivie par les arcades de Swanzy, l'un des plus élégants grands magasins derrière lequel est situé le Stock Exchange, à côté d'un parking.

De l'autre côté de Nkrumah Avenue, Republic House est un immeuble de bureaux dont ceux du Ghana Export Promotion Council, qu'apprennent à bien connaître de nombreux hommes d'affaires étrangers.

Puis, jusqu'à Kwame Nkrumah Circle, l'avenue perd progressivement son aspect de centre animé pour ressembler davantage aux autres artères ombragées et bordées en majorité de maisons basses. A la hauteur de South Liberia Road, on ne perdra rien d'ailleurs à la quitter pour aller rejoindre sur la droite Barnes Road que l'on suivra ensuite à gauche. Après avoir dépassé le ministère de l'Information, on parviendra ainsi au National Museum. Il mérite largement une visite avant tout voyage vers l'intérieur du pays.

Le National Museum

La rotonde à deux niveaux de ce musée, loin d'être consacrée entièrement à la culture ghanéenne, contient des objets d'art de la plupart des pays d'Afrique occidentale et, dans la galerie du premier étage, un département d'archéologie.

Une aile du rez-de-chaussée est consacrée à des expositions temporaires qui peuvent concerner aussi bien la peinture moderne que des collections d'objets traditionnels et même sacrés comme les « stools » (tabourets des ancêtres).

Dans les autres salles de ce rez-de-chaussée, on aura envie de s'attarder devant les poids à peser l'or Ashanti parce qu'ils sont ornés de figures diverses d'une merveilleuse finesse qui ont en fait une signification profonde et illustrent des proverbes et dictons. Il faudrait évidemment être accompagné d'experts pour profiter pleinement de leur enseignement. La culture Ashanti est largement représentée ici puisque sont exposées de nombreuses et belles poteries, des « kuduo » ou récipients de bronze magnifiquement sculptés et autres objets de culte.

Les « kente », vêtements traditionnels, dont les motifs tissés ont chacun leur signification et dont certains sont réservés aux chefs ou personnages importants, forment sur quelques murs une somptueuse décoration. Plus discrètement, les « adinkra », tissus imprimés de dessins eux aussi symboliques, se groupent sur des planches verticales, portant l'explication de leur signification et de leur technique.

On pourrait après la visite de ce musée, reprendre Barnes Road vers le nord pour aboutir à Ring Road central qui fait figure à Accra de boulevard périphérique et qui constitue également une frontière entre la ville basse et des quartiers dont le sol est beaucoup plus mouvementé. De Ring Road, vers le nord, la vue sur les larges avenues se dirigeant vers Kaneschie, Achimota, Kotoka ménage de belles perspectives sur les collines environnantes, et donne une impression d'espace qui fait défaut dans le centre.

Au hasard de visites à des personnalités, au grand marché de Kaneshie (dont on aura un superbe aperçu depuis la passerelle franchissant la route de Winneba), à certaines fabriques comme celle d'Akuaba près d'Achimota, spécialiste de jouets en bois ou encore à Pawa House, la Maison des écrivains à Roman Ridge, on aura ainsi souvent l'occasion de se rendre compte des grands horizons et de l'espace qui caractérisent les quartiers au nord de Ring Road.

A la recherche des couturiers

Après avoir appris que quelques défilés de mode, au Novotel, à l'American Club ou même à l'Université de Legon, avaient prouvé la valeur de la couture moderne ghanéenne, on se met en chasse pour rencontrer ses vedettes.

Ce n'est certes pas sans mal que l'on trouve « Ginatu Exclusive » à North Kaneshie, dans une Mukose Road que personne ne connaît ! On y travaille les tissus du pays, des batiks décorés maison, des sacs assortis et aussi des poupées.

A Labone, le couturier Ricci Osei, qui devait ouvrir un centre important, semble ne pas avoir encore décidé de l'endroit. Mais dans le même quartier, derrière le populaire hôtel Wangara, est née une

AD 1957

·FREEDOM AND JUSTICE·

*Comptant parmi les premiers États africains
à avoir acquis son indépendance,
le Ghana a tenu à marquer solennellement
cet événement en érigeant cet arc,
au centre d'Accra.*

autre vedette de la couture, Kofi Ansah, qui a participé à de nombreux défilés de mode dans Accra.

Pour trouver la célèbre styliste Joyce Abadio, la personnalité de la mode peut-être la plus en vogue actuellement à Accra, il faut aller à Osu, sur Cantonments Road, où se trouve sa boutique « Vogue Style Fashions ». Dans son voisinage, il ne faut pas non plus oublier « Chez Julie » dont la boutique avec vitrine est également sur Cantonments Road, dans sa zone la plus commerçante, celle partant de Danqah Circle, sur Ring Road, et descendant vers le sud-ouest. Robes sur mesures, si besoin réalisées en un jour ou deux, très beaux boubous, courts ou longs, et bijoux faits maison, retiennent l'œil.

On s'y rendra d'autant plus volontiers et facilement que Cantonments Road attire toutes les clientèles pour de multiples raisons. Le super-marché Kwatson, à l'entrée de la rue, côté Ring Road, est bien connu non seulement des maîtresses de maison d'Accra, mais de ceux qui préparent une expédition dans des régions moins bien pourvues avec séjour dans des rest-houses où l'on doit apporter son alimentation.

Mais la rue est également bordée de toutes sortes d'autres magasins, ainsi que de restaurants dont certains sont parmi les plus réputés comme Papaye Fast Food, à côté de Vogue Style Fashions ou Dolly's Fast Food, un peu plus loin.

A citer aussi, dans le quartier de Cantonments, près de l'ambassade du Togo, Diurinni, un magasin spécialisé dans le prêt-à-porter pour hommes, notamment des chemises.

Le Grand Accra

A la condition, cette fois absolue, d'être en voiture, bien d'autres promenades s'offrent dans la périphérie d'Accra.

On peut commencer à l'ouest par la lagune de Korle Gonno et son quartier résidentiel, remonter par Ring Road jusqu'à Kwame Nkrumah Circle. On y domine une dépression, puis le versant d'une colline gravie par Nsawam Road qui file en ligne droite vers Achimota et sa forêt, de l'autre côté d'un deuxième boulevard circulaire, le Kwame Nkrumah Motorway, autoroute allant jusqu'à Tema, le grand port situé à l'est de la capitale.

LE JOUR DES FUNÉRAILLES

Au Ghana le jour des funérailles est tout à fait distinct de celui de l'enterrement et peut se célébrer dans certains cas plusieurs années après. Autrefois, le lundi et le jeudi étaient les jours de la semaine consacrés pour les funérailles. Mais aujourd'hui, le samedi a été partout adopté, puisque personne ne travaille pendant le week-end. Tôt le matin, les amis et relations de la famille du défunt commencent à s'assembler à l'endroit désigné (qui peut être la place du village ou même d'une ville). Ils s'asseyent sur des chaises et la famille leur offre des boissons. La coutume veut que chacun fasse un don qui soit proportionné à la manière dont il aura été reçu, c'est-à-dire à ce qu'on lui aura donné à boire. Mais la cérémonie ne commence officiellement que lorsque la famille a parcouru l'agglomération d'un bout à l'autre en se lamentant. Il arrive que ce parcours soit effectué plusieurs fois de suite avant que le groupe ne revienne définitivement sur les lieux de la réunion où un orchestre, parfois plusieurs lorsque le défunt était un personnage important fait ou font danser les assistants à qui les femmes et les hommes de la famille continueront à distribuer des boissons jusqu'à la nuit. Les dons continuent à arriver pendant les jours qui suivent, et ce n'est qu'une semaine après que les dépenses des funérailles et les dons sont calculés. Si ces derniers ne couvrent pas les premières, le successeur du défunt prend la plus grande partie à sa charge et les autres personnes du clan se partagent le restant.

Achimota est traversé par la route de Kumasi et, pour cette raison, la circulation y est souvent difficile. C'est pourquoi, depuis Ring Road, il vaut mieux obliquer sur la droite et, par un dédale de rues parcourant le quartier populaire de Nima, rejoindre Achimota Road, Roman Ridge, d'où l'on a une vue particulièrement étendue, Airport Residential Area et la route directe vers Legon, puis Aburi, à partir de Tetteh Quarshie Circle. Au loin, d'est en ouest, se dessine la chaîne des Akwapim Hills.

A l'université, un arrêt s'impose non seulement pour visiter le jardin botanique, que les récentes restrictions budgétaires ont malheureusement pénalisé, pour suivre les avenues de palmiers, les jardins-patios pleins d'essences tropicales et les rangées de bâtiments aux toits incurvés évoquant davantage les pagodes que les maisons du pays, mais surtout pour faire une halte à sa bibliothèque et à sa librairie : pour le moment aucune autre librairie digne de ce nom n'existe à Accra. Si l'opportunité s'en présente, il est également intéressant de rencontrer étudiants et professeurs de l'Institut des Etudes Africaines. Les joueurs de golf ne manqueront pas de se rendre au très beau golf situé près de la cité universitaire vers Achimota.

Depuis Legon, par Tetteh Quarshie Circle, Liberation Road, Giffard Road, on se rend facilement dans la First Circular Road des Cantonments pour visiter le mémorial Du Bois.

W.E.B. Du Bois, américain du Massachussets, mais dont certains ancêtres vinrent d'Afrique, dirigea l'Encyclopédie Africaine fondée par le Président Nkrumah. A sa mort en 1963, sa maison fut transformée en mémorial où reposent ses cendres et celles de sa femme. On peut aussi y consulter ses œuvres et y suivre des séminaires sur le Pan-Africanisme.

La (ex-Labadi) et Cocobeach

A l'est du village de Labadi, existent depuis longtemps les grands bâtiments de l'International Trade Fair (foires commerciales internationales) qui se trouvaient ainsi complètement en dehors de la capitale. Cependant, en bordure de l'océan la belle route qui partait de South Labadi Estate, dernier quartier d'Accra, longeait Labadi Village et se dirigeait ensuite vers Tema, ne pouvait que devenir un instrument d'urbanisation.

A Labadi Beach, un premier hôtel, composé de bungalows, a été purement et simplement abandonné au profit de l'actuel Labadi Beach Hotel, un quatre étoiles de 104 chambres et 4 suites, qui comprend une piscine, un club de santé, et un business centre. Il représente un nouveau noyau urbain autour duquel se multiplient peu à peu des services et des installations diverses, le tout formant avec la foire, toute proche, un quartier qui attire aussi bien les touristes que les hommes d'affaires. Il se trouve d'ailleurs à proximité immédiate d'une autre plage : Cocobeach, à côté du village de Teshie, déjà fréquentée, surtout pendant le week-end, par les habitants d'Accra et Tema.

L'hôtel qui porte son nom n'a que douze chambres et une suite, mais aussi un terrain de camping pouvant recevoir une cinquantaine de tentes et de caravanes, ainsi qu'un « disco » qui ne ravit peut-être pas les amateurs de calme, mais attire sûrement la jeunesse de la capitale. De plus, sa situation lui assure de nombreux amateurs dans la journée : le déjeuner sous les paillottes qui dominent la plage est délicieux, à cause d'un petit vent toujours frais. Le soir, deux fois par semaine, et le dimanche à partir de midi, l'orchestre Marriot, très coté par les jeunes, vient animer le restaurant, flanqué d'une piste de danse. Quant aux chambres, elles sont bien équipées, avec douche et mobilier local adapté au cadre.

A Nungua, un kilomètre après la jonction avec Cocobeach, presque en face de la galerie d'art Omanye House, il faut visiter un autre centre artistique. Dans un magasin d'exposition, au sommet de la maison sont rassemblés quelques exemples de l'esprit créateur de « Paa Joe » qui, à l'étage en-dessous, imagine des cercueils « personnalisés ».

Foin des stupides caisses habituelles, sans aucun intérêt, ici on réalise des « emballages » en rapport avec le métier ou les goûts de celui qui y trouvera sa dernière demeure : ce peut être une pirogue, un poisson, un lion, une poule, une voiture ou une maison ! On voit même en chantier dans son atelier une église ou un sac de farine. Inutile de chercher à embarrasser par un caprice particulier cet homme aimable qui n'a qu'un mot à la bouche : « No problem ! ». Dommage que ces œuvres d'art soient quand même destinées à être enfouies sous terre !

Kokrobite Beach

De l'autre côté d'Accra, vers l'ouest, un autre village attire également la clientèle des week-ends, mais aussi des amateurs de danse et musique africaines, de

sculpture et même de travail psycho-
logique visant à libérer l'âme : la mode
des stages en tous genres est arrivée
jusqu'ici et tous ceux qui ne conçoivent
plus de passer leurs vacances en liberté
frémiront de joie à la pensée de pouvoir
suivre un séminaire à Kokrobite Beach
avec Mustapha Tetty Addy, maître
percussioniste, directeur de l'Academy
of African music and arts. Ils resteront
dans le village pendant l'un des 5 cycles
annuels de 3 semaines, à raison de 4 jours
par semaine comprenant plusieurs
cours quotidiens dans toutes les disci-
plines enseignées, auxquels ils assis-
tent librement selon leur désir du
moment.

Pendant le week-end, mais surtout le
dimanche après-midi, sur la piste ronde,
aménagée en contrebas des deux bâtiments du bar et du restaurant, ont lieu
des spectacles de danses traditionnelles.
C'est là que le Novotel a sélectionné la
troupe qui se produit devant sa piscine.

Le cadre est infiniment séduisant : de
la terrasse sur laquelle sont situés piste,
bar et restaurant, on a une vue magnifique sur des rochers rouges déchiquetés
dominant une plage de sable. Nager y est
paraît-il sans danger, mais en voyant les
lames se briser sur des pointes en forme
de poignards dressés vers le ciel, on n'est
pas sûr de vouloir s'y risquer ! Peu
importe, le spectacle de l'Océan vaut déjà
le déplacement.

A l'intérieur du bar, on déguste des jus
de fruits venant de la propriété (ananas,
papayes, etc.), pressés dans des appareils
marchant à l'électricité issue de panneaux
solaires. Dans le restaurant, grâce à la
cheminée et aux pots en terre locaux, on
fait de la cuisine traditionnelle. Les trente
chambres sont d'un confort spartiate,
avec sanitaires séparés, mais elles donnent, par l'intermédiaire d'une galerie
couverte longée par un banc pris dans la
maçonnerie, sur un très joli jardin entourant une salle de conférences pour 200
personnes. Des huttes disséminées sur
une deuxième plage, à gauche des
rochers, permettent d'éviter les coups de
soleil. Dernier avantage, le prix extrêmement modeste de l'hébergement. On souhaiterait simplement que, dans la petite
boutique où l'on vend des tee-shirts, des
livres sur la culture ghanéenne complè-
tent, pour les clients qui viennent entre
les sessions, l'enseignement qui y est
donné.

Même si l'on n'a pas la possibilité de
loger à Kokrobite Beach, aller y passer
une journée, ou simplement le dimanche
après-midi, constitue une très agréable
détente pour tous ceux qui séjournent

Il est difficile — même si l'on ne comprend pas
le langage de la foule ghanénne —
de ne pas se sentir gagné par sa gaîté : le moindre
rassemblement donne lieu à un feu d'artifice
de réparties qui déchaînent les rires.

aburi

dans la capitale à l'occasion d'un congrès ou d'un voyage d'affaires. Pour s'y rendre, il faut prendre la route de Winneba, passer sous la passerelle du marché de Kaneshie, continuer tout droit pendant une trentaine de kilomètres jusqu'au barrage de Weija et une pancarte portant l'inscription Aama Beach Bar.

Accra
by night

Bien entendu il existe dans la capitale des cinémas, des bars, des night-clubs et des casinos. Et l'avenue Kwame Nkrumah est d'ailleurs surnommée « la route des boîtes ». Pourtant les Ghanéens eux-mêmes affirment que la vie nocturne est assez terne pendant la semaine et qu'elle ne s'anime surtout que du vendredi soir au dimanche.

Encore n'est-ce pas forcément dans les endroits chics que l'on s'amuse le plus.

A proximité des cinémas, dans les quartiers populaires où sont appréciés les films chinois à base de karaté et autres sports de combat, la vie éclate sans préavis. Les émotions donnant faim, on assiège les restaurants de plein air où les femmes vendent du « kenkey », du poisson fumé, du « kelewele » (banane plantain en tranches frites et pimentées) ou du « tsofi » (aile de dinde frite et épicée). On boit de la bière bien sûr ou une nouvelle boisson, la Malta, à base de malt, très à la mode.

A Nima, refuge traditionnel des provinciaux qui n'ont pas encore fait leur trou dans la capitale, il arrive qu'un groupe nostalgique improvise une soirée de danses qui lui rappellent le village. Ce n'est pas toujours au même endroit et il faut chercher.

Parfois, au détour d'une rue sombre, on tombe brusquement sur un noyau de lumière et de chaleur d'où s'échappent des chants accompagnés de tam-tams. Il s'agit en fait souvent d'une réunion religieuse et les chants sont des cantiques. Rien n'empêche le passant de mêler sa voix à celle des assistants : il en sera remercié par des sourires satisfaits. En vérité, les spectacles insolites ne manquent pas, si l'on ne se limite pas aux rues du centre. En sortant, le soir, il ne faut pas avoir d'idées préconçues et se laisser porter par le hasard.

(*Voir renseignements p. 164*)

■ Qui soupçonnerait l'existence de ce jardin suspendu typiquement britannique, avec ses pelouses moelleuses comme un tapis de billard, ses plates-bandes « à l'anglaise » et l'épais ombrage de ses milliers d'arbres... en plein cœur de l'Afrique de l'Ouest ! Promenade dominicale favorite des résidents d'Accra, le Jardin botanique d'Aburi n'est qu'à une portée de flèches de la capitale. Il ne faut pas plus d'une trentaine de kilomètres pour traverser la Greater Accra Region et grimper la route en lacets montant au jardin. Un parcours enchanteur et dépaysant, car le moindre virage révèle un panorama verdoyant où jouent les rayons de soleil, tombant des nuages bas. Un paysage bucolique à souhait qui évoque plus l'Écosse ou l'Irlande que l'Afrique !

Sur ces hauteurs le climat est toujours doux et l'air plus pur, si bien qu'il convient parfaitement à l'aménagement d'une station climatique, pour les gens redoutant la canicule des pays tropicaux. C'est d'ailleurs sur les contreforts de la chaîne de l'Akwapim que l'ancien président du Ghana, Kwame Nkrumah, fit construire une résidence en nid d'aigle, qu'on longe, en montant sur Kitase.

Dernière halte avant le jardin botanique, Kitase est un village africain typique, avec ses petites marchandes faisant frire des beignets de manioc, ou vendant à l'étalage — sur le bord de la route — des régimes de bananes ou de savoureux ananas bien juteux et parfumés.

En passant le poste de garde et en pénétrant dans le jardin botanique par l'allée bordée de palmiers, l'enchantement commence. On s'attend à surprendre un vieux général de l'armée des Indes en train d'herboriser, au milieu d'une ribambelle d'enfants jouant au croquet et de jeunes filles en robes à crinoline chassant le papillon.

Cette évocation de l'Angleterre est d'autant plus justifiée à Aburi que le Jardin botanique a bien été aménagé par les Britanniques, dès 1890. Et depuis, il a été soigneusement entretenu, si bien que toutes les essences précieuses, importées du monde entier, sont devenues des arbres immenses et vénérables, au feuillage généreux. Bonne idée : des petites pancartes ont été apposées sur les troncs et donnent les noms courants et scientifiques de chacune des essences. Une véritable leçon de botanique qu'on reçoit en douceur. D'autant plus que chaque arbre est affublé d'un nom plutôt barbare pour le néophyte : Plumeria acutifolia, Cupressus, Roemia et autre Callophyllum. Mais derrière ces appellations ésotériques se cachent de belles essences

ada

connues de tous : Delonyx regia n'est autre que le magnifique flamboyant qui s'embrase en mars-avril, Ceiba pentandra le fromager dont un très grand spécimen se trouve près du restaurant, et le Zizyphus le vulgaire jujubier aux fruits délicieux.

Outre la leçon de botanique, c'est à un véritable tour du monde végétal qu'on est convié. Comme l'indiquent les pancartes, ces arbres viennent de Malaisie (palmier à bétel), du Mexique (Cupressus), du Guatemala (candle tree), d'Inde (Callophyllum), de Chine (Roemia spéciosa) ou tout bonnement d'Afrique (anacardiers, calebassiers, bambous géants, palmiers, flamboyants).

A l'origine, ce Jardin botanique avait trois objectifs : étudier les possibilités de la flore locale en matière d'agriculture, d'industrie, de pharmacopée ou d'ornementation ; expérimenter la transplantation systématique des espèces tropicales étrangères ; servir d'école d'agriculture. Quant au bâtiment, transformé depuis en restaurant, il s'agissait à l'origine d'un sanatorium, ce qui donne une idée du climat frais et sain d'Aburi.

Délaissant les écriteaux, le poète aura raison de donner libre cours à son imagination en parcourant les allées du parc, et, notamment, en pénétrant dans le tunnel de verdure, appelé si joliment « Lovers walk » (promenade des amoureux). D'ailleurs, comment ne pas se laisser emporter au gré de ses caprices devant la multiplicité des couleurs et des formes ? Comment ne pas être impressionné en particulier par la splendeur et le lointain passé du géant qui, seul survivant de la forêt primitive recouvrant autrefois toute la région, règne sur le sommet de la colline ?

Pendant la saison sèche, la fraîcheur et l'ombrage d'Aburi attirent les citadins d'Accra écrasés de chaleur. Mais les mois pluvieux ont également leur charme : couleurs et contours se dissolvent parfois au milieu de brumes que lacèrent les vents. L'ambiance devient irréelle, ensorcelante. Le promeneur, enveloppé dans un brouillard dense, le voit soudain se déchirer et découvre un arrière-plan montagneux, jusqu'alors insoupçonnable. Et puis la brume à nouveaux se reforme ou bien, effilochée par des bourrasques, glisse ses ondoyantes écharpes entre les arbres tandis que des rayons de soleil, longues épées lumineuses, viennent à l'improviste se poser sur une fleur ou une branche.

(*Voir renseignements pratiques p. 164*).

■ L'auteur des *Trois Mousquetaires* n'aurait certainement pas désavoué la carrière de son petit-fils, qui s'appelait également Alexandre Dumas et qui s'établit à Ada, petit village de pêcheurs de la Volta Region, près de la côte Atlantique. Il y devint l'un des plus riches marchands de la région et ses cargos remontaient la Volta, transportant les « imprimés Dumas », cotonnades fabriquées en France, qui remportaient un vif succès dans tout le pays. Vers la fin du siècle dernier, il épousa une jeune Africaine d'Ada. Ils eurent plusieurs enfants, dont les descendants habitent toujours la région et portent le nom de leur aïeul.

Autre grande figure d'Ada : Geraldo da Lima, qui y vécut également au siècle dernier. Cet ancien esclave qui, à la mort de son maître brésilien, réussit l'exploit de prendre sa fortune, sa femme et son nom, déclara la guerre, avec son armée de pirates, au chef d'Ada, puis aux habitants de Kpong, puis à ceux d'Accra, puis aux Anglais... ! Le roman d'aventures de cet enfant terrible d'Ada attend son chroniqueur.

Pour ne citer encore qu'une des personnalités illustres qui firent parler d'Ada, la « une » des journaux occidentaux signala le passage qu'y fit le fameux explorateur Henry Stanley, après sa rencontre avec Livingstone. Il accompagnait un autre personnage légendaire, le capitaine Glover qui, le premier, osa traverser la barre avec un navire de haute mer et entreprit de remonter la Volta pour découvrir un pays pratiquement inconnu des Européens.

Aujourd'hui, Ada est une petite bourgade un peu somnolente, dont les habitants se répartissent, en fait, entre Big Ada, plus à l'intérieur des terres et Ada Foah, au bord du golfe de Guinée.

Elle ne conserve guère de souvenirs de ces temps héroïques où elle jouait un rôle important dans tous les échanges commerciaux de la région. En effet, Ada occupe une position-clef, au bord du golfe de Guinée et de l'estuaire de la Volta, ainsi qu'au carrefour des routes desservant toute la côte Atlantique et les pays du Sahel, à l'intérieur du continent.

Elle a perdu tout son prestige d'antan et son importance stratégique, depuis la création des ports de Takoradi, puis de Tema, la construction des routes du nord, puis la formation du lac Volta, immense plan d'eau navigable dont la pointe sud s'arrête bien au nord d'Ada.

Peut-être va-t-elle renaître, grâce au tourisme. En effet, chaque week-end, la ville retrouve une certaine animation, quand les résidents de Tema et d'Accra viennent y retrouver, pour deux jours, leurs bungalows.

On peut s'y baigner sans danger, s'y promener en pirogue et y faire des pêches miraculeuses, à la cuiller et au lancer. Les barracudas et les capitaines abondent et certains poissons atteignent parfois plus de dix kilos.

Celui qui n'a pas la chance d'y avoir un pied-à-terre peut loger dans les petits hôtels de la place (Ada Hotel et No Problem's Guest House).

Le fort de Prampram

Ada représente le point de transition entre la plaine d'Accra, aux étendues sauvages peu à peu utilisées pour les cultures, notamment celle des tomates, et la région du delta qui monte en triangle vers les collines de l'Akwapim et du Togo. C'est à peine si, à l'ouest de la ville, la lagune de Songow, d'ailleurs à peine visible depuis la route principale, annonce les paysages aquatiques qui domineront, à l'est du fleuve. Mais les ornithologues connaissent bien cette petite lagune, occupée par des marais salants qui attirent de nombreuses variétés d'oiseaux aquatiques.

Les automobilistes qui viennent d'Accra peuvent faire un détour pour visiter le fort, bien modeste, de Prampram au bord de la mer, à l'est de Tema.

Ce n'est pas son architecture modernisée qui les séduira, mais sa position sur la plage et sa terrasse qui domine un petit port de pêche. Le mardi, jour de repos des pêcheurs ghanéens, toutes les pirogues multicolores, hissées sur la plage, avec les filets, d'un bleu intense, étalés sur le sable, offrent un beau spectacle.

Le voyageur pourra s'y remplir les poumons d'air marin ou, s'il y séjourne en juillet-août, y assister à la fête d'Homowo, précédée de l'ouverture de la pêche.

Si personne ne sort en mer ce jour-là, le village retentit jusqu'à la nuit de chants et du martèlement des gongs. Le lendemain, toute la flottille ira pêcher une espèce particulière de poisson, dont les femelles seront offertes aux dieux de Prampram, Lalue et Dugblé.

Depuis Ada, et après avoir franchi le fleuve Volta, on peut poursuivre sa route vers l'est et gagner Keta (voir notice), située entre mer et lagune, puis poursuivre jusqu'à Aflao, poste-frontière, et se rendre à Lomé, capitale du Togo.

(*Voir renseignements pratiques p. 165*).

Les pêcheurs ghanéens font preuve d'un grand sens artistique, comme l'illustrent bien ces pirogues couvertes de peintures vives et d'inscriptions souvent symboliques (le dessin stylisé en haut à g. représente un tabouret « stool » de chef).

akosombo   amedzofé

■ La succession de projets, d'ordres et de contre-ordres qui a précédé la construction du barrage d'Akosombo représente une longue histoire, d'ailleurs écrite avec talent par James Moxon dans « Volta, man's greatest lake ». C'est en effet en 1915 que pour la première fois un géologue anglais, A.E. Kitson, découvrit les possibilités qu'offrait le fleuve Volta, entre Ajena et Kpong, pour la création d'une centrale hydro-électrique. Mais l'Europe était alors en guerre et manquait de temps et de capitaux pour mener à bien une telle opération.

Pendant des années, le projet fut sporadiquement repris, modifié, abandonné. Tout aurait peut-être échoué ou traîné éternellement sans la volonté du premier président du Ghana, Kwamé Nkrumah, à qui le barrage apparaissait comme une carte majeure dans la modernisation du futur Ghana.

Les travaux commencèrent enfin à Akosombo et, en janvier 1966, le barrage et la centrale furent inaugurés par le chef de l'État, tandis que la fonderie était finalement bâtie dans la nouvelle ville de Tema, sur la côte est.

La retenue d'eau du barrage a formé peu à peu un lac long de 400 kilomètres, du nord au sud. Il est assez profond pour que des bateaux, transportant marchandises, passagers et voitures, le parcourent de bout en bout.

Le voyageur, avec ou sans voiture, trouvera sans doute agréable d'emprunter ce moyen de locomotion : il pourra ainsi remonter, en trois jours, tout le lac Volta, avec escales à Kpandu, Kete-Krachi (Volta Region) et Yeji (Brong-Ahafo Region), jusqu'à Buipe, le port de la capitale du nord, Tamale (Northern Region).

Pour abriter la foule des bâtisseurs du barrage, une ville s'est créée à Akosombo, dès le début de la construction. Depuis l'immense pont métallique franchissant le fleuve à l'entrée des gorges qui se succèdent en aval de la ville jusqu'à Kpong, la route suit sporadiquement, plus en aval, le cours d'eau.

C'est derrière un des promontoires qui s'avancent tels des caps sur ce magnifique plan d'eau que s'abrite le port, invisible de la ville et éloigné d'elle de quelques kilomètres. Le touriste y trouvera les bateaux qui font la navette avec le nord et, le dimanche, il pourra effectuer une croisière de quelques heures, avec déjeuner à bord, pour aller visiter l'île Dodi, toute proche.
(Voir renseignements pratiques p. 165).

■ Quel admirable cadre que celui de ce village perché sur l'un des sommets de la chaîne du Togo, à quelques kilomètres de la frontière !

Depuis Ho, la capitale de la Volta Region, la route goudronnée passe par Dzolokpuita, puis Vane, à travers une végétation d'une densité presque inquiétante. Mais de loin en loin une clairière troue cette muraille d'arbres entremêlés de lianes et capitonnés de mousse et de hautes herbes : il s'agit d'un cimetière ombragé de… « Forget-me-not », dit-on au touriste étonné de voir, à la place de l'humble myosotis désigné en anglais par ce nom, des arbres somptueux recouverts de fleurs blanches.

A partir de Dzolokpuita commence le pays des Avatime, qui forme une enclave étrangère au milieu du territoire Ewe et dont la capitale est Vane, siège de l'Adza Tekpo, leur paramount chief.

Plus qu'à cet important personnage, l'étranger peut demander une entrevue au chef de Vane, son subordonné. Avec ce dernier, on évoquera volontiers la longue migration de ses ancêtres, venus de la région ouest.

Après avoir vainement essayé de s'entendre avec la population de Prampram, sur la côte est, les Avatime, lassés d'utiliser sans succès la méthode pacifique, sont entrés en guerre avec la population autochtone de ces collines et l'ont absorbée ou chassée. Ils se sont taillé un territoire qui englobe huit villes dont Amedzofé et n'ont plus aucune intention d'en bouger. Comme on les comprend !…

De merveilleuses promenades

Les excursions à pied abondent. Mais, avant de partir en randonnée, on ira contempler l'immense panorama visible depuis la colline. Devant soi, ce sommet tout rond et dénudé, c'est le mont Gami, sur lequel se profile une croix posée par des missionnaires allemands.

A sa gauche, part la route menant à Kpandu, sur les bords du lac Volta, puis s'étend Fume, accessible en voiture ou à pied. Encore plus à gauche, un peu en retrait, la chaîne de Biakpa, ainsi que les villes d'Adomi et d'Anfoega. Quand le temps est clair, on aperçoit un miroitement dans le lointain : c'est un des méandres du lac. A droite du mont Gami s'étagent les collines du Togo, à cheval sur la frontière.

En montant jusqu'au sommet de la colline, on verra derrière le rest-house se

axim

succéder, de gauche à droite, la chaîne de Kabakaba, le mont Adaklu et les collines de Peki.

Il est difficile d'atteindre tous ces sommets à pied depuis Amedzofé. Mais en associant trajet automobile et randonnée pédestre, le sportif moyen peut y accéder sans mal.

En revanche, la descente vers la chute d'eau proche du village représente un exploit, particulièrement pendant la saison des pluies ! Au début tout semble facile. Lourde erreur : brusquement le chemin bien tracé s'enfonce dans les hautes herbes et la pente douce fait place à un terrain très incliné au sol glissant. Heureusement les racines qui émergent, les branches basses, les rochers, tout est bon pour se cramponner. Mais cela ne suffit pas toujours et la descente se poursuit par moment en position assise. Il faut de solides chaussures et ne pas craindre les courbatures dans les bras aussi bien que dans les mollets. Mieux vaut ne pas s'encombrer d'un sac ou même d'un appareil-photographique. D'ailleurs, pour saisir la chute dans son entier, le recul manque dans un cirque rocheux assez réduit.

Vers les chutes de Wli

Amedzofé peut également servir de base pour aller visiter les chutes de Wli et de Tsatsadu, plus au nord. Il faut redescendre jusqu'à Vane, et suivre le mont Gami sur sa gauche. Néanmoins, il vaut mieux profiter du séjour à Amedzofé pour visiter ses environs immédiats, puis revenir à Ho d'où la région de Hohoé et ses chutes sont facilement accessibles dans la journée par de bonnes routes.
(*Voir renseignements pratiques p. 165*).

■ A mi-chemin entre Takoradi et la frontière de la Côte d'Ivoire, Axim, situé au bord de la côte, dans la Western Region, attire essentiellement les visiteurs pour son Fort Antonio, construit par les Portugais aux alentours de 1516. Ce château vient aussitôt après celui d'Elmina, dans l'ordre d'ancienneté de la cinquantaine de places fortes qui jalonnaient la Côte de l'Or. Certains n'existent d'ailleurs plus ou ont été défigurés par des restaurations maladroites.

Tel n'est le cas du Fort Antonio, malgré de multiples changements de propriétaires, depuis les Hollandais qui le prirent en 1642 jusqu'aux occupants ghanéens actuels, en passant par les Anglais, ses maîtres de 1872 à l'Indépendance.

Axim est resté une ville pleine d'animation, malgré ses nombreuses maisons coloniales en ruine. Il faut la traverser et se rendre à l'esplanade où stationnent les voitures devant le fort.

D'une première cour, un passage voûté mène dans une deuxième où sèchent des filets de pêche. Un escalier conduit jusqu'au chemin de ronde... et à une vue éblouissante sur la mer. Bien qu'il ait déjà visité bon nombre de sites similaires avant d'arriver à Axim, le touriste n'est pas encore blasé par le spectacle qu'offrent tous ces chemins de ronde, plus ou moins à pic sur la mer.

Au large du Fort Antonio, l'île de Bobowasi, battue par les vagues, porte haut son phare. On comprend vite son utilité, au vu de la multitude de récifs plus ou moins apparents, qui jalonnent sournoisement les deux baies s'ouvrant de part et d'autre de la pointe sur laquelle se dresse le fort.

Si l'on pouvait monter sur la terrasse supérieure du Fort Antonio, sans doute pourrait-on apercevoir, encore plus à l'est, un petit port de pêche que l'on ne fait que deviner. Malheureusement ces bâtiments, occupés par des bureaux, ne sont pas ouverts au public. Quel dommage qu'ils ne puissent être convertis en hôtel, servant de relais, pour qui désirerait longer la côte jusqu'à Half Assini, à la frontière ivoirienne. De plus, à l'intérieur des baies qui encadrent le fort, l'étendue d'eau calme paraît suffisante pour nager sans danger, à l'abri des rouleaux de vagues, battant l'île de Bobowasi.

En revanche, la route goudronnée qui continue vers l'ouest jusqu'à l'embouchure de l'Ankobra longe, après Axim, une plage splendide mais interdite aux nageurs, tant y sont proches du rivage des vagues d'une extrême violence.

Après avoir traversé le village d'Awu-

bawku

nakrom, la frise de cocotiers s'élargit, puis la route s'incurve vers l'intérieur. Elle revient brusquement traverser un bras secondaire de l'Ankobra. Dans ce delta, le voyageur rêve devant un site presque polynésien, avec sa frange de cocotiers. Il s'y voit volontiers vivant dans des paillotes à toit de chaume, grillant du poisson sur un feu de bois et remontant en pirogue dans la forêt dense de l'ouest, si belle, mais si peu connue.

Près d'Axim, à Nkroful, fut d'abord enterré Kwame Nkrumah : il a maintenant son « Mausoleum » construit pour lui à Accra, à côté du Centre for National Culture.

Entre Axim et Takoradi, la route traverse, sur des kilomètres, des plantations d'hévéas, de cocotiers, d'orangers et de palmiers.

Après Abura, un écriteau indique sur la droite la direction de Prince's Town.

Le Fort de Prince's Town, primitivement nommé Groot Fredericksburg, puis Fort Hollandia, a été construit par des architectes allemands en 1683.

A l'époque de sa création, son portail avait la réputation d'être l'un des plus beaux de la côte. Il n'en reste que quelques pans de mur en ruine et une couronne, sculptée en relief, dont le bloc a été enchâssé dans l'escalier moderne, à double révolution, du bâtiment restauré.

Au rez-de-chaussée s'ouvre, sur la gauche, une petite cour. Une porte basse donne accès aux salles voûtées qui servaient à enfermer les esclaves. On peut admirer le magnifique appareil de ces voûtes dont les arcs viennent s'appuyer sur un énorme pilier central. Mais les malheureux entassés entre ces murs ne devaient pas y puiser la moindre consolation. Surtout, lorsque la porte fermée, ils n'avaient comme source de lumière que les trous grillagés percés dans les voûtes !

Si l'on ne peut visiter le bâtiment restauré, du moins peut-on faire le tour du fort sur un large chemin de ronde encore garni de canons. Le fort a été bâti sur un promontoire dont la pente légèrement inclinée se termine par une couronne de gros rochers : il ne devait pas être facile d'y accoster. Vers l'ouest, au fond d'une baie profonde, est niché le village, cerné par des cocotiers.

Contrairement à Axim, au fort serré de près par la ville, ici l'isolement est total. La sauvagerie de l'Océan, l'armée des cocotiers qui cernent le château, les ruines elles-mêmes, le chemin escarpé qui conduit jusqu'à la cour d'honneur plus de piétons que d'automobilistes, donnent au site un air d'extrême austérité.
(*Voir renseignements pratiques p. 165*).

■ On croit avoir épuisé l'émerveillement provoqué par les marchés et puis on arrive à Bawku un lundi, jour de grand marché, et le ravissement renaît.

Pour qui vient du sud, l'atmosphère de cette petite ville située à l'extrémité nord-est du Ghana, dans l'Upper-East Region, semble nouvelle. Ville-frontière avec le Burkina-Faso, comme avec le Togo, Bawku est un creuset où se mélangent de nombreuses ethnies et l'on n'y oublie pas que pendant des siècles y sont passées des caravanes venant de loin.

Sur le marché, des femmes Fulani (ou Peuhls), vendent du lait caillé et portent d'extraordinaires bijoux encadrant leur visage. Les hommes, eux, s'abritent sous les grands chapeaux de paille coniques bordés de cuir qui se profilent sur tous les ciels du Sahel. Et la haute taille qui prévaut ici rappelle celle des nomades du nord.

Dans d'énormes paniers sont présentés le mil, et toutes ses variétés, le riz, les haricots, les lentilles. Mais le karité, sous forme de fruit, de noix, d'amande, de farine, de beurre règne aussi en maître. Les mangues sauvages, toutes petites, rondes comme des pommes, ne sont pas vendues pour être mangées crues mais pour agrémenter les sauces. Et les oranges, les bananes, les noix de kola, importées du sud, ajoutent leur senteur humide aux produits secs du Nord.

C'est bien sûr dans la zone réservée aux tissus qu'éclate la plus belle symphonie de couleurs, depuis les pagnes bariolés, qui n'hésitent devant aucune audace, jusqu'aux cotonnades grèges, rayées de brun, de noir, de vert ou de rouge, qui deviendront des boubous ou des chemises amples.

Chose nouvelle, la couture n'est pas ici l'apanage des hommes : par groupes de cinq ou six, les femmes se rassemblent sous un arbre et leurs bavardages ou leurs rires couvrent le bruit des machines à coudre. Les tailleurs, eux, travaillent plus loin, dignement, en solitaires, et ils ont pignon sur rue.

Pour parvenir à Bawku, l'automobiliste vient soit de Bolgatanga, plus à l'ouest, soit de Nakpanduri, plus au sud. Il est plus intéressant de faire le trajet du nord au sud : en traversant la plaine, on voit peu à peu se préciser, d'est en ouest, la succession de caps rocheux qui forment une crête dentelée barrant finalement l'horizon. C'est en tout cas depuis les lacets qui gravissent la montagne jusqu'à Nakpanduri et non au sommet qu'il faut prendre des photos.
(*Voir renseignements pratiques p. 165*).

Orgueil légitime du Ghana,
le barrage d'Akosombo,
dans l'Eastern Region,
contribue largement
au développement économique du pays.

bolgatanga

■ Un petit musée régional y a été ouvert en janvier 1991 et constitue la principale curiosité de Bolgatanga, chef-lieu de l'Upper-East Region, contrée la plus au nord du Ghana, à la frontière du Burkina-Faso et du Togo. Plus ethnographique qu'historique, ce musée représente un heureux complément du Musée National d'Accra en exposant les objets rituels, les armes, les insignes de pouvoir mais aussi les outils, appartenant aux différents peuples du Ghana, et pas seulement ceux des ethnies du nord. Mieux encore : ces objets ont été rassemblés en petit nombre et ont été sélectionnés pour leur qualité, ce qui évite au musée de Bolgatanga de souffrir de ce travers, commun à la plupart des musées de province, à savoir l'exposition de trop abondantes collections de pièces banales ou semblables.

Une collection éclectique

Parmi les fleurons de ce petit musée, on comptera un tabouret (stool) en bois sombre représentant un homme étendu, un très beau « kuduo » akan (vase pour les offrandes aux ancêtres) en bronze ciselé et sculpté, une chaise longue sculptée et ornée de figurines humaines ou animales, ainsi qu'une longue statuette de femme assise qui évoque le style du peintre italien Modigliani. La plupart des vitrines suivent une thématique : la musique, la chasse, la parure, la guerre, le pouvoir traditionnel des rois et des chefs. On verra encore une superbe épée (state sword) à plusieurs lames, complètement ajourée comme de la dentelle de fer et l'étonnante tunique de combat ashanti, couverte de gris-gris de cuir.

Située en pays Frafra, Bolgatanga n'a commencé à prendre son essor que vers la fin des années 30, et sa population ne dépasse pas une dizaine de milliers d'habitants. Comparée aux autres capitales de région, cette ville semble occuper une position en retrait. De plus à l'exception de l'ancien noyau urbain, avec son marché et sa rue commerçante, plus animés, son périmètre très étendu englobant encore de grands espaces vides n'est pas fait pour donner une impression de vie ni d'intense activité. Mais avec le développement escompté de cette « capitale du nord » il est prévu de construire, au fur et à mesure, des quartiers neufs qui rempliront tous les vides. Déjà des immeubles récents donnent une idée de l'habitat de Bolgatanga dans quelques années. En particulier, l'important Cate ring Rest-House (24 chambres, bar, restaurant) qui fut le plus grand établissement hôtelier parmi la multitude de petits hôtels — assez peu confortables mais très bon marché — qui ont fleuri dans toute la ville. Il se trouve actuellement en mauvais état.

En attendant, le touriste a intérêt à prendre ses repas au restaurant « Comme ci - Comme ça » dont la renommée gastronomique s'étend bien au-delà de la ville. Doté d'un cadre élégant et climatisé, cet établissement représente une des meilleures adresses de cette région du Nord-Ghana.

Sur le plan des équipements sportifs, il faut signaler l'existence de plusieurs tennis et d'un stade omnisports. Pour parcourir paisiblement ce pays relativement plat, le touriste pourra oublier un peu sa voiture en louant, en face du marché, une bicyclette...

Avant de partir en excursion, une petite promenade s'impose dans le centre commerçant. Au marché, de nombreux artisans travaillent le cuir, tandis que les tailleurs proposent des chemises rayées, en coton, tissées dans le pays. Elles sont réservées aux hommes, mais les femmes se les approprieront volontiers, ainsi que les chapeaux de paille masculins et de très beaux bracelets de pierre, divers objets de maroquinerie (sacs, sacoches, portefeuilles, etc.) vendus par les boutiques de souvenirs et d'artisanat, bordant la rue principale.

Avec son vélo, le cycliste peut se rendre à Tongo, en prenant la route de Tamale jusqu'à la première barrière de police où il tourne à gauche. Tongo attire toute l'année des pèlerins de n'importe quelle région et en particulier des Ashanti. C'est que l'oracle, consulté en haut de la montagne dominant Tongo et dont la voix émane d'une caverne, leur a donné depuis longtemps une preuve de sa suprématie.

L'oracle de Tongo

A l'époque de l'expansion des Ashanti vers le nord, leurs guerriers transportaient avec eux leur propre objet sacré, une longue pierre plate noire. Or de la caverne de l'oracle sortit, au moment où ils y parvenaient, une nuée d'abeilles qui les mit en déroute. Attribuant au dieu local un pouvoir supérieur à celui de leur propre divinité, non seulement ils abandonnèrent ce dernier — conservé comme trophée par une famille de Tongo — mais depuis ils viennent implorer l'aide de cette puissance inquiétante.

bosumtwi (lac)

Naturellement, il faut pour cela obéir à un protocole établi par le prêtre qui vit au bas de la montagne. Selon l'importance de la consultation, il convient d'offrir — en plus ou moins grande quantité — des volailles, du riz ou de l'argent. Car il ne s'agit pas seulement de demander conseil ou prédiction à l'oracle, mais souvent une guérison : de véritables fortunes sont offertes au dieu de la caverne par des femmes stériles, tandis que des gens fort malades se font porter sur une civière jusqu'au pied de la montagne qu'ils gravissent ensuite à pied, soutenus par des parents.

Quand le prêtre a fixé le montant de l'offrande, le cortège se met en route. Mais de nombreux arrêts, le long des pentes de la chaîne montagneuse, sont encore nécessaires pour observer le rituel. Devant la caverne, il faut attendre une réponse et parfois, pour l'obtenir, déposer de nouvelles offrandes à l'entrée.

Des villages Talensi

Mais avec ou sans consultation d'oracle, l'excursion mérite qu'on lui consacre au moins une demi-journée. La montée assez pénible donne accès aux villages Talensi, dont les 12 000 habitants sont groupés sur les trois plateaux.

D'après la légende, leurs ancêtres seraient sortis de terre. Il est facile d'en déduire que les Talensi seraient les premiers habitants de cette région et qu'ils auraient été chassés de la plaine par les Namow, sous-groupe des Mamprusi. Mais ils n'ont peut-être pas perdu au change, du moins sur le plan du pittoresque, car le Tongozugu, leur habitat actuel, domine toute la plaine du nord, et de son dernier plateau, encore surmonté du côté du sud par des rochers escarpés, la vue s'échappe jusqu'au-delà de la frontière du Burkina-Faso.
(*Voir renseignements pratiques p. 165*).

■ Étrange, ce petit lac, au sud de Kumasi — et rond comme un monocle — qui passe presque inaperçu sur une carte routière. Obligeant le visiteur à emprunter un lacis compliqué de routes dans les collines, il apparaît brusquement dans toute sa majesté, comme une vaste mer intérieure enchâssée dans un cirque de montagnes.

Encore plus étrange est la coutume des pêcheurs riverains qui chevauchent, pour le sillonner, des petits troncs d'arbres à peine équarris, dont ils auraient pu facilement faire des pirogues !

Allant de Kumasi aux mines d'or d'Obuasi, en plein pays Ashanti, un petit détour s'impose par le lac Bosumtwi, pour tenter de percer à jour tous ces mystères.

Déjà, lorsqu'on arrive au rest-house, tout en haut de la colline, et que s'ouvre — sous les yeux éblouis du visiteur — l'admirable panorama du lac miroitant sous le soleil, un premier mystère se dissipe. A l'évidence, ce lac n'est pas un vulgaire marigot, formé par les pluies, et dont la forme circulaire serait due au hasard. Il est rond, parce qu'il occupe tout bonnement le fond d'un ancien cratère de volcan. C'est d'ailleurs l'hypothèse de scientifiques qui ont également étudié la formation du même type de lacs de cratère dans la chaîne des puys du Cameroun, un peu plus loin à l'est.

Des villages engloutis

En descendant au fond du cirque, par une mauvaise piste en lacets, qui surplombe parfois des gouffres, on arrive à un petit village restant sur le site. Il risque de connaître le même sort que les autres villages qui ont été engloutis par la montée des eaux du lac, lorsque la saison des pluies a été exceptionnelle. Complètement fermé, le cratère n'a pas d'exutoire qui pourrait vider ce grand entonnoir, se remplissant inexorablement dès que la mousson arrive. Déjà, l'eau vient lécher les fondations du petit hôtel construit par un architecte inconséquent, trop près du lac et qui, pour cette raison, est à moitié désaffecté aujourd'hui. Sans attendre d'être pris par surprise, nombre de villageois ont déjà déguerpi et se sont réfugiés dans les hauteurs, où un nouveau village est en train de se développer.

Seconde énigme du lac : l'utilisation par les pêcheurs de gros madriers comme embarcations. Une légende en donne la clef. Elle affirme que le lac est habité par le dieu Twi, qui prit un jour forme

*Cape Coast, capitale de l'ex-Côte de l'Or, garde un rang
non négligeable, grâce à son fort, reconnu par l'Unesco
comme faisant partie de l'héritage culturel mondial,
son université et sa situation au cœur
d'une zone touristique en plein développement.*

busua

humaine pour engendrer la première lignée des hommes Bosumtwi. Mais en échange de sa protection, Twi imposa aux pêcheurs des tabous particulièrement sévères : interdiction d'utiliser la moindre pirogue pour se déplacer sur le lac et impossibilité de faire usage du matériel de pêche traditionnel.

Aussi, pour pouvoir continuer à vivre de la pêche tout en respectant les interdits, les villageois ont trouvé une astuce : ils se servent de gros morceaux de bois comme embarcation, ce qui — théoriquement — ne doit pas provoquer la colère de Twi. D'autant qu'ils donnent une preuve supplémentaire de leur bonne volonté en n'utilisant pas de pagaies. Assis à califourchon — ou couchés sur leur esquif de fortune — ils se propulsent seulement avec les bras, comme s'ils nageaient le crawl. Plus contraignante encore, leur technique de pêche les oblige à utiliser des filets spéciaux, mis en place à des endroits précis et transportés sur des radeaux constitués de troncs liés. Tout cela demande beaucoup plus d'adresse qu'il n'y paraît, car garder son équilibre sur ces morceaux de bois n'est guère facile.

Des maisons à loggia

Pour revenir à Kumasi, le touriste peut passer par Bekwaï, centre de production du café. Agréable petite ville construite au début du siècle au sommet d'une colline, elle offre un beau panorama sur la forêt et a conservé de nombreuses maisons de type ashanti, dont la loggia centrale à colonnes présente de curieuses similitudes avec les galeries couvertes entourant le rez-de-chaussée des vieilles maisons coloniales qui subsistent encore. (*Voir renseignements pratiques p. 165*).

■ Après un long périple, il est bien agréable de trouver un coin tranquille au bord de la mer pour s'y reposer ou faire l'inventaire de ce qu'on a déjà visité. Ce coin tranquille, c'est Busua, à quelques kilomètres à l'ouest de Takoradi dans la Western Region, au bord du golfe de Guinée.

Pour qui aime lézarder étendu sur le sable à l'ombre des cocotiers, Busua-Plage offre une des plus belles plages du Ghana, où il fait bon se prélasser, en se méfiant — bien entendu — des coups de soleil.

Si on veut séjourner à Busua quelques jours, il vaut mieux venir en semaine qu'en week-end car cette mini-station balnéaire est le lieu de prédilection des résidents de Sekondi-Takoradi : en fin de semaine, les quelques chambres et bungalows de Busua sont pris d'assaut...

Outre sa plage, Busua est réputé pour ses crustacés. Ainsi, dès son arrivée, le touriste est accosté par de jeunes garçons qui lui proposent des langoustes. Mais souvent il est plus amusant de faire ses courses soi-même, en allant acheter son poisson à Dixcove, pratiquement jumelé avec Busua.

D'abord le spectacle de ce petit port plein de pirogues d'où sortent à profusion des raies immenses portées par plusieurs hommes, des poissons-scies, des capitaines, voire des requins, vaut à lui seul le déplacement.

Pour s'y rendre, on empruntera un sentier très fréquenté dans les deux sens qui conduit en un quart d'heure de marche de l'extrémité de la plage de Busua jusqu'au port. Plutôt que de s'y rendre en voiture par la route goudronnée il est non seulement plus rapide mais plus agréable d'emprunter à pied ce raccourci : tout le long du chemin, de multiples sentiers se perdent sur la droite au milieu de la végétation touffue et donnent envie de s'y aventurer.

Pour agrémenter le poisson acheté sur le port, au marché qui lui est contigu on peut trouver ignames, tomates, oignons, bananes... bref, tout ce qu'il faut pour réussir des plats savoureux.

La vie de château

Mais Dixcove offre d'autres sujets d'intérêt que son marché et ses poissons frétillants. Au bout du sentier venant de Busua, sur la gauche, et après avoir gravi une colline, on apercevra dominant une grande esplanade, l'un des plus beaux forts de la région.

cape coast (oguaa)

Construit de 1691 à 1697 par les Anglais, il a comme les autres plusieurs fois changé de mains, mais heureusement de manière pacifique.

Bien entendu, il occupe une position stratégique remarquable sur la colline, bordée à gauche par une petite crique bien abritée et à droite par le port, au fond d'une baie où la mer — cassée par une frange de récifs — offre un plan d'eau calme.

Autour de ce promontoire, des bouquets d'arbres d'essences variées adoucissent ce paysage essentiellement rocailleux.

Un petit lagon

Du village, un bel escalier de pierre à cinq paliers permet de gagner l'esplanade et l'entrée principale du fort. La visite se fait dans une ambiance « bon-enfant », car le fort est habité par une famille ghanéenne et — occasionnellement — par des touristes.

Dans les différentes cours traversées, il n'est pas rare de surprendre le spectacle familier de tout un groupe de femmes faisant la cuisine ou la lessive, indifférentes à l'arrivée d'intrus, bardés d'appareils photographiques !

A l'intérieur du fort, on visitera les anciennes cellules qui servaient autrefois d'esclaveries — et maintenant de chambres d'hôtel ! — et on montera sur le chemin de ronde, pour y jouir de la vue sur l'océan Atlantique et, le soir venu, y admirer de magnifiques couchers de soleil.

A noter encore que, de l'autre côté du promontoire qui borde la plage de Busua à l'est, un petit lagon bien abrité permet des bains délicieux, et de jolis sentiers s'en échappent à travers bois…
(Voir renseignements pratiques p. 166).

■ Même en s'y attendant, le visiteur le plus averti est toujours surpris par le charme nostalgique de Cape Coast. Comme toutes les villes anciennes marquées par leur histoire, le passé semble y peser plus lourd que le présent. Un rien suffit à le faire revivre : quelques vieilles demeures dont le style rappelle les cases créoles, un très insolite palais italien, et une non moins insolite statue de la reine Victoria au milieu d'un square. Sans oublier les deux vieux forts, avec leurs canons archaïques pointés vers la mer qui, tout d'un coup semble devenir menaçante et cacher une improbable armada ennemie…

Tout un gros volume d'histoire ne suffirait pas, en effet, à retracer tout le passé — et ses innombrables péripéties — de Cape Coast. Bien que son nom ait une sonorité très britannique, cette petite ville de la côte ouest du Ghana, le doit en fait aux Portugais. Ceux-ci la baptisèrent Cabo Corso (signifiant probablement « cap des corsaires »), déformé ensuite en Cap Corso par les Français et en Cape Coast par les Anglais. C'est ici que les navigateurs portugais touchèrent la première fois la Côte de l'Or et entretinrent des relations commerciales avec les Fanti, lorsqu'ils ouvrirent la fameuse voie maritime des Indes autour de l'Afrique, à la fin du XVe siècle. Avant cette époque le site de Cape Coast était appelé Oguaa par les autochtones.

Ainsi, l'histoire du nom de Cape Coast est le symbole parfait de son sort pendant les siècles qui virent s'affronter les commerçants européens. Comme partout sur la côte, la bataille y fit rage, et c'est pour se protéger que les Anglais construisirent une place forte en 1662. Encore certains historiens prétendent-ils qu'à cette date le château, en réalité bâti par les Hollandais, avait déjà eu le temps d'être pris par les Suédois avant de tomber dans les mains britanniques qui ne le lâchèrent plus pendant trois siècles. C'est d'ailleurs à Cape Coast que les Anglais installèrent la première capitale de leur ex-colonie de la Gold Coast.

Non que cette occupation ait été de tout repos… Les récits des démêlés des gouverneurs avec la population Fanti sont innombrables et prouvent que bien souvent l'avantage penchait du côté des autochtones.

Pour mieux défendre leur précieux château, les Anglais achetèrent aux Danois un fort qui leur semblait un peu trop proche pour leur tranquillité. Situé à Amanful, il n'en reste rien aujourd'hui. Le Fort Victoria, construit sur une colline dans la zone ouest de Cape Coast et dominant à la fois les bâtiments actuels du collège et, au loin, Elmina était également destiné à protéger le château. Tout à fait abandonnée, sa masse, imposante de loin, n'est plus qu'un amas de ruines dont, paraît-il, des génies ont pris possession... Et si ce n'est eux, ce sont des lézards et des herbes griffues qui en défendent l'accès.

Quant au Fort William (ex-Smith Tower), son contemporain, dont la taille élancée et ronde au sommet d'une autre colline à pic sur la mer semblait tellement faite pour abriter un phare que, dès 1835, cette fonction lui fut attribuée. Il la conserve, en même temps qu'une apparence de bonne santé.

De formidables fortifications

Mais la vedette de la ville reste évidemment le château de Cape Coast, qui est le plus grand du Ghana (classé par l'UNESCO comme un des sites mondiaux à préserver). Il serait dommage de s'y rendre directement en voiture. Le touriste, venu par la grand-route Accra-Sekondi fera bien de descendre à pied la route qui conduit vers le bord de mer et de suivre celui-ci sur la droite jusqu'au port. En zigzagant entre les pirogues et en faisant de temps à autre un saut de côté pour éviter la frange des vagues, il parviendra jusqu'à une immense pointe rocheuse avançant telle une jetée dans la mer. Et il apercevra soudain, un peu en retrait, les formidables fortifications du château qui surplombent cette plateforme, souvent envahie traîtreusement par une lame plus forte que les autres.

Les choses n'ont guère dû changer depuis que les ancêtres de cette population de pêcheurs remuants et « forts en gueule » venaient bruyamment manifester leur mécontentement jusqu'aux portes du château. Aussi cette approche donne-t-elle plus de vie à la promenade, que le touriste effectuera dans ce monument historique sous la conduite d'un guide érudit (visites guidées organisées tous les jours depuis le bureau d'accueil, à l'entrée du château).

Au cours de ces visites, il découvrira notamment les caves voûtées — sans lumière et sans air — où on entassait jusqu'à 1 000 esclaves pendant un à deux mois, avant de les acheminer, par un passage souterrain, du château à la plage où les attendaient les chaloupes des navires négriers. Il y remarquera également les trois tombes de la cour d'honneur. L'une d'elles contient les restes d'un de ces esclaves qui réussit à faire des études à

*Beaucoup de nostalgie se dégage
de cet ancien palais, à Cape Coast,
occupé autrefois par les Européens,
et transformé aujourd'hui
en école primaire et secondaire.*

l'étranger et revint dans sa patrie couvert de diplômes. Dans les deux autres ont été enterrés le gouverneur Maclean et sa femme Laetitia Elizabeth Landon, célèbre poétesse anglaise.

Musée et bibliothèque

Cependant, il n'est pas possible de visiter les bâtiments entourant la deuxième cour, derrière la demeure du gouverneur ; ils ont été transformés en prison. Quant à l'aile gauche (où s'ouvre l'entrée), elle abrite le West African Historical Museum. A l'intérieur, on verra de nombreuses gravures représentant les différents forts de la côte aux siècles passés et retraçant l'histoire de la Traite négrière en Afrique. De nombreux objets et meubles, ayant appartenu aux traitants européens installés au Ghana, y sont rassemblés, en particulier des sabres, des fusils, des coffres et des armoires. On y verra également des objets fabriqués par les Ghanéens à la même époque : tabourets (stools) de chefs, tambours, pipes en terre.

Quelques vitrines sont également consacrées à des poteries et ustensiles de fer remontant au XVIIᵉ siècle. A cette époque, les Fanti, et particulièrement ceux d'Oguaa, subissaient l'influence de leur ville mère, Efutu, à quelques kilomètres au nord. De précieux ornements en or ont été découverts depuis 1973 dans ce site archéologique dont les fouilles n'ont pas encore livré tous les secrets.

Le buste de la reine Victoria

Tout à côté du château, en allant vers l'ouest, on remarquera le square, au bord de la mer, où s'élève le buste de la reine Victoria. Sur un côté de la place, on verra également un imposant bâtiment, remontant à l'époque coloniale, dont l'entrée est gardée par deux cerfs en pierre et qui est surmonté par un grand escalier nanti d'une porte à créneaux.

A l'intérieur de la ville, le palais de style italien de la Renaissance, doté d'un petit parc, qui est occupé par l'école anglicane Saint-Monica, mérite également le détour.

LE PROJET DE DÉVELOPPEMENT INTÉGRÉ DE LA RÉGION CENTRALE

■ *La région centrale qui s'étend le long de la côte, à l'ouest d'Accra, fait l'objet d'un projet ambitieux destiné à lui donner un nouvel essor aussi bien sur le plan social qu'économique.*
Avec l'aide financière du PNUD, des études ont été conduites pour recenser les nombreuses potentialités de cette région, en particulier la zone Cape Coast-Elmina, idéale pour créer une station touristique : beauté des paysages, plage sans danger, existence de trois des forts ghanéens classés parmi les monuments mondiaux à protéger, celui de Cape Coast, les deux d'Elmina, tout y est réuni.
Par ailleurs, il se trouve qu'à proximité immédiate les réserves de forêt tropicale de Kakum et Assin-Attandanso sont exceptionnellement riches en espèces animales, dont dix-sept sont particulièrement menacées.
Si la rénovation complète, avec l'assistance d'architectes spécialistes, des trois forts, la transformation des réserves forestières en parcs totalement protégés, la construction ex-nihilo d'une station balnéaire à Brenu Akyin, à 10 km d'Elmina, semblent favoriser l'aspect touristique (la protection de la nature et de la grande faune africaine constituant à la fois un devoir à

elmina

Divers projets, intéressant le tourisme, sont en train d'être développés dans cette Central Region. En particulier le Parc National de la Rivière Kakum — qui se jette dans la mer à l'ouest de Cape Coast — et la réserve protégée de faune d'Assin-Attandanso. Un des premiers objectifs est de créer, à quelque 25 ou 30 km au nord de Cape Coast, une réserve biologique de faune et de flore (grande forêt), destinée à la fois aux touristes et aux scientifiques, ainsi qu'à la protection de certaines espèces très menacées, comme les singes colobes noirs et blancs et les cercopithèques diane.

Mais dans ces sanctuaires, bien d'autres animaux seront visibles, en particulier les petits éléphants et buffles de forêt, les rarissimes antilopes bongos, plusieurs variétés de céphalophes, des pangolins et des crocodiles, des potamochères et des hylochères, des genettes et des civettes, ainsi que des pottos et des galagos. Par ailleurs, les ornithologues y ont dénombré plus de 80 espèces d'oiseaux, dont le calao et le touraco géant.

(*Voir renseignements pratiques p. 166*).

■ En venant d'Accra, par la route côtière, c'est avec beaucoup d'émotion qu'on entrevoit, pour la première fois, à travers un rideau de palmiers, Elmina sur son promontoire, battu par les flots. Sous le soleil mouillé, le château, d'une blancheur spectrale, prend l'aspect d'un mirage. Mais c'est bien le fameux castelo São Jorge da Mina des Portugais — ou, en français, château de la Myne —, parfaitement intact, dont tous les vieux portulans des navigateurs représentent la silhouette, avec ses tours et ses oriflammes, à côté des non moins légendaires roi du Mali, avec sa couronne d'or, et du lion aux allures de griffon de la Sierra Leone.

Transformé aujourd'hui en musée, le château d'Elmina est un des vestiges les mieux conservés parmi tous les forts et châteaux forts construits par les traitants européens sur la côte du Ghana, entre le XVe et le XIXe siècle. Sur une soixantaine d'édifices, seule une vingtaine a survécu, souvent à l'état de ruines.

A travers ce témoin irremplaçable revit toute l'épopée des grandes découvertes maritimes lancées par les Portugais, ainsi que l'histoire des échanges commerciaux entre l'Europe et l'Afrique.

l'égard de l'humanité et un atout supplémentaire pour le tourisme) le projet ne vise pas pour autant à bouleverser l'économie traditionnelle de la région, mais au contraire à donner un coup de fouet salutaire à ses activités anciennes : il faut éviter en effet de rendre la région entièrement dépendante du seul tourisme, même si les propriétaires d'hôtels et installations touristiques existant déjà d'Elmina à Cape Coast sont encouragés à rénover et développer leurs établissements. Toutes les entreprises saines de la région bénéficieront également d'une aide financière, qu'il s'agisse de pêche, de plantations agricoles ou de petites industries.

C'est ainsi que doivent être soutenues : une manufacture de sacs, ceintures, sandales en peaux de serpents et de crocodiles (un élevage sur place des animaux considérés fournira la matière première nécessaire au développement et un service de marketing assurera les meilleurs débouchés) ; une distillerie d'essence de citronnelle, basée à Breman-Asikuma, dont la production, considérablement augmentée, sera achetée par deux fabricants de détergents et de cosmétiques de la région.

Des centres d'apprentissage, réservés aux femmes ou aux jeunes sans formation, doivent permettre de constituer des équipes spécialisées dans la teinture, la fabrication de matériaux de construction et le bâtiment. Six équipes de jeunes ont déjà été formées et l'une construit un centre de recherches à l'entrée du parc de Kakum. Ces équipes devront ensuite se constituer en coopératives pour voler de leurs propres ailes. Enfin, le projet concerne aussi la production de semences permettant ensuite le reboisement et l'ornementation de Cape Coast.

*Grâce à la pêche,
au commerce
et maintenant au tourisme,
Elmina est devenue
un gros bourg prospère.*

A la demande du roi du Portugal, Dom João II, les travaux d'un premier fort sont lancés à Elmina, dès 1482, douze ans après les premiers contacts des navigateurs portugais avec les Fanti de la côte ghanéenne et dix-huit ans avant que Vasco de Gama n'ouvre la fameuse route maritime des Indes, en passant par le cap de Bonne-Espérance, au sud de l'Afrique. Un tout petit peu avant, en 1492, Christophe Colomb découvrira le Nouveau Monde, un événement qui aura une portée considérable en Afrique et sur Elmina, en particulier, car bientôt commenceront les premières déportations massives des esclaves noirs razziés en Afrique et envoyés dans le Nouveau Monde. Comme on le verra dans ce guide, tous les forts de la côte ghanéenne ne serviront pas seulement à entreposer les matières premières du continent mais aussi à rassembler dans leurs caves-prisons le « bois d'ébène »…

Les richesses de la Mine

Pour les Portugais, Elmina n'est d'abord qu'un petit point de relâche pour leurs caravelles, où ils peuvent faire le plein de vivres frais et d'eau potable. Mais, ils prennent vite conscience de l'importance des ressources de l'arrière-pays, qui recèle dans son sous-sol beaucoup d'or — d'où le nom de « la Mine » donné à Elmina —, et dont les grands troupeaux d'éléphants peuvent fournir de l'ivoire en abondance. C'est pour cela qu'ils construisent un fort, d'abord de dimension modeste, dont la fonction est moins de se défendre contre des ennemis éventuels que d'entasser des marchandises. Le choix du site d'Elmina est particulièrement judicieux, car cet édifice est construit sur un petit promontoire rocheux, dans l'estuaire d'une petite rivière, qui constitue ainsi un mouillage protégé pour leurs navires. De plus, sa position près de la mer, où le vent souffle en permanence, offre au fortin et à ses occupants un climat plus frais et sain qu'à l'intérieur des terres, tout en éliminant les moustiques, vecteurs de maladies. Enfin, son relatif isolement, de l'autre côté d'une rivière, le met à l'abri d'éventuelles incursions guerrières menées par les autochtones.

Ce premier fort São Jorge — qui sera occupé par les Portugais jusqu'au début du XVIIe siècle, ressemblait aux châteaux du Moyen Âge, avec ses tours rondes à créneaux, coiffées d'un toit pointu, et ses gros remparts percés de meurtrières. Il est considérablement agrandi par les Hollandais qui s'en emparent en 1637, délogeant définitivement les Portugais de la côte ghanéenne. C'est le temps des grandes rivalités entre puissances européennes, qui se disputent l'Afrique et ses trésors. C'est d'ailleurs à Elmina que le célèbre amiral hollandais De Ruyter établira son quartier général en Afrique, lors de la Guerre hollando-britannique de 1666. Pour faire face à tous ces ennemis, venus de la mer, mais aussi aux soulèvements des peuples de l'intérieur, les Hollandais vont accroître les défenses du château d'Elmina, le dotant de nouvelles fortifications et y installant davantage de canons. A la même époque, ils renforceront aussi les défenses du petit fortin, tout proche, de St Iago, qu'ils ont rebaptisé Coenraadsburg. Ainsi, le petit édifice bâti par les Portugais au XVe siècle connaît une nouvelle mue avec les Hollandais et prend de plus en plus l'aspect et la taille imposante d'un château fort au XVIIe siècle. Cependant, au début du XIXe siècle, São Jorge d'Elmina grandit encore, pour atteindre la taille définitive que nous lui connaissons aujourd'hui, lorsque ses occupants hollandais — encore eux — lancent une nouvelle série de travaux. Mais les temps ont changé. Avec l'abolition de l'esclavage au début du XIXe siècle, un fructueux trafic a disparu, et le fort d'Elmina coûte plus cher à entretenir qu'il ne rapporte. Aussi, les Hollandais finissent-ils par quitter ces rivages et cèdent-ils, en 1872, toutes leurs implantations aux Britanniques.

La visite du château

Ainsi, lorsqu'on vient d'Accra ou de Cape Coast par la route côtière de l'est, on a l'occasion d'avoir une vue d'ensemble sur le château d'Elmina. Mais, pour effectuer la visite à l'intérieur, il faut le contourner par l'ouest, car c'est là que se trouve la porte d'entrée. La façade occidentale est entièrement défendue par deux douves parallèles, séparées par un chemin de ronde. La première est franchie sur une passerelle aujourd'hui fixe, mais qui autrefois formait pont-levis, la deuxième sur un pont de pierre. Cette double défense remonterait au début du XIXe siècle, époque à laquelle les Hollandais occupaient le château et entreprenaient les derniers grands travaux d'agrandissement.

De l'autre côté du pont de pierre, un passage voûté permet d'atteindre l'immense cour d'honneur. Que le bâtiment de gauche ait contenu les appartements du gouverneur est évident : deux larges escaliers de pierre conduisent à une terrasse d'où deux autres escaliers aboutissent à une loggia, cernée d'une balustrade de fer forgé. On peut facilement imaginer qu'elle voyait passer les hôtes de marque du gouverneur tandis que sur la terrasse supérieure, le maître de céans devait haranguer ses troupes ou les délégations de la population.

Les dimensions des immenses salles qui forment les deux étages de cette aile, le fait qu'elles soient parquetées confirment leur destination de pièces d'apparat. C'est d'ailleurs de là qu'une galerie longeant une deuxième cour intérieure conduisait directement à la chapelle.

A l'ouest, un balcon à colonnade domine les deux rangées de douves. De ce belvédère, on peut admirer le coucher du soleil qui dore la rivière, la lagune et les marais salants, ainsi que les collines boisées qui les encadrent. Peut-être qu'une belle dame du temps passé, sortant de ses appartements privés venait y rêver ? Erreur : ce n'est pas une femme qui devait arpenter ce beau balcon, car ni les Portugais ni les Hollandais n'emmenaient leurs épouses dans ces contrées dangereuses. Ces appartements privés étaient ceux du gouverneur lui-même, et s'il venait se poster ici au coucher du soleil, c'était moins pour se laisser aller à ses états d'âme que pour vérifier la bonne tenue de ses troupes et sentinelles.

Quant aux autres bâtiments encadrant la cour d'honneur, celui qui forme une avancée face au grand escalier est l'ancienne église portugaise réaménagée par les Hollandais pour en faire un entrepôt de marchandises. Derrière lui s'étend le fameux « Bastion de France ». Qui abritait-il ? En tout cas son dernier étage est séduisant et ceux qui l'habitaient, quels qu'ils aient pu être, avaient une bien belle vue sur l'Océan et la masse de rochers plats en partie submergés par les vagues qui donnait à ce bastion un rempart de plus.

São Jorge n'est pas la seule attraction d'Elmina. Pour connaître tous ses charmes, il faut flâner et discuter avec ses habitants, à qui il ne déplaît pas de voir le visiteur s'extasier devant certaines de leurs maisons.

On gravira aussi une colline fort abrupte jusqu'au Fort San Iago, perché juste en face du château, de l'autre côté de la rivière étroite qui fait communiquer lagunes et marais salants avec le port d'un côté et l'Océan de l'autre. De l'ancienne chapelle construite par les Portugais, les Hollandais firent en 1638 un fort (Coenraadsburg) muni de quatre

batteries et d'une tour. Bravo pour cette bonne idée : mieux encore qu'au château, sur lequel il a d'ailleurs une vue superbe, le visiteur, du haut de cette tour, domine la totalité d'Elmina. Et c'est probablement de cet observatoire qu'il découvrira pour la première fois un « posuban ». Car en regardant la masse des maisons qui s'étalent à l'ouest et au nord du fort, il se demande soudain s'il ne rêve pas en voyant un bateau... sur un toit !

En redescendant de son perchoir, il pourra questionner le gardien de ce château de poche adorable. C'est un homme charmant qui ne refuse pas la lumière de ses connaissances sur la région. Mais à défaut de rencontrer cet aimable personnage, le visiteur aura vite fait de retrouver, au milieu des ruelles du village, l'étonnante construction dont le toit s'orne d'un vaisseau et de statues de marins européens. Ce n'est pas tout : le rez-de-chaussée du « posuban » est bordé par une loggia où d'autres statues grandeur nature, représentant cette fois des personnages traditionnels Fanti, montent également la garde.

Dans la même rue, deux autres « posuban », de facture similaire, sont eux aussi surchargés de personnages de la Bible, d'animaux fantastiques, de chefs africains parés de tous leurs insignes, ainsi que d'objets surprenants, comme un hélicoptère, un canon ou une horloge qui semble venue tout droit des campagnes européennes.

Ces curieux édifices où se mêlent tant d'influences sont en réalité des autels élevés à leurs dieux, par les Asafo, compagnies guerrières autrefois répandues dans tout le pays Akan. Supprimées par les Anglais dans les régions dont l'agitation semblait toujours prête à renaître, comme la région Ashanti, elles subsistèrent le long de la côte et plus particulièrement dans la zone Fanti. Avant de partir au combat, les Asafo venaient implorer l'aide de leurs dieux dans ces « posuban » où ils déposaient des offrandes et récitaient les incantations appropriées.

Pour extraordinaires qu'ils soient, ces posuban ne doivent pas faire oublier l'heure de la revue à grand spectacle qui se prépare tous les jours dès le milieu de l'après-midi et qui dure une bonne heure jusqu'au coucher du soleil : le retour des pêcheurs.

Les premières loges se trouvent le long de la jetée qui borde l'étroit chenal menant au port et défend celui-ci contre la violence de l'océan. Une à une les barques s'engagent doucement dans ce couloir pour se diriger vers la haute mer.

Chaque équipage se distingue par son fanion, flottant à la proue, et dont la couleur dominante est reprise par le chapeau des marins, assis sur les bancs, et du barreur, debout à la poupe. Ces chapeaux ne sont pas seulement différents d'une pirogue à l'autre par la couleur, mais aussi par la forme : casques de mineurs, casquettes, cloches aux bords ondulés, bonnets, tout y passe. Il faut avoir vu ces barreurs immenses, coiffés parfois d'un chapeau cloche à rayures et drapés dans des sortes de toges aux couleurs vives... Il faut les avoir vu passer, impassibles sous le regard admiratif des badauds pour comprendre à quel point il s'agit d'une véritable compétition entre équipages. Non seulement sur le plan de la pêche, mais aussi sur celui des costumes et du décor peint sur les flancs des pirogues ! A la parade va succéder ensuite l'épreuve sportive du franchissement de la barre (forts rouleaux de vagues). Même pour des marins expérimentés, ce n'est pas toujours facile. On s'en rend mieux compte le matin — au retour de la flottille qui a passé toute la nuit en mer — lorsque les barques attendent leur tour pour traverser le cap difficile, à l'entrée du port. Il arrive que certaines se retournent.

Pour profiter pleinement de ces deux moments, pleins d'intensité dramatique, le mieux est de loger au fort San Iago où l'on a plus de chances qu'ailleurs de s'intégrer à la population. Car, pour y vivre, il faut faire ses courses au marché, ce qui oblige à côtoyer à tous moments ce peuple passionnant de pêcheurs. Mais ceux qui préféreraient un peu plus de confort s'installeront dans l'un des premiers hôtels de vacances qui s'édifient sur la côte, entre Elmina et Cape Coast.

D'importants projets sont d'ailleurs prévus pour faire de cette partie du littoral ghanéen, une véritable riviera balnéaire où hôtels et clubs de vacances devraient se multiplier. Lancé par l'Administration de la Central Region, de concert avec le Ghana Tourist Board, un programme intégré de développement — le CERIDEP (Centre Region Integrated Development Programme) — vise à mettre en valeur, plus particulièrement, la belle petite plage de Brenu-Akyin, proche d'Elmina. D'ici quelques années, elle pourrait bien ainsi devenir un des « must » du tourisme international...
(*Voir renseignements pratiques p. 166*).

Dans ces « posubans », anciens autels animistes,
l'artiste n'a pas craint de mélanger plusieurs époques
et plusieurs cultures : Adam et Ève côtoyant des aéroplanes
et des paquebots modernes,
ainsi que les autorités traditionnelles du Ghana.

gambaga (escarpement)

■ Barrant le nord-est du Ghana sur 65 km, l'escarpement de Gambaga est un site admirable, d'où l'on jouit de superbes points de vue sur cette région de savanes, traversées par les Volta blanche et rouge, et qui sert de grenier à mil à tout le pays. Cette falaise escarpée doit son nom à la petite agglomération de Gambaga qu'on atteindra par la route de Bolgatanga à Tamale, en passant par le carrefour de Walewale. Comptant quelques milliers d'habitants seulement, aujourd'hui, Gambaga a beaucoup perdu de son ancienne splendeur et, lorsqu'on y entre, on ne devine pas qu'elle a été, autrefois, l'orgueilleuse capitale des Mamprusi.

La patrie des Mamprusi

Après avoir combattu avec succès les tribus autochtones, les ancêtres des Mamprusi, qui venaient du Tchad, connurent comme tant d'autres des guerres de succession dont le résultat fut leur scission en plusieurs groupes.

L'un d'eux, commandé par le chef légitime Tohogu, après s'être réfugié à Mamprugu, d'où le nom de Mamprusi que prit le groupe, s'établit à Gambaga. La ville fut considérée désormais comme la patrie spirituelle non seulement des Mamprusi, mais des Dagomba qui leur sont apparentés.

Le chef des Mamprusi, le Nayiri, devint le suzerain de tous les autres chefs. De plus Gambaga, avant l'existence de la route directe Bolgatanga-Bawku, était un relais commercial de premier plan entre ces deux villes, fréquentées par les Mossi du Burkina-Faso, tout proche. Jusqu'en 1907, Gambaga fut choisi comme siège de l'administration coloniale du district du nord. Son déclin tient à la fois du transfert de cette administration à Tamale et de la création de la nouvelle route.

Cependant, la ville retrouve une nouvelle vogue, avec l'essor du tourisme, grâce à son emplacement de premier ordre sur l'escarpement.

Plus à l'est, Nakpanduri, à la frontière du Togo, devrait également profiter de sa situation sur la falaise pour attirer les visiteurs étrangers amoureux des grands espaces. A chaque fois, ils subiront un choc en allant jusqu'au bord de la falaise — près du rest-house — car ils y découvriront de la terrasse l'immense plaine s'étendant vers le nord jusqu'à l'horizon.

Quand la nuit tombe et que les contours s'estompent, l'illusion de se trouver au bord d'un lac ou de la mer s'affirme, et les quelques lumières visibles au loin semblent être celles de navires à l'ancre.

Des maisons-poteries

Si l'on arrive au milieu de l'après-midi, l'enchantement sera total : la terrasse vient s'inscrire au milieu d'un terre-plein, parsemé ou dominé de gros rochers faciles à gravir, et l'envie de partir à la découverte des caps rocheux qui encadrent la maison et festonnent le bord de l'escarpement saisit le voyageur fatigué par le bruit, la poussière, les cahots d'une journée de piste.

De passage dans cette belle région, on en profitera pour visiter les maisons traditionnelles typiques (« kraals »), construites en terre de latérite et modelées à la main comme de belles poteries.

Suivre de l'un à l'autre les sentiers qui se perdent au milieu des champs de mil de la hauteur d'un homme ou de pieds de tomates presque aussi élevés est enchanteur pour peu que le temps soit au beau : la douceur de l'éclairage sur les champs, la sérénité des paysans, la propreté impeccable et l'élégance de forme des cours intérieures des « kraals », où les ménagères préparent le repas du soir ne laissent personne insensible.

Et, lorsqu'on remonte au bord de la falaise, on resterait des heures à contempler dans l'obscurité l'étendue mystérieuse de la plaine, à peine piquetée de quelques lumières clignotantes.
(*Voir renseignements pratiques p. 166*).

ho

■ Ho, la capitale de la Volta Region, au sud-est du Ghana, est un très bon tremplin pour rayonner dans toutes ces vertes collines, qui s'étalent largement du Ghana au Togo. Gros centre agricole prospère, dans une région productrice de cacao, de tabac et de bois (teck), Ho est née du rassemblement de plusieurs villages habités par les Ewe. Ceux-ci avaient été attirés par sa position stratégique remarquable sur la voie caravanière venant du nord, au point de jonction entre les montagnes boisées et les plaines côtières.

Choisi ensuite par les Allemands, premiers colonisateurs de la région, comme siège central de leur administration, Ho a reçu également de nombreuses missions protestantes. Quand les Anglais remplacèrent les Allemands, après la guerre de 1914, ils ne firent que renforcer l'importance d'une ville dotée d'excellentes possibilités agricoles et d'un climat parfaitement sain.

Dans les environs de Ho, on commencera pas une mini-excursion aux collines Kaba, qui dominent la cité. Une route conduit à un de leurs sommets où s'élève un relais de télévision. De ce point, la vue embrasse l'agglomération et s'étend sur les plaines du sud. Des sentiers piétonniers suivent la crête de ces collines en un itinéraire attrayant et facile à suivre.

Origine du « kente »

Le voyageur venant de Keta, sur la côte du golfe de Guinée, aura déjà traversé la petite agglomération de Kpetoé à l'est de Ho. Sinon, de Ho, la distance est courte et sera franchie par les amateurs de « kente », qui y trouveront de nombreux tisserands spécialisés dans ce vêtement considéré à tort, prétendent les Ewe, comme spécifique des Akan. Kpetoé se glorifie d'avoir remporté la compétition nationale qui avait eu lieu dans ce domaine lors de la visite de la reine d'Angleterre. Et les Ewe revendiquent même la paternité du mot kente qui viendrait de Kê, signifiant ouvert et de Te, fermé, dont la réunion symboliserait le mouvement de va-et-vient du métier à tisser.

De Ho, il y a beaucoup d'autres excursions à faire : au nord-ouest, Kpandu a acquis de l'importance grâce à la navigation, depuis la création du lac artificiel de la Volta, ce qui lui permet de ne pas souffrir de la proximité de Ho. Son port offre un aspect pittoresque avec le marché aux poissons et avec le défilé des « Mammy trucks », qui n'ont jamais mieux porté leur nom : ils sont pleins à craquer de marchandises et vont distribuer aussi vite que possible le produit tout frais de la pêche dans toutes les grandes villes, y compris Accra.

Soir et matin, de larges barques assurent la liaison entre les villages bordant la rive-est. Le touriste aventureux peut emprunter ce moyen de transport pour visiter le lac, quitte à passer la nuit dans un de ces villages et à revenir le lendemain. Il peut aussi prendre le bateau qui circule une fois par semaine dans chaque sens pour aller jusqu'à Buipe, tout au nord du lac Volta ou à Akosombo au sud. Enfin, du port de Kpandu, il est possible de s'entendre avec un pêcheur pour se rendre, à bord d'une embarcation à moteur, dans les différentes îles qui parsèment le lac ou de s'arrêter avec lui pour pêcher les minuscules tilapias, bons pour la friture, ou les gros « mud-fish » que l'on découpe en tranches pour les faire griller sur feu de bois.

Vers la chute de Tsatsadu

Entre Kpandu et Hohoe, deuxième ville en importance de la zone nord de la région, se trouve la chute de Tsatsadu. Pour s'y rendre, il ne faut pas prendre la route habituelle qui relie les deux villes, mais la piste passant par Dzogbedzé et Kpamé où elle tourne à angle droit vers Hohoe. A Abehenéase, le mieux est de demander à un enfant de servir de guide. En saison sèche, la voiture peut aller pratiquement jusqu'au bout du chemin qui conduit, à gauche, en haut de la colline dominant la chute. Mais il est plus pittoresque d'effectuer le trajet à pied (un quart d'heure environ). Pendant la saison des pluies, la question ne se pose plus, la piste embourbée oblige à laisser son véhicule à la sortie du village.

La descente le long de la colline, pour abrupte qu'elle soit, ne présente aucune difficulté, car elle s'effectue sur des rochers qui forment escaliers. Au lieu de tomber d'un seul jet du haut de la falaise, la chute descend en cascades, de paliers en paliers. Elles forment une vaste courbe avant d'aboutir dans une vasque rocheuse où l'eau s'assagit quelque peu avant de s'écouler dans la vallée, encaissée dans une gorge étroite. L'effet est moins impressionnant que celui formé par une chute libre, mais le passage, au milieu de plateaux recouverts de mousse et de plantes vert vif, de ce bouillonnement vaporeux gagne en charme ce qu'il perd en puissance.

keta

En reprenant la piste depuis Abehenéase, vers l'est, on arrive à Hohoe, qui rivalise avec Ho comme centre de produits agricoles (surtout le cacao et le riz).

Une forêt parfumée

Depuis Hohoe, il ne faut pas manquer la très belle excursion de la chute d'Agumatsa (à l'est de la ville), située à une heure de marche de Wli. Une piste en bon état, même pendant la saison des pluies, conduit à ce petit hameau par Afagame, sur la frontière togolaise.

La chute et la forêt qui l'environne constituent une petite réserve nationale, où il est utile de se faire accompagner d'un guide pour ne pas se perdre dans le dédale des sentiers qui se fondent dans une végétation incroyablement dense. Le chemin ne présente aucune difficulté et n'est guère fatigant à suivre, car il serpente au fond d'une vallée. Mais il faut franchir plusieurs fois à gué la rivière issue de la chute.

Tout le parcours est enchanteur, car on traverse une forêt où flotte une senteur sucrée rappelant celle de la fleur d'oranger. Quant à l'arrivée à la chute, au fond d'une grande clairière, elle surprend d'autant plus que l'épaisseur de la végétation empêche de deviner le spectacle, jusqu'au dernier moment. Et, tout d'un coup se découvre la falaise rocheuse absolument verticale... à laquelle s'accrochent, pendant la journée, des milliers de chauve-souris endormies.

En saison des pluies, il n'est pas possible de gravir la colline sur laquelle la chute d'eau prend naissance, à cause d'une végétation impénétrable. Mais de décembre à avril, l'excursion permet de découvrir un extraordinaire panorama. Ce n'est pourtant pas le point le plus haut de la chaîne, qui se trouve plus au sud, à Kpoeta, également sur la frontière togolaise. Pour y accéder, la route, très mauvaise, exige une voiture tout terrain et la dernière partie du trajet (une dizaine de kilomètres) se fait à pied.
(*Voir renseignements pratiques p. 166*).

■ Sur une langue de sable miné par l'Océan, Keta — sur la côte orientale du Ghana — est implantée dans un site splendide qui plaira à tous les amoureux de la mer et des sports nautiques. En effet, ce petit village de pêcheurs ewe occupe une position, à première vue, extraordinaire entre le golfe de Guinée qui le baigne devant et la lagune de Keta, derrière. Un contraste étonnant entre la mer souvent démontée et la sérénité jamais troublée de la lagune où les pêcheurs emploient toutes sortes de techniques, depuis le lancer de filet, jusqu'à la capture en enclos de branchages ou grâce aux innombrables digues de terre qui barrent les chenaux étroits.

En fait derrière la beauté de ce paysage se cache un drame : Keta est menacé de mort par la sourde avancée de la mer. Quelques dizaines de milliers d'habitants tentent de survivre — mais pour combien de temps ? — dans cette petite ville qui s'est formée autour d'un ancien village de pêcheurs lorsque les Allemands y construisirent au siècle dernier un port destiné à l'exportation de l'huile de palme, du caoutchouc, et bien sûr des esclaves. Mais aujourd'hui, il n'en reste rien.

Car Keta, qui demeura après l'arrivée des Anglais le port principal de la région... tant qu'il y eut un port, qui est toujours un centre commercial, administratif, médical, éducatif de premier plan, est lentement dévoré par la mer. Construites sur un banc de sable qui n'offre aucune résistance à la violence des vagues, ses maisons s'effondrent, rangée après rangée, comme des châteaux de cartes. Les habitants disent que, de mémoire d'homme, une bande de quinze kilomètres de profondeur aurait déjà été happée par le reflux de l'Océan. Plusieurs digues successives se sont rompues et ont disparu.

Cette situation est d'ailleurs commune à bien des villages de la côte du golfe de Guinée, au Ghana, mais aussi au Togo et au Bénin. De grandes organisations internationales ont dépêché des scientifiques pour établir un diagnostic et des mesures commencent à être prises un peu partout (au Ghana, dans le cadre du « Sea Defence Project »).

Keta et sa région font désormais partie d'un programme de sauvegarde qui a été récemment inauguré par le président de la République. Il comprend aussi la construction et la réhabilitation des routes.

Il flotte sur la cité une atmosphère étrange où le rire des enfants guère préoccupés par l'avenir se mêle à l'inquiétude

Boubous traditionnels et bonnets brodés,
souvent portés même dans la capitale, sont de rigueur
quand il s'agit d'entourer un chef
comme celui qu'abrite le grand parasol, attribut
par excellence de son pouvoir.

des adultes, tandis que rugit incessamment le déferlement des vagues. Le spectacle est particulièrement impressionnant lorsque la route passe sur une langue de terre, désormais très étroite, seul obstacle pour empêcher l'Océan de rejoindre la lagune qui s'étend largement derrière Keta.

Il est facile de deviner que déjà les lames balayent cette route et vont agiter les eaux calmes de la lagune dès que la mer se soulève un peu plus que d'habitude. Même lorsque cette étroite bande de sable s'élargit suffisamment pour que des habitations s'y succèdent, leurs occupants sont fréquemment obligés de fuir en bateau leurs terres submergées par les tempêtes.

Pour se rendre d'Accra à Keta, on empruntera l'autoroute de Tema, puis on continuera tout droit vers l'est, en passant par Dawheny, Sege, et Kasseh Ada. On remonte ensuite sur Sogakofe, pour passer le fleuve Volta, puis on prend sur la droite une petite route menant à la côte.

Des brochettes de coquillages

A Sogakofe, les amateurs de cuisine ghanéenne doivent s'arrêter, après le pont, près du bar situé à gauche de la route. Dans le fond de la cour, en plein air, des femmes préparent dans de gros chaudrons plusieurs plats différents à base de viande ou de poisson, servis comme partout ailleurs dans des grandes feuilles. A côté des fourneaux où mitonnent les ragoûts, d'autres femmes pilent la banane plantain, base essentielle du « fu-fu », le plat national.

Les voyageurs qui ne peuvent s'habituer à cette gastronomie violemment épicée trouvent au marché voisin des brochettes de coquillages, grande spécialité du fleuve.

Ces coquillages, qui ressemblent à des huîtres, sont ramassés sur les pierres jonchant le lit de la Volta, lorsqu'ils sont encore très petits. Cette opération exige d'excellents plongeurs, car à cet endroit la rivière est profonde. Ensuite, chaque « éleveur » enfouit ses prises dans la vase, à l'intérieur du périmètre qui lui appartient, sur le bord du fleuve, en eau peu profonde et attend qu'ils aient atteint leur taille maximale pour les ramasser de nouveau. Mais la Volta recèle pour les pêcheurs bien d'autres richesses, comme les perches du Nil, les barracudas ou les tilapias, vendus au marché, grillés comme des sardines.

Après Sogakofe, la route directe vers la côte part vers la droite et, peu avant d'atteindre celle-ci, traverse une jolie lagune bordée de champs d'oignons. La pêche y est pratiquée en plaçant au milieu de l'eau des enclos de branchages, dans lesquels les poissons s'accrochent. Lorsque la dernière section de cet enclos est posée, il n'y a plus qu'à attraper les captifs retenus à l'intérieur. Sur la côte, après Dabala, la route conduit à droite jusqu'à Anyanui, au bord de la Volta et à gauche vers Anloga et le cap Saint-Paul où fonctionne toujours le plus ancien phare du Ghana.

Les villages Ewe, extraordinairement animés, qui se succèdent sans interruption le long de cette route côtière, regorgent de couleurs, grâce à l'abondance des légumes et des fruits. Bien que l'élevage que l'on pratique ici ne soit pas intensif, il passe sur les routes bien plus de moutons, de chèvres et de poules que n'en souhaiterait l'automobiliste.

Après Anloga et le cap Saint-Paul, on emprunte la langue de sable qui conduit à Keta. Aux environs de Keta, on visitera sur la côte : Blekusu, petit village entouré de cultures et blotti sous les cocotiers, particulièrement séduisant et heureusement moins menacé par l'Océan, ainsi que tous ceux qui lui succèdent jusqu'à la frontière, soit parce que leur sol est plus stable ou plus élevé, soit grâce au fait que leur rivage n'est pas heurté de front par les vagues.

A Denu, le mardi, un marché qui draine la production de tous ces villages donne une idée de leurs activités et l'on se réjouit qu'ils ne soient pas menacés, comme Keta, dans leur existence même.

De Denu, la route remonte vers le nord, puis l'est et conduit à l'ex-petit poste frontière d'Aflao.

Bientôt une véritable ville

Cet « ex » ne signifie pas qu'Aflao n'existe plus, bien au contraire, mais que le poste est en train de devenir une véritable ville, dont l'ambition est de recevoir dignement les étrangers qui arrivent de Lomé, juste de l'autre côté de la frontière.

Son emplacement est stratégique sur la route côtière panafricaine, qui vient de Côte d'Ivoire, à l'ouest, traverse tout le Ghana, puis la côte du Togo, du Bénin et du Nigeria.

(*Voir renseignements pratiques p. 166*).

kibi   kintampo

■ Ce n'est pas Kibi, petit village paisible de l'Eastern Region au bord de la rivière Birim, qui attire de plus en plus de touristes, mais ses belles collines boisées, paradis des amoureux de la nature.

Dix kilomètres environ après la ville, en allant vers le nord, juste avant le poteau indicateur de Sagyamase, un chemin de terre s'enfonce vers la gauche dans la forêt et conduit jusqu'à un sommet de 750 mètres.

Ce chemin est carrossable, mais pour apprécier la forêt magique d'Atewa-Atiwirebu qui couvre les collines sur 259 kilomètres carrés, il faut abandonner sa voiture au sommet et partir à l'aventure.

Magique, cette forêt l'est non seulement par la pénombre au milieu de laquelle le promeneur se perd, enfoncé jusqu'à la taille dans des fougères immenses (plus de 151 espèces dont trois arborescentes), par ses multiples papillons, dont le fameux Papillio antimachus, le plus grand d'Afrique, par ses innombrables plantes rares, par ses trois cents espèces d'arbres, mais aussi par sa mystérieuse chute d'eau que l'on entend souvent, mais que personne ne découvre. Peut-être un jour quelqu'un la trouvera-t-il enfin, après de nombreuses visites, au creux d'un vallon, entourée d'orchidées épiphytes, ces fleurs si rares qui s'épanouissent ici. Mais il ne devra pas se laisser impressionner par les quarante espèces de serpents que l'on devine, même si on ne les voit jamais, ni par ses myriades d'insectes (c'est un des endroits les plus riches au monde en fourmis : cinquante espèces de ponerinae), souvent terrifiants, comme les goliath, énormes scarabées volants, ou les phasmides qui ressemblent à des brindilles. Peut-être aura-t-il été guidé dans sa quête par les singes ou les oiseaux de toutes sortes et de toutes couleurs qui viennent s'y désaltérer.

Pour mieux faire l'apprentissage de ce monde fantastique, l'étranger pourra prendre contact avec un spécialiste de l'université de Legon, dans la banlieue-nord d'Accra, ou l'un des experts de la station de recherches sur le cacao à Tafo, au nord-ouest de Koforidua.

A Kibi même, on ne manquera pas d'aller rendre visite au paramount chief des Akim, petite ethnie appartenant au grand peuple Akan. Une occasion de plus de constater à quel point les traditions sont restées vivantes au Ghana et comme elles réussissent à coexister avec les exigences du monde moderne.

(*Voir renseignements pratiques p. 166*).

■ Haut lieu de l'archéologie du Ghana, la petite ville de Kintampo, sur la grand-route Kumasi-Tamale, a donné son nom à une civilisation, dont on a retrouvé les vestiges il y a quelques décennies seulement, dans les grottes de Boyase Hills. Datant de 1500 ans av. J-C, les ruines d'un habitat mis au jour sont contemporaines de celles de Begho, près d'Hani, un peu plus à l'ouest de Kintampo. Dans les vestiges des maisons, faites d'argile et de bois, ont été trouvées des haches de pierre polie et des pots où des traces d'huile de palme, de fruits et de pois ont pu être analysées. La plupart de ces documents sont exposés, aujourd'hui, au Musée National d'Accra.

Outre des tessons de poteries et des bracelets, on a également retrouvé des ossements d'animaux domestiques, prouvant que cette population pratiquait l'élevage.

La caractéristique de la poterie de Kintampo est une ornementation obtenue par l'impression, dans l'argile fraîche, de peignes en bois, utilisation encore courante en Afrique. Une civilisation originale s'est donc développée autour de Kintampo, bien que la région ait subi l'influence des commerçants du nord, puis plus tard celle des Akans.

Le fer, dont la première utilisation au Ghana a été localisée à New Buipe, sur la Volta noire, au nord de Kintampo, vers le VIIIe siècle après J.-C., a certainement été connu également ici, peut-être même avant cette date, car plus l'environnement est boisé, plus les outils de métal sont nécessaires, « la fonction créant l'organe ».

Les chutes de Fuller

Les collines de Kintampo, allongées du nord au sud, constituent une zone de transition entre les paysages du nord et la forêt qui s'avance à la rencontre de ces derniers le long de la montagne. La ville, située à l'extrémité nord de la chaîne, donne l'occasion de faire de belles promenades à pied, en particulier celle qui conduit aux chutes de Fuller, à quelques kilomètres vers le nord-ouest. Mystérieusement, l'eau y est escamotée dans le sol et ne ressort à l'air libre que bien plus loin.

En partant de Kintampo vers Techiman, un détour s'impose vers les villages de Boabeng et Fiema, même si la piste qui part sur la gauche à Manso — après Jema — est difficile.

A Tanko, il faut tourner sur la droite

en suivant les indications d'une pancarte bien visible. La piste aboutit bientôt devant la maison du gardien de la petite réserve (Boabeng-Fiema Monkeys Sanctuary) où vivent actuellement quatre espèces différentes de singes, dont 14 000 cercopithèques mones et 2 000 colobes noirs et blancs.

Si le village connaît quelque animation insolite, à l'occasion d'une fête, les animaux préfèrent la tranquillité de la forêt. Dans les sentiers qui joignent les deux villages, il ne faudra pas alors parcourir plus d'une centaine de mètres pour les découvrir, sautant d'un arbre à l'autre. Mais si les villageois mènent leur paisible existence quotidienne, le voyageur verra les singes hantant ruelles et cours et se mêler aux hommes sans la moindre crainte.

Les enfants de Dieu

Depuis la création de Boabeng et de Fiema, ils sont considérés comme sacrés, car mones et colobes ont été officiellement reconnus par les prêtres comme les représentants du dieu Abujo, habitant la rivière Daworo qui traverse la forêt. Les tuer ou même les chasser représente un acte sacrilège. Quand l'un d'eux meurt, son enterrement s'accompagne des mêmes rites que pour un homme : un mouton est sacrifié et son sang imprègne une pièce d'étoffe dont on entourera le cadavre du singe avant de le placer dans un cercueil qui sera enterré. Cependant, il y a quelques années, ces animaux sacrés ont connu un grand péril du fait de chasseurs qui ne respectaient pas le tabou. Aussi les villageois ont-ils demandé au conseil de leur district de les faire protéger par une loi spéciale, ce qui a été fait.

Quelques plantations, notamment des bananiers, ont été réservées aux singes, tandis que les potagers et champs des cultivateurs étaient volontairement situés à l'écart des zones fréquentées par les animaux sacrés. Personne ne se gênant, l'harmonie règne.

Aussi l'un des attraits de la visite consiste-t-il à circuler sans être importuné par quiconque, entre les deux villages, dans une forêt enchantée qui se pare en particulier d'un arbre couvert de fleurs d'un rouge éclatant. On ne sait si l'odeur douce qui s'impose parfois vient de ces fleurs ou d'autres plantes. Est-ce elle qui attire de merveilleux papillons ? Peu importe. Tout concourt à faire de cette forêt un endroit délicieux.

(*Voir renseignements pratiques p. 167*).

■ En fin d'après-midi, le soleil couchant dore la pente incurvée sur laquelle s'étagent les premières maisons de Koforidua, dominées par une église blanche. C'est le moment idéal pour aborder cette ville hospitalière de l'East Region, dont la population essentiellement composée de New Juaben accueille l'étranger avec une particulière amabilité.

Ces New Juaben étaient des Ashanti, dont les ancêtres ont rompu avec le groupe et sont venus vers 1876 créer un nouvel Etat au point de jonction des bassins de la Densu et de la Pawnpawn.

Solidement implantés dans cette région inconnue, ils y ont prouvé une excellente faculté d'adaptation, car, en dépit du coup porté à la principale activité de la ville, le cacao, dont les plantations furent frappées en 1939 par une mystérieuse maladie, leur cité ne cessa de se développer.

Outre un marché agricole important, Koforidua est d'abord un centre administratif, puisque capitale de l'East Region.

Le samedi, jour de funérailles

En pays Akan, le samedi est partout jour de funérailles et il n'est pas rare, si l'on se trouve à Koforidua ce jour-là, de tomber sur les festivités traditionnelles accompagnant cet important événement.

La plus grande place de la ville se prête particulièrement bien aux réjouissances qui suivent les rites domestiques, et si le disparu a appartenu à une famille de notables, la foule qui s'y presse est considérable. Plusieurs groupes de musiciens de styles différents, parfois même modernes et avec un accompagnement inusité de cuivres, attirent simultanément des danseurs de tous âges : les anciens et même le chef local ne dédaignent pas cette occasion de communion populaire où l'échelon social, la dignité de la vieillesse ou le degré de richesse s'oublient momentanément.

Sous le feuillage délicat, vert doré, du plus bel arbre de cette place, ressortent la somptuosité des tissus noirs ou écarlates, l'éclat des sièges dorés des personnages importants, ainsi que les curieuses coiffures, formées de plaques également dorées et retenues par des jugulaires de cuir, du service d'ordre. Celui-ci est chargé de veiller à ce que l'exaltation qui monte peu à peu ne dépasse pas des limites raisonnables. Mais l'étranger la voit bouillonner autour de lui et lui-même se sent d'autant mieux gagné à son tour, que les assistants l'accueillent avec des

kumasi

sourires chaleureux et l'invitent à se joindre à eux.

Depuis Koforidua, une excursion rapide consiste à se rendre vers le nord-est en direction de Nkurakan, puis de Huhunya. Avant d'arriver à cette agglomération, une piste bien signalée sur la gauche, mène à Boti Falls arborant, après chaque pluie, un magnifique arc-en-ciel.

Le sol sablonneux, ombragé d'arbres aux racines semi-aériennes, les troncs morts qui deviennent des sièges parfaits, le petit lac formé par les chutes, avant que l'eau ne s'écoule pour devenir la rivière Pawnpawn, tout cela se prête admirablement au pique-nique et à une sieste bien au frais. L'éclairage est bien meilleur l'après-midi pour les photographes qui seront inspirés aussi bien par la rivière qui s'enfonce dans une végétation touffue, tamisant les rayons de soleil, que par la chute elle-même.
(*Voir renseignements pratiques p. 167*).

■ Devant une assistance médusée, le grand prêtre Okumfo Anokye invoqua le ciel, d'où il fit descendre lentement sur les genoux du roi Osei Tutu un magnifique tabouret d'or. Celui-ci contenait le « sunsun » (l'esprit) de la nation Ashanti et malheur à elle si un étranger venait à s'en emparer. Comme toutes les légendes, celle-ci, racontant l'origine d'un des plus puissants royaumes de l'Afrique de l'Ouest, repose sur un fond de vérité. Ce fameux tabouret d'or (golden stool ou « sika gwakofi », en akan) existe bel et bien mais il est gardé en lieu sûr, au fond du palais du roi des Ashanti, à Kumasi. Inutile de chercher à le voir, car cet objet sacré est toujours vénéré par les Ashanti et ne sort que dans les grandes occasions. Notamment lorsqu'on intronise un nouveau roi (Asantehene), ce qui fut le cas à la mort de Prempeh II en 1970, remplacé par l'actuel Asantehene Otumfuo Opoku Ware II, ex-ambassadeur du Ghana en Italie. Tous les fastes des anciens royaumes africains revivent lors de ces cérémonies exceptionnelles, où tous les chefs ashanti de la région — couverts d'or — viennent faire allégeance au nouveau souverain. Les sièges précieux

KUMASI OU « CELUI-QUI-FLEURIT »

■ *La légende veut que Kumasi doive son nom à un arbre, le Kum.*
Losque le roi Osei Tutu, l'unificateur des Ashanti et leur libérateur, voulut choisir sa capitale, son grand prêtre Okumfo Anokye planta deux rameaux dans des sites différents. L'un fleurit, l'autre mourut. L'interprétation de ce présage était évidente : « celui qui fleurit » : Kum-asi, fut choisi. Comme les Ghanéens eux-mêmes, qui portent plusieurs noms, Kumasi s'appelle aussi Oseikrom « la ville d'Osei » ou bien encore « la cité du tabouret d'or », en qui repose « l'okra » ou âme de la nation, et enfin le surnom, plus connu de tous, de cité-jardin.

des chefs sont portés en cortège, mais aucun n'est autant l'objet de soins attentifs que le fameux « golden stool ». D'ailleurs, personne, pas même l'Asantehene, ne s'asseoit sur ce siège qui — paradoxalement — est posé, lui aussi, sur une sorte de trône ! Pour se faire une idée du « golden stool », on ira au Musée National d'Accra, où une photographie le montre, ou bien au Centre culturel de Kumasi (dont on parlera plus loin) qui en possède également un cliché.

Reste que le gouverneur Frederick Mitchell Hodgson, envoyé par la reine Victoria pour mater les Ashanti, fut bien imprudent de réclamer le tabouret d'or à l'Asantehene, devant toute la cour, afin de s'y asseoir ! La réplique fut immédiate, tous les Ashanti — comme un seul homme — prirent les armes et firent le siège du fort anglais de Kumasi où le gouverneur Hodgson avait tout juste eu le temps de s'enfermer. C'était en 1900 et ce siège qui défraya la chronique se termina par un carnage. Car les troupes d'Hodgson furent vite appuyées par une colonne expéditionnaire britannique, venue d'Accra à la rescousse. Un certain major Baden Powell — le fondateur du scoutisme — prit part au « splendide » brasier qui réduisit Kumasi et ses palais à un grand tas de cendres. Charmant homme !

Et le « golden stool » ? Les Britanniques crurent l'avoir trouvé et l'envoyèrent au British Museum, à Londres. Mais à malin, malin et demi, les astucieux Ashanti, avant de périr dans les flammes, lui substituèrent une réplique ! Quand, l'Asantehene Primpeh I, qui avait été déporté aux Seychelles, fut rétabli dans ses fonctions en 1924, le « golden stool » reparut, comme par enchantement. Au grand dam des colons britanniques qui, cette fois, se gardèrent de le réclamer, de peur d'avoir une nouvelle guerre sur le dos.

Le palais actuel — où on peut solliciter une audience, en s'y prenant à l'avance, auprès du secrétariat particulier de l'Asantehene — est bien repérable, car il occupe toute une colline de Kumasi. Mais il a été entièrement reconstruit et ne ressemble plus guère à celui qui a été rasé par les Britanniques.

Une gravure du musée d'Accra représente sur la même planche l'ancien palais de l'Asantehene et le Fort britannique attaqué par les Ashanti, qui traversent un profond ravin. Le ravin a peut-être été comblé. Mais il offrait autrefois un bon raccourci, puisque pour aller jusqu'au palais depuis le fort, il faut regagner le rond-point Kejetia, puis gravir la colline qui fait face à celle d'où l'on vient, avant de parvenir à l'immense esplanade où sont réunis les nombreux bâtiments composant le Manhya Palace.

Un deuxième musée a été récemment installé dans ce palais, permettant de mieux reconstituer par la pensée les pavillons royaux d'autrefois , entourant une succession de cours intérieures, aux murs entièrement sculptés, particulièrement celui qui contenait la chambre de l'Asantehene, aux volets de bois recouverts d'argent et d'or ciselés. Autour du palais, la vieille ville comprenait quatre avenues principales dont les maisons particulières avaient des murs ornés comme ceux du palais et, en façade, des loggias soutenues par des colonnes destinées à recevoir les visiteurs.

Tout cela a été détruit. Mais l'utilisation des loggias reste très vivace dans toute la région, même dans des maisons modernes.

Quant à l'autre protagoniste du drame, qui s'est déroulé en 1900 — le fort de Kumasi —, il est resté en parfait état et se trouve à une portée de flèche du nouveau palais. Transformé en musée militaire, il recèle des collections d'armes et des documents passionnants sur l'armée ghanéenne qui a participé à de nombreux conflits dans le monde et notamment pendant la Seconde Guerre mondiale, en Birmanie. Bien sûr, on prêtera un intérêt tout particulier à la salle consacrée aux guerres Ashanti et au fameux siège de 1900. On y verra notamment les portraits de l'Asantehene et du gouverneur Hodgson, seul ou au milieu de la garnison (qui comptait la présence de plusieurs femmes).

Le Centre culturel

Pour mieux connaître les traditions Ashanti, il faut se rendre au Centre culturel de Kumasi, qui est une vraie ville dans la ville.

Le premier de ses bâtiments construits peut aussi être celui qui attirera en priorité le visiteur : la bibliothèque. Elle est pourvue d'ouvrages du plus haut intérêt sur la civilisation Ashanti et de salles de lecture pour les consulter sur place.

En continuant l'avenue qui gravit la colline consacrée au Centre culturel et sur le même côté que la bibliothèque s'étend une large esplanade au milieu de laquelle se dresse le musée (Primpeh II Jubilee Museum). Sa forme reproduit, en plus petit, une maison traditionnelle de chef :

quatre bâtiments séparés, fermés sur l'extérieur à l'exception du vestibule, mais complètement ouverts sur la cour rectangulaire intérieure. Les murs sont décorés des symboles sculptés traditionnels. A l'intérieur de la cour pousse un arbre l'« Edwene », qui représente la sagesse.

Dans les quatre ailes du musée est exposée une splendide collection d'objets traditionnels (vêtements, parures, insignes royaux ou regalia, mobilier). Une de ses vedettes est un « kuduo » en bronze à couvercle sculpté qui aurait appartenu à Nana Kofi Karikari, Asantehene pendant une des guerres Ashanti. Ce kuduo fut pris à l'époque par les Anglais, puis restitué à l'Asantehene actuel qui en a fait présent au musée.

Devant celui-ci, sur l'esplanade, une grande pelouse supporte un dais à l'une de ses extrémités. C'est là que s'assied l'Asantehene pour recevoir l'hommage des sous-chefs de la région et de ses sujets à l'occasion des « durbars », ces fêtes à l'éclat incomparable qui éblouissent le visiteur de passage lorsqu'il a la chance extraordinaire d'y assister.

Sur la droite de l'allée centrale, le touriste trouve une boutique d'objets artisanaux. Qu'il ne s'attende pas à des merveilles, mais à la possibilité d'acheter quelques cadeaux peu onéreux et généralement de bon goût.

Mais la visite n'est pas finie : en revenant sur la gauche de l'avenue centrale, on découvre un grand auditorium de plein air qui peut contenir un millier de spectateurs venus assister à des concerts, des danses, des pièces de théâtre ; il est le parfait symbole de la vie culturelle de Kumasi où le passé côtoie fraternellement le présent et le futur.

En haut de la colline sont installés des potiers, des tisserands, des sculpteurs sur bois ou ivoire, des artisans du cuir. L'atelier de tissage en particulier, où une dizaine de jeunes gens fabriquent en même temps des kente aussi différents que possible par les couleurs et les motifs, retient longuement le visiteur : en voyant la minutie et la longueur de ce travail, il comprend mieux pourquoi ces somptueux vêtements atteignent parfois des prix très élevés.

A la sortie du Centre culturel, il faut tourner à droite, puis traverser l'avenue qui se dirige vers le quartier Bantama. Sur le trottoir de gauche est situé le Mausolée royal, *Bantama Mausoleum*. Il rappelle de loin celui qui autrefois contenait les cercueils de huit rois Ashanti dont les squelettes étaient articulés de ressorts en or. A part le « golden stool », que rien

ne peut égaler, ni surtout remplacer, peu de monuments étaient aussi respectés en pays Ashanti.

En quittant le mausolée actuel, on peut reprendre la même avenue en sens inverse, c'est-à-dire la redescendre vers la place centrale de Kumasi, le rond-point Kejetia, orné d'une fontaine qui, hélas, ne s'oublie pas. Au milieu de la pente, sur la gauche, se trouve le zoo, qui relève administrativement du Centre culturel et le prolonge. Contrairement à celui d'Accra, ce zoo abrite essentiellement des specimens de la faune locale : singes, écureuils, antilopes, lions, léopards, buffles, crocodiles, serpents, oiseaux. Il est bien ombragé et constitue pour la ville une réserve de verdure appréciée du touriste, qui y trouve également un bon petit restaurant.

Le marché et la gare des tro-tros

Un des bâtiments les plus visibles de Kumasi est une église catholique à deux clochers, perchée au sommet d'une colline. Elle n'offre pas d'intérêt particulier, sauf de constituer un point de repère fort commode pour trouver la rue où sont installés les artisans travaillant l'or. Mais ces messieurs ne sont pas des lève-tôt : avant dix heures du matin, si la boutique est ouverte, les outils sont encore rangés et l'artisan reprend des forces avec un déjeuner substantiel.

En revanche, à huit heures, le marché central, tout proche, attire déjà une innombrable clientèle. Entre deux boutiques de « goldsmiths », il faut absolument gagner le bord escarpé de la colline pour découvrir l'ensemble de ce marché immense — un des plus grands d'Afrique — largement étalé le long du vallon jusqu'au rond-point Kejetia, sur sa gauche.

Avant de descendre dans cette plaine, par un escalier qui dégringole de guingois d'une plate-forme à une autre, depuis l'allée où tout le monde martèle en chœur la tôle, cela vaut la peine de contempler le spectacle étourdissant de cette marée humaine s'agitant en contrebas et dont les vêtements pourtant colorés semblent effacés par une immense tache rouge : celle de centaines et de centaines d'énormes paniers de tomates. Mais si ce véritable tapis écarlate éclipse, vu d'en haut, toutes les autres teintes du tableau, celles-ci reprennent leur éclat quand on se mêle à la foule.

Tout attire le regard : les bouquets verts des feuilles de bananiers servant

Construite sur des collines, Kumasi,
deuxième ville du Ghana
et « capitale » du pays ashanti
connaît une animation incessante,
de jour comme de nuit.

d'assiettes ; les ustensiles de cuisine émaillés de motifs décoratifs aux violentes couleurs ; les amoncellements de pots d'onguent, ou de bouteilles, d'un jaune, rouge ou vert ardents, les piments, les poudres et tous les produits agricoles réunis ou disséminés le long des allées. Des charrettes, qui doublent de taille avec leur chargement vert ou doré de bananes ou la masse terreuse ou violette des ignames, passent à toute allure dans ces allées, jetant de côté le touriste peu soucieux d'entrer en collision avec ces bolides. Ils vont parfois plus vite que le pittoresque train de marchandises, qui, le matin, traverse cette mêlée de bruits, d'odeurs, de couleurs, de gens, de produits parfaitement hétéroclites.

Il est possible de flâner des heures au milieu des épices, des liquides, des plantes inconnues et même d'extravagants et gigantesques escargots vendus vivants ou déjà grillés. Car de nombreuses cuisines de plein air permettent à tous de reprendre des forces, depuis les charretiers au dur métier jusqu'aux ménagères, qui déambulent avec majesté pour faire leur marché, ou s'arrêtent au beau milieu d'un carrefour pour bavarder sans se préoccuper des embouteillages qu'elles provoquent.

L'étranger, étourdi par le charivari, les questions qui le bombardent de tous côtés, n'est pas fâché parfois du siège que lui offre un marchand incapable de lui rendre la monnaie. Pendant que celui-ci part changer les billets, les voisins viennent près du « broni », nom donné aux Européens, assez curieusement d'ailleurs, et derechef le soumettent à un interrogatoire complet sur son identité, son pays, sa famille et surtout, sur ce qu'il pense de Kumasi !

Après avoir erré en tous sens dans cette vallée de rires et de cris, le visiteur parvient enfin sur la place de la fontaine où les éventaires de marchandises variées se succèdent tout autour du rond-point pour se concentrer de nouveau de l'autre côté de la place sur l'esplanade des « tro-tros » et « mammy trucks ». Bien sûr on a déjà remarqué sur les routes leurs inscriptions humoristiques et leur silhouette souvent extravagante. Mais ici, comme à Accra, ils se servent mutuellement de faire-valoir et leurs devises, d'être ainsi lues les unes à la suite des autres, finissent par composer une fresque : celle de l'esprit populaire, sarcastique, réaliste, mais aussi capable de tout métamorphoser par le rire et le rêve. Pour savourer l'esprit ghanéen, il faut aller visiter à Kumasi « le Magazin », ancien entrepôt anglais devenu garage, dans lequel les plus invraisemblables engins sont rendus à la vie puis décorés de scènes et d'enseignes humoristiques. Plus de mille artistes peintres y opèrent, dont le plus connu est All Mighty, le Tout-Puissant... en toute modestie !

Kumasi est également très fière de sa Kwame Nkrumah University of Science and Technology (KNUST) qui s'étend à la sortie de la ville. Comme son nom l'indique, elle se spécialise dans toutes les branches scientifiques et technologiques possibles et forme l'ensemble des cadres qui seront ensuite à la tête de toutes les sociétés commerciales et industrielles du pays.

Son cadre admirable rivalise, par la beauté de la végétation, avec celui du jardin botanique d'Aburi (au nord d'Accra) et chaque campus est doté de magnifiques terrains de sports et de tennis, l'ensemble comportant, de ‸plus, un club d'équitation et une piscine ouverts à tout le monde. Cette libéralité est d'ailleurs partagée par le mess des officiers qui, de son côté, propose tennis, squash, ping-pong, billard, badminton, et par deux autres clubs sportifs, dont le Ghana Social Club, qui possède un golf. Sur le plan sportif, Kumasi est donc particulièrement bien équipée.

L'Owabi Wildlife Sanctuary

Autrefois, la seule alimentation de Kumasi en eau potable était fournie par la rivière Owabi, qui coule à peu de distance à l'ouest de la ville. Pour constituer une réserve plus régulière, un barrage a été construit, qui a provoqué la naissance d'un étang.

Situé en pleine forêt, celui-ci a naturellement attiré les animaux de la région, dont de nombreux oiseaux. Aussi, le Department of Game and Wildlife a-t-il décidé de les protéger en délimitant l'Owabi Wildlife Sanctuary. Pour le visiter, il faut prendre, depuis Kumasi, la route d'Akropong qui se trouve à 16 kilomètres à l'ouest. Les voitures s'arrêtent au bord de la réserve, mais des sentiers permettent de s'y promener à pied sous la conduite obligatoire d'un guide. Les antilopes sont assez méfiantes et il n'est pas facile de les voir.

Certains artisans des faubourgs de Kumasi, en particulier à Asawaki, sur la route d'Accra, fabriquent des kente plus simples que ceux que le touriste a vu fabriquer au Centre Culturel. Mais il faut les commander environ trois semaines à l'avance.

larabanga

A Ahwiaa, les sculpteurs de « stools » opèrent sur le bord de la route, sous des auvents de paille. Leur production est ensuite réunie un peu plus loin dans plusieurs boutiques. Celui que n'arrête pas le problème du poids et de l'encombrement dans les bagages trouvera là ce que l'on fait de mieux en la matière.

Un peu plus loin, à Ntonso, la spécialité est l'« adinkra », dont les nombreux modèles sèchent en plein vent de chaque côté de la route. Mais dans les magasins du village, ils voisinent avec des kente, très beaux et très chers, ainsi qu'avec des tissus beaucoup plus simples.

Banfabiri Falls

Situées dans la petite réserve de Bofoum, les chutes de Banfabiri sont accessibles par une bonne route qui traverse Fiisu et Kumawu.

Mais un autre itinéraire est généralement préféré à celui-ci, car il permet de passer par Bonwire, la capitale du kente. On l'atteint en prenant la route de Mampong, puis à droite celle de Asonommaso. Le village ne vit pratiquement que du tissage et, d'une maison à l'autre, l'éventuel acheteur aura l'occasion de voir fabriquer tous les motifs imaginables.

La ville elle-même, située dans une jolie région vallonnée, peut être une étape intéressante : ses demeures ont gardé, à peu près toutes, le style Ashanti, avec cour intérieure bien close et loggia sur la façade principale.

Après avoir sacrifié à l'art local et laissé à Bonwire de nombreux cédis, justement mérités par ces kente royaux, on rattrape la route de Boumfoum un peu avant Juaben.

La route goudronnée arrive jusqu'aux portes de la réserve et pratiquement jusqu'aux chutes, mais pour se promener à l'intérieur de cette zone protégée, il faut continuer à pied. Il est encore trop tôt, le parc étant récent, pour savoir si un hébergement permettra un jour, comme à Mole, d'être à pied d'œuvre pour explorer à l'aube cette belle région de forêts et y surprendre les animaux. Mais la proximité de Kumasi, avec ses nombreux hôtels, comble sans difficulté cette lacune.

(*Voir renseignements pratiques p. 167*).

■ C'est avec admiration que l'on découvre les anciennes mosquées de Larabanga et de tout le Nord-Ghana. Même si l'on rencontre ce type d'architecture religieuse dans toute la zone musulmane sub-saharienne, aux Mali, Niger, Burkina-Faso ou en Côte d'Ivoire, il frappe toujours par la simplicité harmonieuse de sa forme : succession de tourelles pyramidales de différentes tailles, composées d'une structure de piquets de bois, dont l'extrémité perce les façades revêtues d'argile chaulée de blanc. Merveilleux exemples de constructions en terre adaptées au climat, ces mosquées, souvent installées sous les ombrages, offrent au fidèle la fraîcheur et l'ombre, propices à la prière et à la méditation.

Tout autour des mosquées de Larabanga, les cases en banco du village attireront l'attention par la beauté de leur crépi : leurs bâtisseurs se sont servis de leurs doigts, pour imprimer dans la terre — lorsqu'elle était encore humide — de très élégants dessins géométriques qui donnent beaucoup de cachet aux volumes de ces maisons rectangulaires.

A la sortie de Larabanga, on ira voir la « pierre magique ». Celle-ci donna beaucoup de fil à retordre aux ingénieurs, chargés de construire la route passant par Larabanga. Située sur le tracé même de la chaussée nouvelle, elle devait être déplacée pour faire passer la route. Or, dès qu'on la transportait ailleurs, elle revenait à son emplacement primitif, comme par miracle, pendant la nuit. Plutôt que d'affronter les forces occultes habitant cette « pierre magique », les constructeurs ont préféré détourner la route de son tracé initial. Revanche de la tradition sur le monde moderne ?

Après être allé visiter le Mole National Park (voir notice), on pourra aller voir d'autres mosquées de la Northern Region, notamment à Sammabo Ga, entre Sawla et Wa, à l'ouest de Larabanga. De petites proportions, la mosquée de Sammabo Ga attire l'attention par la splendide barrière qui l'entoure. Elle se compose de troncs et de branches dénudées, dont la forme naturelle très tourmentée n'a pas été altérée. Il y a entre cet entrelacs de bois tortueux aux extrémités hérissées, qui se profilent sur le ciel, et la mosquée elle aussi piquetée de bois, une extraordinaire harmonie qui incite le passant à s'arrêter dans ce village Dagarti. Celui-ci a d'ailleurs une autre particularité : ses maisons rectangulaires, à toit-terrasse, sont précédées d'un énorme grenier en forme de tronc de cône, entouré sur trois côtés d'un auvent dont l'armature, faite également de branches au bois brut, est recouverte d'une épaisse couche de terre. Sous cet auvent, de grosses calebasses, pendues aux branches, servent de pigeonniers.

A l'entrée de Sawla, au carrefour de la route du nord avec celle conduisant au Mole National Park, tous les voyageurs remarquent un arbre étonnant. Son immense tronc, ses racines retombantes tout enchevêtrées disparaissent entièrement sous un feuillage très dense au milieu duquel apparaissent de véritables fenêtres sur le ciel. Il est impossible de ne pas s'arrêter pour pénétrer dans cette caverne de verdure, où une armée de porcs gros et gras ont élu domicile, et photographier cet arbre à la silhouette si extraordinaire.

Cependant, il vaut mieux refréner cette envie, tant qu'on a pas obtenu l'autorisation des habitants, pour qui l'arbre est sacré... et pourtant les mosquées des alentours rappellent que la région a été depuis longtemps islamisée par les commerçants Mandé.

Après Sawla, les meilleurs exemples de l'architecture typique en terre se trouvent à Wa et, entre Sawla et Wa dans deux villages dont le premier est d'ailleurs d'obédience Wala.

Il se remarque sur le côté gauche de la route par sa masse beaucoup plus importante que celle des « kraals » (maisons traditionnelles en terre) rencontrées jusque-là dans le nord. En général, ceux-ci n'abritent qu'une seule grande famille et sont séparés les uns des autres par des champs de mil et par les enclos de branchages tressés où le bétail se réfugie pendant la nuit. La distance de l'un à l'autre est souvent trop importante pour que l'on ait l'impression de vrais villages. Ici chaque famille n'est séparée de ses voisins que par des ruelles très étroites, creusées d'une rigole centrale pour l'écoulement des eaux. Les cours intérieures, bien que balayées avec soin, ne paraissent pas aussi nettes que celles des « kraals » au sol durci par un enduit spécial. Quelques maisons ont des portes surmontées par des cônes rappelant le style des mosquées. De nombreux murs de terre sont décorés de sillons en spirales ou en lignes, parallèles ou brisées. Parfois les briques en argile, de forme bosselée, sont laissées apparentes. Enfin, contrairement encore aux « kraals » entièrement clos sur l'extérieur, des petites fenêtres carrées sont percées vers les rues et pourvues de volets latéraux.

(*Voir renseignements pratiques p. 167*).

Merveilles de l'architecture de terre,
les petites mosquées
du Nord-Ghana
évoquent à la fois la sculpture abstraite
et le Palais du Facteur Cheval.

mole national park

■ Au cœur de la Northern Region, le Parc National de la Mole a développé depuis le début des années 1980 une formule originale de safari-vision : le « foot-safari ». Au lieu d'être relégué dans sa voiture, avec interdiction d'en descendre — comme dans la plupart des parcs nationaux en Afrique —, le touriste est, au contraire, incité à pénétrer dans le parc, à pied, empruntant les nombreux sentiers de randonnées pédestres qui y ont été dessinés. Une excellente école pour renouer avec la nature, apprendre à lire les traces des animaux et les approcher, sans donner l'éveil, comme un Indien comanche ! Mais aussi, il faut dominer sa peur instinctive des « grosses bêtes », dont on sait aujourd'hui qu'elles ont plus à craindre de la cruauté de l'homme, que l'homme de leur soi-disant sauvagerie. Une expérience à tenter qui ne présente pas vraiment de risques, car il est rare d'approcher de très près les animaux censés être dangereux : lions ou éléphants, car ils en ont eu tellement à découdre avec le genre humain, qu'ils détalent à la moindre odeur ou au moindre petit mouvement pouvant signaler sa présence. Par ailleurs, le Department of Game and Wildlife, qui gère le parc, tient à protéger le visiteur de toute attaque — même si elle s'avère improbable — d'animaux sauvages, en le faisant accompagner par un guide armé et parfait connaisseur de la faune qui y vit.

S'étendant sur 2 330 km² et traversé par la rivière Molé — qui lui a donné son nom — le parc donne refuge actuellement à de nombreuses antilopes (cobs Defassa ou de Buffon, guib harnaché, antilope cheval, bubales, ourébis, etc...), à des phacochères, des singes (cercopithèques, babouins, patas rouges, colobes bleus et noirs, dans la forêt-galerie de la Lovi), des éléphants, assez difficiles à voir, des buffles, bien représentés, des lions assez rares, mais en revanche de nombreux léopards, ainsi qu'à des hippopotames et à des hyènes. Trois cents espèces d'oiseaux vivent en permanence dans le parc, mais on peut en voir à intervalles irréguliers cent cinquante autres, comme les aigles ou les guêpiers.

Pour surprendre ces animaux, on peut, dès l'aurore, aller à pied près des deux réservoirs au pied du Campement-Hôtel ou se faire conduire par la land-rover du parc jusqu'au camp de Lovi, à 30 kilomètres vers le centre du parc, pour y passer la nuit. Il faut se munir de ravitaillement et de matériel de camping, car le camp ne comporte qu'un abri de pierre sans aucun équipement.

Si la land-rover n'est pas disponible, en saison sèche, les voitures de tourisme n'ont généralement aucune difficulté à se rendre à Lovi ou au camp de Konkori, au pied de l'escarpement du même nom, au nord-est du parc.

Des sites
d'anciens villages

Cet escarpement domine une grande plaine ondulée et boisée, coupée de clairières, dont le sol rocheux affleure par plaques ou est recouvert d'une mince pellicule de terre. Celle-ci se couvre d'une herbe courte qui ne dissimule pas les animaux, même pendant la saison des pluies.

Sur la route qui conduit à Konkori, on devine parfois un étrange dédale de cavités et de couloirs souterrains dans lequel les animaux trouvent un refuge naturel.

Avant les guerres tribales qui éclatèrent autour de 1870, cette région était assez peuplée et les sites d'anciens villages sont encore visibles.

Au sud du parc, non loin du village de Larabanga (voir notice), un campement-hôtel a été construit ; il compte 35 chambres en bungalows, un restaurant et une piscine (pour le moment hors de service).

A déconseiller aux noctambules, car la lumière — provenant d'un groupe électrogène — s'arrête tous les soirs à 22 h et parce que la vision des animaux est plus facile lorsqu'on les surprend à l'aube. Le parc est ouvert toute l'année, mais la période de la saison des pluies est à éviter, car les pistes sont défoncées et inondées, les herbes trop hautes pour déceler la présence des animaux. Meilleure période de visite : de décembre à mai.

Ne pas oublier de prévoir des vêtements adaptés à ces « foot-safaris », notamment des tenues de couleurs neutres ou camouflées, pour ne pas être repéré par les animaux, de bonnes chaussures de marche, un couvre-chef et des lunettes noires pour se protéger du soleil, une grosse gourde d'eau fraîche et des jumelles.

Dans ses valises, emporter aussi un appareil-photo avec un bon téléobjectif et l'indispensable « Guide des grands mammifères d'Afrique » (par Jean Dorst et Pierre Dandelot, éditions Delachaux et Niestlé). Pour les nuits sans lumière au campement, une lampe électrique n'est pas un luxe, en cas d'insomnie !

Il arrive qu'on soit, en effet, réveillé en pleine nuit par les rugissements d'un lion chassant aux abords du campement. (*Voir renseignements pratiques p. 167*).

mpraeso

■ La vocation touristique du Kwahu Plateau qui borde, au sud, le lac Volta est évidente : la route très fréquentée Koforidua-Kumasi le longe pratiquement sans interruption et assure un accès facile à tous les sites merveilleux qu'il possède, dont Mpraeso.

A vrai dire, plus que cette petite ville, c'est la boucle routière, partant de Nkawkaw jusqu'au sommet de l'escarpement où elle se trouve, qui excite l'admiration.

Impressionnante depuis la vallée, cette immense falaise rocheuse, formée de blocs successifs, change d'aspect au fur et à mesure qu'on la contourne. Elle paraît s'humaniser lorsqu'on approche du sommet, pour éblouir et intimider de nouveau le promeneur, parvenu un peu par hasard jusqu'à l'extrémité abrupte du plateau : après avoir laissé sa voiture au pied d'un relais de télévision facile à repérer au sud de Mpraeso, il aura découvert, se dissimulant dans un sous-bois charmant, un petit sentier qui l'aura, sans avoir l'air de rien, conduit brutalement au bord d'un abîme.

Mais le plateau lui-même n'a rien de plat. De Mpraeso, une route sinueuse aboutit dans un vallon aux bords en pente douce. Sur ses versants s'étagent les villas luxueuses d'Obo, lieu de résidence favori des Kwahu fortunés qui y trouvent un air frais, un merveilleux paysage et le calme.

Lorsqu'il traverse cette belle région, l'étranger aimerait souvent laisser là sa voiture pour s'enfoncer à pied à travers une végétation vraiment somptueuse. Mais les sentiers ne sont guère apparents. Il faudrait avoir le temps de les chercher ou de se faire accompagner par un habitant du pays.

Avant ou après Mpraeso, selon que l'on vient de Koforidua ou de Kumasi, la route principale traverse Bunso qui possède un rest-house (réserver à Koforidua).

Des stalactites liquides

De Bunso, il ne faut pas manquer l'excursion aux chutes de Begoro. Pour se rendre à ce petit village sur le Kwahu Plateau, au sud-est de Mpraeso, il faut prendre l'embranchement d'Osiem. Depuis Osiem, la route goudronnée traverse la plaine jusqu'à Bososo, puis monte à travers la forêt dense. A Begoro, elle a atteint le sommet du plateau. Il est utile, alors, de trouver un guide pour se rendre aux chutes, à 2 km de Begoro.

Dix minutes de marche suffisent pour traverser une pépinière de palmiers à huile et des champs d'ignames parsemés de fleurs bleues et jaunes, puis pour descendre sur la gauche, à travers hautes herbes et forêt s'étalant contre une falaise. Peu à peu celle-ci surplombe le sentier et elle encercle presque complètement le cirque, au milieu duquel tombe la chute d'eau. Largement étalée en une sorte de voile, elle forme sur les côtés, comme de longues et scintillantes stalactites liquides. Des plaques de mousse épousent le relief irrégulier du rocher et accrochent la lumière en effets saisissants, surtout l'après-midi, lorsque le soleil se déplace lentement, en rasant leur surface de velours frappé.

Une fougère très rare

Sur cette falaise pousse également une fougère très rare, l'Oleandra Ejurana, seule Ptéridophyte endémique au Ghana.

En émergeant de cette caverne de verdure et de rochers, à la lumière très tamisée, en fin d'après-midi on retrouve avec plaisir l'atmosphère plus aérée et plus légère du plateau. Le calme y règne et un papayer, qui ombrage le site, remue doucement sous la brise. Derrière les champs, qui apportent de l'air et du recul, la forêt miroite sous le soleil couchant. Quelle douceur !
(*Voir renseignements pratiques p. 167*).

navrongo   obuasi

■ Dans cette région du nord (Upper Region), où l'Islam est très fortement implanté, et l'animisme toujours actif, la vue d'une cathédrale et de la réplique de la grotte de Lourdes, en pleine brousse, est ressentie par le visiteur non averti comme un mirage des plus surréalistes ! En fait, ces sanctuaires chrétiens sont l'œuvre des fameux Pères blancs que le cardinal français Charles de Lavigerie lança à partir de 1868 dans toute l'Afrique, en vue de l'évangéliser. A Navrongo, c'est un Canadien, le père Oscar Morin, envoyé par le vicariat de Ouagadougou, au Burkina-Faso —, qui fonda la mission en 1906, puis y bâtit la cathédrale Notre-Dame des Sept Douleurs en 1919. Pour ne pas dépayser ses fidèles, il décida de construire son église dans le style et les matériaux du pays.

A l'intérieur de la cathédrale de Navrongo, l'humble toit de charpente et de tôle ondulée n'attire pas le regard, mais on est quand même captivé par la beauté et l'étrangeté de cette nef, dont les piliers et les murs de terre de banco sont couverts de fresques naïves. Blanches, brunes et noires, elles ont été exécutées par les femmes du village qui se sont servies de couleurs naturelles délayées avec de la terre et du beurre de karité (servant à la fois de médium et de vernis). Elles y ont représenté des troupeaux de bovins en frises, des saints et des insignes de la religion (mitre et crosse d'évêque), ainsi que de nombreux motifs géométriques : chevrons, triangles, losanges, dans un camaïeu de bruns. On prêtera particulièrement attention aux scènes représentées à l'entrée de la cathédrale : Nativité en ronde-bosse sous le porche, Saint Georges combattant le dragon, la Vierge Marie, Adam et Eve chassés du Paradis terrestre, et aussi une petite scène plus profane montrant une mère africaine, avec son enfant sur le dos, pilant le mil dans un mortier.

Derrière l'autel, une immense croix de bois, d'un dépouillement total, est encadrée par deux bandeaux verticaux, composés de triangles bruns, ocre et roses.

Le dimanche, les chants de la messe sont scandés par les tam-tams que l'on voit appuyés sur les piliers.

De Navrongo, on peut se rendre au Burkina-Faso, en mettant le cap sur le nord, via Paga, petit village et poste-frontière, connu pour sa mare aux crocodiles (voir notice Paga). Vers l'est, on traverse une belle région de culture de mil, où les cases traditionnelles en terre — les « kraals » — sont toutes décorées de fresques aux motifs géométriques ou animaliers stylisés.

(*Voir renseignements p. 168*).

■ Avant de se rendre à Obuasi, grande cité de l'or dans l'Ashanti Region, le visiteur étranger s'attend à découvrir une cité du Far West américain, en proie à la « ruée vers l'or ». Avec ses saloons et ses mauvais garçons, prêts à dépouiller les malheureux orpailleurs, trimant dur dans la boue aurifère des rivières.... Il devra détruire bien vite ces clichés romanesques lorsqu'il découvrira la banale et bien paisible petite cité d'Obuasi, au creux de ses collines. Plus paradoxal encore : rares sont les habitants de la ville à avoir vu réellement, ou touché, un lingot d'or ! En effet, bien malin serait celui qui pourrait affirmer avoir vu briller de l'or dans ces millions de tonnes de minerai noirâtre, que l'on extrait à plus de 1 500 m sous terre, comme du charbon.

Un bol d'or

D'ailleurs, en contemplant la ville, du haut d'une des collines environnantes, on ne fera guère de différence entre ces puits de mines d'Obuasi, hérissés de cages d'ascenseurs et ceux des mines de charbon du nord de la France ou de Birmingham, en Angleterre qui, elles, produisent de … l'or noir.

Acheminé par convoyeur aérien, à travers la ville, le minerai est déchargé à l'entrée des gigantesques usines de l'Ashanti Goldfield Corporation, où il sera traité, en subissant tout un processus d'opérations complexes : lavage, concassage et diluage pour le tranformer en une boue légère criblée de bulles d'air, puis concentration et acheminement vers les fours. Pendant toutes ces phases, qu'on suit pas à pas et le cœur battant, lorsqu'on visite l'usine, le mirage de l'or tant attendu ne se manifeste jamais : le minerai après traitement reste désespérément noir. Sans illusion, on gagne le saint des saints : la salle des fours et des creusets. Là, il faut montrer patte blanche aux gardiens armés jusqu'aux dents qui veillent derrière de lourdes portes de fer aveugles et cadenassées. On sent qu'il va enfin se passer quelque chose et qu'on ne subit pas en vain cette chaleur d'enfer.

Chauffé à blanc dans les fours, le minerai est coulé dans des creusets pas plus grands que des seaux. Brusquement un ouvrier affublé d'une sorte de scaphandre, renverse un creuset et répand sur le sol une sorte de glu, noire comme la réglisse. En se cassant cette pâte libère un lingot d'or — bien jaune et brillant ! —, de la taille d'un bol. Environ neuf kilos de métal précieux sont

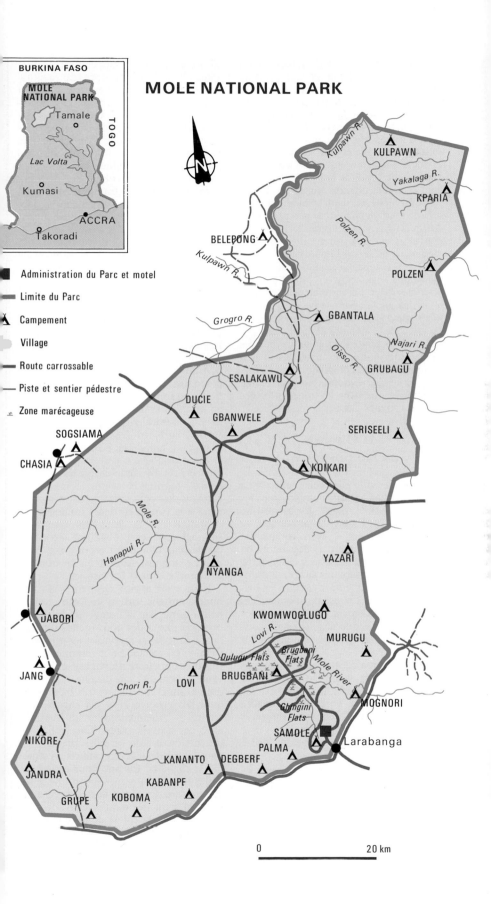

MOLE NATIONAL PARK

BURKINA FASO

MOLE
NATIONAL PARK

TOGO

Tamale

Lac Volta

Kumasi

ACCRA

Takoradi

- ■ Administration du Parc et motel
- ▬ Limite du Parc
- Λ Campement
- Village
- ▬ Route carrossable
- — Piste et sentier pédestre
- Zone marécageuse

Kulpawn R.

KULPAWN

Yakalaga R.

KPARIA

BELEPONG

Kulpawn R.

Polzen R.

POLZEN

Grogro R.

GBANTALA

Oisso R.

Najari R.

GRUBAGU

ESALAKAWU

DUCIE

GBANWELE

SERISEELI

SOGSIAMA

CHASIA

KOIKARI

Mole R.

Hanapui R.

YAZARI

NYANGA

KWOMWOGLUGO

DABORI

Lovi R.

MURUGU

Dulugu Flats

Brugbani Flats

Mole River

JANG

Chori R.

LOVI

BRUGBANI

Chingini Flats

MOGNORI

NIKORE

SAMOLE

Larabanga

PALMA

JANDRA

KANANTO

DEGBERF

KABANPE

GRUPE

KOBOMA

0   20 km

paga

contenus dans cette demi-sphère qu'on refroidit au jet d'eau et qui est vite rescellée dans un coffre-fort. Certes, le visiteur étranger ne trouve pas ici de quoi apaiser le vieux fantasme nourri par l'homme blanc au sujet de l'or !

Cela n'empêche pas celui-ci de faire la fortune du Ghana et pour commencer de la toute puissante Ashanti Corporation qui investit à tour de bras non seulement dans le rachat d'autres mines ou de terrains prometteurs, dans la même région, dans le nord du pays et un peu partout en Afrique, mais aussi dans des technologies nouvelles, en particulier celles qui permettent de préserver l'environnement. Le PDG de la compagnie, Sam Jonah, dit lui-même que « nous n'avons plus d'excuses pour dégrader l'environnement comme nous l'avons fait dans le passé », notamment grâce à un laboratoire qui surveille les effets de la moindre des activités, ou à un procédé biologique pour oxyder les sulfates qui utilise des bactéries et respecte l'équilibre écologique. Dans le même esprit a été entrepris un programme de reforestation dans les zones affectées par des activités passées.

D'Obuasi
au lac Bosumtwi

Quant à la ville elle-même, elle est en majorité peuplée par les employés et les cadres de l'AGC, qui y disposent d'un golf privé ainsi que de restaurants et d'hôtels appartenant à la compagnie minière. Dans les quartiers populaires, on trouvera toute une série de petits hôtels, bars-dancings et gargotes aux noms pittoresques, dans le même style que les inscriptions peintes sur les taxis-brousse. On remarquera également les échoppes des couturières ainsi que des salons de coiffure dont les enseignes ressemblent à des peintures naïves.

Dans la région d'Obuasi, il ne faut pas manquer d'aller au lac Bosumtwi (voir notice), à quelque 60 km au nord-est. En continuant vers le nord, on se rendra ensuite à Kumasi, capitale du pays Ashanti (voir également la notice).
(Voir renseignements pratiques p. 168).

■ Petit village de l'Upper-East Region, Paga ne doit pas sa notoriété à sa situation de poste-frontière entre le Ghana et le Burkina-Faso, mais à ses ... crocodiles sacrés ! Et, de passage dans ces confins septentrionaux du Ghana, plus aucun touriste étranger n'oublie de faire le détour par le carrefour de Navrongo pour aller photographier les ébats de ces sauriens semi-apprivoisés.

Insensiblement, la tradition est en train de glisser vers l'attraction touristique. Car, à l'origine, ces crocodiles étaient l'objet d'une véritable vénération de la part des populations de la région, qui venaient se recueillir près de la mare de Paga et y sacrifier des poulets, afin d'obtenir une faveur de la part de ces animaux sacrés. La plupart du temps, ces protecteurs insolites avaient la charge d'exaucer des vœux : faire tomber la pluie et amener des récoltes abondantes, rendre fécondes les femmes stériles, aider les étudiants à réussir leurs examens, etc.

A noter, d'ailleurs, que des mares aux crocodiles, assumant les mêmes fonctions, ne sont pas rares en Afrique. On en donnera comme exemples, celles de Sabou, au Burkina-Faso, ou celle du pays Bassar, au Nord-Togo.

Aujourd'hui, il faut bien le reconnaître, la mare de Paga a perdu son caractère sacré et l'on n'y voit plus que les automobiles des touristes et bientôt, les inévitables autocars des tours opérateurs « programmant » le Ghana sur leurs catalogues.

Malgré tout, la visite s'impose car le spectacle de ces crocodiles accourant docilement quand on les appelle reste impressionnant. Autant qu'un numéro de dompteur dans les cirques.

Pour avoir droit à ces petites séances où les sauriens sortent de l'eau et viennent dormir sur la berge, tandis qu'on prend la photo des amis juchés sur leur dos, il faut payer un poulet au prix fort. Celui-ci est calculé pour rémunérer à la fois le propriétaire du volatile et les servants de la mare : une dizaine de gamins, qui ne comprennent pas très bien pourquoi des étrangers — pis encore, des adultes — viennent jouer au Tartarin avec ces grosses bêtes. Car le but de l'excursion est de se faire prendre en photo, le pied sur le crocodile et de ramener le cliché en Europe pour épater les collègues de bureau. En prime : les gamins font des niches aux sauriens dont ils tirent la queue ou qu'ils chevauchent, sans redouter la colère de la redoutable bête, trop heureuse de se nourrir, jusqu'à plus faim, de ces innombrables poulets offerts par les visiteurs...
(Voir renseignements p. 168).

sekondi-takoradi

■ Bien qu'elles soient devenues sœurs-jumelles, au sein de ce que les urbanistes appellent une conurbation, Sekondi et Takoradi ont quand même gardé leur personnalité. Devenue le chef-lieu de la Western Region, Sekondi est cependant restée une petite ville au charme un peu désuet, tandis que Takoradi est devenue le premier port de commerce du Ghana, devant Tema, et compte aujourd'hui plus de 250 000 habitants (avec Sekondi).

Ainsi, Sekondi, qu'on atteint d'abord par la route côtière lorsqu'on vient d'Accra, vit à un rythme plus lent que sa voisine Takoradi.

C'est particulièrement sensible dans ce qu'on appelle le quartier européen, dominé par le Fort Orange (construit par les Hollandais au XVIIe siècle) et descendant le long d'une pente douce vers le port militaire, puis le port de pêche de Sekondi, où les belles maisons de style colonial — un peu décrépites — offrent déjà le visage du passé. Mais ce n'est pas pour déplaire au touriste, sensible à ce charme nostalgique des vieux quartiers de Sekondi. En plus, il y jouira d'une belle vue sur les bords dentelés de la baie de Sekondi et sur la plage, que l'on aperçoit sur sa rive opposée, avec l'animation du port de pêche au premier plan.

Cependant, Sekondi n'a rien d'une ville morte, car elle est restée la capitale de la Western Region dont elle abrite les autorités administratives, la maison des chefs et du paramount chief. Le siège de la direction des Chemins de fer ghanéens y est également installé. C'est d'ailleurs au chemin de fer qui, à partir de 1900, relia Tarkwa, Obuasi et Kumasi avec la côte, qu'elle doit un développement pendant longtemps bien plus vigoureux que celui de Takoradi, alors entièrement distinct.

Le Syndicat des travailleurs du rail, toujours implanté à Sekondi, reste un des plus puissants du pays. Par ailleurs, son port abrite une petite base navale où mouillent quelques navires de faible tonnage, ainsi qu'un petit chantier naval construisant des bateaux de pêche.

Le choix de Takoradi

Au début du siècle, toutes les exportations s'effectuaient par le port de Sekondi : ce fut d'ailleurs l'origine de la construction du quartier européen, jouxtant celui-ci, tandis que la zone d'habitation des travailleurs africains s'étendait vers l'intérieur et vers l'ouest, c'est-à-dire à Takoradi.

En 1920, coup de théâtre : le petit village de pêcheurs de Takoradi est choisi comme site pour un nouveau port, moderne et bientôt tout-puissant. Du pays entier afflue alors vers lui une main-d'œuvre qu'il faut loger. Tandis que les Européens une fois de plus élisent domicile sur le bord de mer, le quartier africain s'étend vers l'extérieur, perpendiculairement au port. Un plan d'urbanisme est alors élaboré pour éviter que le chaos ne s'installe dans cette ville-champignon. Le centre du quartier africain est formé par un marché circulaire où aboutissent les principales avenues de la cité et, autour de chaque quartier, des terrains sont « gelés » en prévision de futures expansions. C'est grâce à ces dispositions que sont nées des zones industrielles où sont notamment implantées des scieries, des usines de contre-plaqué, de papier, de produits en aluminium, une manufacture de tabac, et un complexe de transformation du cacao.

Une vue panoramique sur le port

Si toutes ces industries attirent plus l'homme d'affaires que le touriste, ce dernier visitera quand même avec intérêt le port de Takoradi et surtout le port à bois où s'entassent avant leur expédition les énormes billes transportées sur les routes de l'intérieur, particulièrement depuis Samreboï, la ville du bois, la ville du « Far West » ghanéen.

Malgré ses industries et ses commerces, Takoradi garde un aspect exceptionnellement aéré et presque campagnard, grâce à un relief mouvementé et à une végétation qui envahit le moindre pli de terrain.

La côte, moins attrayante qu'à Sekondi, réserve pourtant entre les deux villes de très beaux points de vue, le long de la route du bord de mer comme de celle qui passe au nord de la lagune Ensié. Cette dernière voie longe les quartiers Adiembra, l'hôpital de Sekondi, une zone industrielle et rejoint un rond-point d'où part la John Sarbah Road qui conduit, comme Liberation Street et toutes les avenues avoisinantes, jusqu'au marché central.

Les activités touristiques de Takoradi sont centrées dans l'ancien quartier européen du bord de mer. Le grand building de l'« Atlantic Hotel », avec night-club, restaurant, boutiques, est précédé par un immense terrasse-bar dominant la plage.

Plus éloigné de la côte mais particu-

Dans l'église de Navrongo, au Nord-Ghana,
ce sont les femmes du village qui ont décoré les murs et piliers,
utilisant des couleurs naturelles
et modelant les bas-reliefs
avec de la terre mélangée d'huile de karité.

lièrement bien situé, le Harbour View Restaurant, qui est construit sur une colline, offre — comme son nom l'indique — une superbe vue panoramique sur tout le port. Son bar sur la terrasse — comme son restaurant dans les étages — est l'un des principaux lieux de rendez-vous des cadres et de toute l'intelligentsia de Takoradi. La nuit, en particulier, la vue du port, avec toutes ses lumières — est féérique.

Takoradi peut donc servir de base particulièrement agréable pour visiter tout l'arrière-pays, dont Samreboï, ainsi que les nombreux forts des environs. Tous sont accessibles, d'Axim à Elmina, dans la journée.

Le plus proche de tous est celui de Shama, à quelques kilomètres à l'est de Sekondi.

Le destin malheureux d'un intellectuel noir

Le Fort San Sebastian, construit sur une pointe de sable, ne jouit d'aucune protection naturelle : ses fortifications sont — et semblent — d'autant plus formidables qu'elles se dressent au-dessus d'un sol plat. Un énorme escalier à marches arrondies, en forme de cône, descend, de la poterne principale, jusqu'à une place décorée de très belles cactées. Au pied de l'escalier, on y verra la tombe du docteur Amu, un des premiers Noirs en Afrique à avoir pu suivre des études supérieures en Europe, dès le XVIIIe siècle. Mais cela ne lui porta pas chance pour autant car, à son retour au pays natal, il se sentit rejeté de tous, aussi bien des Africains que des Européens. Alors, il décida de vivre seul, à l'écart, en s'enfermant dans ce fort, jusqu'à sa mort.

San Sebastian avait été construit deux siècles plus tôt par les Portugais dont il constitua l'un des plus importants établissements. Bien entendu, il passa ensuite aux mains des Hollandais, puis des Anglais. L'histoire ne dit pas si le docteur Amu eut à cohabiter dans ce fort avec des Européens ou si, avant de devenir possession britannique en 1872, le fort resta inhabité. On souhaite à l'infortuné médecin d'avoir pu y trouver la solitude et la paix, car malgré sa masse imposante, le fort possède des bâtiments d'habitation de dimensions relativement modestes et donnant une impression d'intimité.

On sera particulièrement séduit par les proportions de la cour intérieure et par la galerie qui borde son étage, en angle droit, en face de la poterne d'entrée. Cette poterne donne accès, à gauche, au chemin de ronde qui s'élargit aussitôt en terrasse et, à droite, à un bel escalier de pierre à double révolution. Sa toute simple armature peinte en bleu sombre, ressort avec élégance sur les murs blancs et fait plus penser au patio d'une maison privée qu'à la cour d'honneur d'une place forte.

C'est seulement du deuxième chemin de ronde que l'on découvre un beau paysage, invisible du premier dont les murs épais ne sont percés que par d'étroites meurtrières.

Au fort de Komenda

Sur le côté ouest, le petit marché couvert, la rue principale et les maisons du village apportent leur animation jusqu'au pied du château. Vers l'est, tout change et le spectacle prend des proportions grandioses : l'embouchure de la rivière Pra, dont rien jusque-là n'avait permis de deviner l'existence, s'étale largement. Elle forme une lagune parallèle à l'Océan dont elle n'est séparée que par une étroite bande de sable, avant de tourner soudain à angle droit pour venir affronter la barre. Le contraste entre la violence de la mer et le calme de la rivière, la beauté de l'arrière-plan ondulé et boisé, plongent le visiteur dans une contemplation fascinée.

S'il ne s'attarde pas trop, il pourra s'entendre avec un pêcheur pour remonter en pirogue le cours de la Pra ou aller visiter le fort de Komenda, plus à l'est. Mais il n'en reste malheureusement que le soubassement, utilisé comme socle pour des maisonnettes modernes ou même comme habitation par des pêcheurs, qui ont ouvert portes et fenêtres dans ses énormes murailles.

(*Voir renseignements pratiques p. 168*).

shaï hills reserve

sunyani

■ Créée en 1974, Shaï Hills Reserve est un petit parc qui s'étend sur 5 180 hectares, au nord de Tema, dans la Greater Accra Region.

Depuis Accra, il faut prendre l'autoroute de Tema jusqu'au bout, puis la route de Ho, à gauche. Juste après le Shaï Training Centre, s'ouvre à droite l'entrée principale du parc qui conduit au bâtiment où on demande l'autorisation de visiter et un guide.

Celui-ci n'est pas seulement obligatoire, mais indispensable. Comme dans les autres parcs et réserves du Ghana, la promenade à pied est vivement encouragée. Mais pour savoir où il convient de laisser la voiture et comment parvenir au sommet des « inselbergs », ces montagnes qui surgissent de la plaine comme des îlots rocheux sur la mer, il faut posséder une parfaite connaissance du terrain.

Même les gardes, pendant la saison des pluies, hésitent parfois sur la direction à prendre au milieu des hautes herbes qui dissimulent ou coupent carrément la voie. Ces herbes ne sont pas tendres et le touriste, lorsqu'il s'y est frotté inconsidérément une première fois, est bien aise que son accompagnateur, plus aguerri que lui, parte en reconnaissance et lui évite d'avoir à rebrousser chemin après avoir été peu à peu stoppé par une végétation décidément trop épineuse.

Le guide permet aussi de découvrir les traces des anciens villages. Car, entre le XIIIᵉ et le XIXᵉ siècle, les collines du Shaï ont été habitées par une ethnie de chasseurs. Parfois des pans de murs révèlent l'existence de maisons écroulées. Ailleurs, d'innombrables morceaux de poterie ou des récipients de terre intacts marquent seuls leur emplacement.

Dans les temps les plus reculés, quelques cavernes ont abrité les Shaï et, plus tard, lors de la guerre avec les envahisseurs Ga, leur ont servi de refuge et de lieu d'embuscade.

Au début du XXᵉ siècle, ces chasseurs ont déserté les collines pour aller s'installer dans les villages environnants : leur vie n'était plus possible, puisque le gibier avait complètement disparu.

Actuellement, la zone du parc est peuplée de singes (babouins, cercopithèques), de cobs, d'antilopes royales, de céphalophes, d'ourébis et de chats sauvages, fort disséminés.

Aussi, les collines séduisent-elles par leur sauvagerie et la possibilité d'y faire de belles promenades à pied ou à cheval, ainsi que d'y camper.

(*Voir renseignements pratiques p. 168*).

■ Il y a environ trois cents ans, la forêt épaisse de l'ouest était encore abondamment habitée par une faune variée. A l'emplacement de la ville de Sunyani (60 000 habitants), actuelle capitale de la Brong-Ahafo Region, se constitua un campement de chasse, puis un dépôt d'ivoire. Sunyani aurait comme origine linguistique « Ason Ndwae », expression akan désignant l'endroit où les éléphants sont dépouillés de leur peau et de leurs défenses.

Mais les noix de kola, une des principales ressources de la région, attiraient également les commerçants du nord. Un marché se créa, puis une zone d'habitation permanente.

En 1909, l'administration coloniale de la région transféra son quartier général d'Odumase à Sunyani, plus commode pour centraliser ses différents services et dont le site, large plaine en forme de cuvette entourée par la forêt, attirait les Européens.

Mais la ville ne prit son importance qu'avec l'introduction, aux environs, de la culture du cacao, après qu'une épidémie ait failli détruire complètement les premières plantations situées dans l'est du Ghana. Le cacao gagna peu à peu le pays Ashanti, puis le Brong-Ahafo, actuellement considéré comme l'une des zones cacaoyères les plus riches du Ghana.

L'empire du bois

D'ailleurs, entre Sunyani et Kumasi, à Bekyem, s'étend sur une centaine d'hectares une station d'essai de la Cocoa Production Division où sont mis en application les résultats des recherches effectuées à l'Institut de Tafo. Plusieurs espèces sont cultivées, depuis la graine et le jeune plant jusqu'à l'arbre adulte. La visite de cette station est intéressante. La plupart du temps, de la route, les plantations de cacaoyers donnent une impression de fouillis végétal. Ici les arbres, à bonne distance les uns des autres, se développent idéalement et forment comme une succession ininterrompue de belles allées dont l'épais ombrage procure une lumière et une fraîcheur délicieuses.

Sunyani n'est pas seulement au cœur d'une région de cacao, mais est aussi un grand centre d'exploitation du bois. La ville et ses environs possèdent des scieries et des centres d'abattage dont le plus important est celui de Mim, que l'on peut atteindre par une piste souvent difficile qui part au sud de Berekum.

Berekum, siège d'une chefferie, a bien un palais, mais il n'a rien de traditionnel, puiqu'il a été construit dans les années 30, époque où la ville ne comptait que 2 000 habitants. Comme Sunyani, Berekum a bénéficié de l'essor du cacao, et de nombreux travailleurs sont venus s'installer ici de tous les points du pays Ashanti. La ville a presque failli prendre le pas sur Sunyani qui a pu, néanmoins, garder sa supériorité grâce à l'administration qu'elle abrite, ainsi qu'à une école de formation des agents forestiers. Cette dernière, qui se développe d'année en année, recherche une meilleure exploitation des espèces secondaires, car les arbres les plus cotés sont de plus en plus rares. Entre Sunyani et Kumasi, la forêt, souvent clairsemée, garde encore de belles réserves, délimitées par les autorités pour éviter la disparition totale des espèces indigènes.

Des camions grumiers

Pour s'y rendre il faut emprunter les plus récentes pistes ouvertes par les forestiers, vers le sud et le sud-ouest.

En revanche, sur la route de Kumasi, les grumiers, portant des billes colossales et se hissant péniblement à l'assaut des pentes si raides qu'il semble inévitable que leur chargement ne glisse vers l'arrière, impressionnent.

Pour faciliter leur cheminement, la route primitive est peu à peu transformée. De véritables saignées sont parfois pratiquées dans les entrailles ocre ou rouges des collines. La vision conjuguée d'énormes tracteurs et de grumiers démesurés, passant au fond de ces saignées qui contrastent violemment avec le vert tendre des collines boisées, a quelque chose de terrifiant, tant elle symbolise de façon frappante le viol de la nature par l'homme.

(*Voir renseignements pratiques p. 168*).

Les régions du centre et de l'ouest
vivent surtout de l'exploitation des forêts
et de la transformation
du bois en planches,
poutres et madriers.

tamale

■ Capitale de la Northern Region, pays des grandes savanes, Tamale, qui compte aujourd'hui plus de 220 000 habitants, est devenue ainsi la cinquième ville du Ghana, après Accra, Kumasi, Sekondi-Takoradi et Tema.

Comme Kumasi au centre du pays, Tamale représente le centre d'une étoile formée par des routes venant des quatre points cardinaux.

Au pays du riz et du coton

La ville a pris son essor en 1907 en devenant le siège administratif d'une province qui englobait à l'époque tout le nord jusqu'à la frontière du Burkina-Faso. C'est alors que furent construites les routes destinées à la relier à tous les centres urbains de cette zone très étendue et que fut créé Yapei sur la Volta Blanche, qui devint, pendant quelques années, son port sur le lac Volta. Mais, avec l'aménagement de l'excellente route bitumée Tamale-Kintampo-Kumasi, et la construction d'un pont à Yapei — qui a fait disparaître l'ancien bac — l'avenir de ce petit port paraît définitivement compromis. Et, aujourd'hui, les barges pétrolières et les ferries qui remontent tout le lac Volta, depuis Akosombo au sud, viennent plutôt accoster au nouveau port de Buipe, à 60 km au sud-ouest de Yapei.

C'est donc à la fois par voie routière et par voie fluviale que Tamale écoule ses productions agricoles, qu'elles soient traditionnelles, comme l'igname, le mil ou l'arachide (bien qu'un moulin à huile permette de transformer sur place une partie de celle-ci) ou importées, comme le riz et le coton, qui ont pris dans le nord une importance considérable.

Ainsi, plus de la moitié de la récolte nationale de riz vient des deux régions septentrionales. A la sortie de Tamale, une usine a été construite : le riz paddy y est décortiqué, et sort des machines sous forme de riz plein ou brisé, tandis qu'une farine servant d'aliment aux porcs est extraite des déchets.

Le coton n'a été introduit dans la région que depuis quelques années et connaît dans le pays une faveur grandissante. La récolte annuelle couvre, aujourd'hui, les deux tiers environ des besoins totaux du Ghana.

Riz et coton font maintenant partie des paysages du nord et contribuent, pendant certains mois de l'année, à leur donner leur coloration : le riz avec ses pousses d'un vert tendre, le coton avec ses fleurs blanches, puis roses... et les tracteurs, utilisés pour ces cultures extensives, avec leur peinture rouge vif ou jaune intense, parfois assortie au couvre-chef de leur propriétaire !

Tamale faisant partie de la zone de savane, le nouveau venu s'attend à traverser un paysage sévère et plutôt monotone. Quelle erreur ! Rien n'est moins monotone que la savane, avec ses arbres bien détachés les uns des autres, comme pour mieux mettre en valeur leur silhouette, jamais tout à fait la même, ou groupés en boqueteaux aérés dans lesquels le soleil pénètre plus abondamment que dans les mystérieuses forêts du sud.

Aux tecks élancés, aux baobabs fantasques et fantastiques viennent se joindre en rangs de plus en plus serrés les karités dont la taille modeste et le feuillage évoquent parfois les poiriers. S'y ajoutent également les acacias, dont les nimes sentent si bon à l'époque de leur floraison, les eucalyptus, les anacardiers (produisant les noix de cajou) et tant d'autres dont l'étranger ne connaît rien et dont les noms varient, dans ce pays aux si nombreuses ethnies, d'un village à l'autre !

Un centre touristique du XVIIIe siècle

Avant Tamale, et si on emprunte le bac de Yeji plutôt que la grande route directe, la première ville importante du nord est Salaga, marché traditionnel où les musulmans Haoussa, en provenance du Niger, échangeaient leurs vêtements de coton, leurs objets de cuir et leurs esclaves contre l'or et les noix de kola du sud. Bien que vassale du paramount chief des Gonja qui siégeait à Kpembe, Salaga devint beaucoup plus grande que celle-ci.

Quand le pays Ashanti, principal fournisseur de kola, fut en guerre avec l'Angleterre, Salaga faillit, en perdant cet approvisionnement, disparaître complètement. Mais l'administration anglaise maintint dans la cité une certaine vie en y installant des services. Aujourd'hui, Salaga conserve de l'importance sur le plan commercial, administratif, hospitalier. Mais elle a perdu tout ce qui pouvait rappeler son passé et ses deux mosquées, même l'« ancienne », sont récentes. Ses maisons, quand elles ne sont pas modernes, ont parfois des murs de terre latéritique, mêlée de gravillons dont le relief bosselé est intéressant. Aux beaux manguiers se mêlent quelques cocotiers qui surprennent dans ce panorama appartenant déjà au nord. Et sur le moindre pan de mur, des chèvres, agiles comme des chats, pattes repliées, semblent réfléchir sur le destin de leur ville ou surveiller les alentours.

Parfois le touriste, occupé à prendre quelques photos ou à déguster de très bons beignets de farine de mil, voit passer un cortège traditionnel : des femmes, portant sur la tête des plats émaillés multicolores, précédées par un joueur de tam-tam. Il s'agit là de la famille d'une nouvelle mariée, qui vient lui porter des victuailles dans sa nouvelle demeure, au lendemain de ses noces. A noter que la dot que le jeune homme a eu à payer à ses beaux-parents ne représente ici qu'un sac de riz ou de mil ou un bouc. Dans cette région islamisée, la femme n'a plus l'importance que les Ashanti lui accordent.

Après Salaga et en se dirigeant vers Tamale, au nord, on quitte le pays Gonja pour entrer en pays Dagomba, dont la capitale traditionnelle n'est pas Tamale, mais Yendi (voir notice).

Le Gulkpe Na's Palace

Tamale a cependant son palais : le Gulkpe Na's Palace, situé sur la place où aboutit l'avenue bordant le catering-resthouse et la bibliothèque.

Le palais comprend environ 25 cases à toit de chaume, reliées par un muret suffisamment haut pour empêcher de voir l'intérieur.

Tout près du palais et du centre-ville, s'élève le Centre culturel de Tamale. Il abrite un excellent restaurant — le Sparkles — qui est, sans conteste, une des meilleures tables du Ghana. Dans la cour du Centre culturel, des petits commerçants ont ouvert des échoppes et vendent de l'artisanat aux touristes de passage : paniers et objets en vannerie, de la maroquinerie traditionnelle (sacs, portefeuilles, sandales) ainsi que des statuettes en bois.

On se rendra également au marché, qui se tient près du palais, pour le pittoresque de ses étals et ses fortes odeurs d'épices. Principal hôtel de la ville, le catering-rest-house est un des points de rencontre importants de la ville. Il est doté d'une trentaine de bungalows, d'un bar et d'un restaurant.

On rencontre beaucoup de Burkinabé à Tamale : les rapports entre les deux pays sont cordiaux et les sportifs de Ouagadougou et de Tamale s'affrontent souvent en matches serrés dans son stade omnisports.

Il suffit de s'éloigner de quelques kilomètres en direction du nord ou de l'est pour trouver, au centre d'un champ de mil, les premiers « kraals » du nord, maisons traditionnelles si différentes des habitations du sud et qui ne cesseront de varier de l'est à l'ouest.

Dans l'intimité des kraals

En pays Dagomba, les cases sont en totalité recouvertes de toits de paille, qu'il s'agisse des habitations ou des greniers, en forme de tours. Ce qui frappe, dès l'entrée, à l'intérieur de l'enceinte périphérique, c'est la netteté du sol, aussi bien celui de la cour, avec ses abris pour les animaux ou son coin « toilette », que celui des maisons. Ce sol, plus dur et plus lisse que du ciment, est composé d'argile, mêlée de bouse de vache liquide qui sert de liant. Avec des maillets de bois, il est tassé par une rangée de femmes ou d'enfants qui avancent en lignes en chantant. Puis il est relissé avec un mortier liquide. Les ouvertures arrondies des cases sont fréquemment entourées d'une mosaïque de porcelaine multicolore. En regardant de près, on s'aperçoit qu'il s'agit de débris de vaisselle intelligemment récupérés. A l'intérieur, devant le pas de la porte, une légère excavation permet l'évacuation de l'eau éventuellement renversée sur le sol. Elle communique avec des rigoles qui drainent vers les champs eaux sales ou eau de pluie.

Dans les cases des femmes, s'empilent des poteries traditionnelles très brillantes ou des ustensiles modernes en émail décoré. Chez les hommes, les armes pour la chasse sont piquées dans la paille des toits, tandis que des niches abritent les différents objets sacrés, dans le haut des murs.

(*Voir renseignements pratiques p. 168*).

*Un peu d'agriculture et
beaucoup d'industries
font de Tema
une des grandes métropoles économiques
du Ghana, ainsi qu'un port florissant.*

tema

■ L'arrivée sur Tema est impressionnante, surtout si on emprunte l'autoroute Accra-Tema, plutôt que la route côtière : toute une immense frise de pylônes électriques, de grues et de hauts buildings se profile à l'horizon. Deuxième port du Ghana, après Sekondi-Takoradi, Tema est aussi une très grande ville industrielle qui doit beaucoup au barrage d'Akosombo. En effet, ce gigantesque ouvrage d'art, en fournissant un volume important d'énergie hydro-électrique, a joué — et joue toujours aujourd'hui — un rôle majeur dans l'industrialisation du Ghana, notamment à Tema.

Premier port d'exportation

Ainsi, bénéficiant d'une source d'énergie importante et à bon marché, toutes sortes d'industries lourdes et légères ont pu naître au Ghana, qui a préféré les rassembler en un seul endroit plutôt que les saupoudrer sur tout le territoire, ce qui aurait posé d'épineux problèmes d'acheminement des produits fabriqués par la route et renchéri d'autant leurs coûts. Surtout qu'une grande partie de ces entreprises travaillant pour la plupart à l'exportation devait être le plus près possible d'un port, leur permettant de bénéficier de la voie maritime, mode de transport le plus économique, pour évacuer des produits et matières premières dans le monde entier. Ainsi, dans les zones industrielles de l'hinterland du port de Tema se sont implantées, à la fois, des industries lourdes et des industries légères, qui font tellement défaut dans la plupart des pays du tiers-monde. Aussi pourra-t-on visiter à Tema une grande fonderie d'aluminium transformant la bauxite du Ghana, une cimenterie, une raffinerie de pétrole, de gros complexes agro-alimentaires (farine, conserverie de poisson, alimentation du bétail) mais aussi des usines chimiques, textiles ou alimentaires. Les plus grandes entreprises multinationales du monde sont représentées, aussi diverses que Nestlé, Air Liquide, Kaiser Aluminium ou Unilever. Simultanément, un port marchand nouveau et multi-fonctionnel s'est développé à Tema. Non seulement, il peut exporter, ou débarquer des marchandises en vrac (charbon, ciment, sucre, etc.) mais il est également équipé de moyens de manutention modernes pour traiter les marchandises diverses ou les conteneurs. C'est d'ailleurs un spectacle de choix que d'assister au déchargement d'un cargo européen ou asiatique et de voir grues et portiques plonger dans les cales pour en tirer des sacs de farine ou de sucre, des animaux vivants ou des ordinateurs, qu'ils poseront ensuite délicatement, par palettes ou par conteneurs, sur le plateau d'un camion, prêt à partir en brousse, au Ghana, mais aussi dans les pays environnants, comme le Burkina-Faso, le Togo ou la Côte d'Ivoire.

D'importants entrepôts ainsi que des chambres froides permettent de garder à l'ombre ou au frais des marchandises périssables : viande fraîche provenant des grands élevages du Nord-Ghana ou poissons, débarqués directement du port de pêche tout proche du port de commerce. Car Tema compte, en effet, deux ports de pêche dans l'enceinte de son immense complexe portuaire et industriel. L'un est affecté aux chalutiers et bateaux de pêche modernes. L'autre séduira davantage car il abrite des centaines de pirogues traditionnelles, effilées comme des fuseaux, peintes de motifs symboliques multicolores. On ne se lasse pas de les contempler lorsqu'elles traversent la barre dans un jaillissement d'écume !

Le monde de la GNPC

C'est aussi à Tema qu'est basée la GNPC aux activités fortement diversifiées : exploration de nouvelles nappes de pétrole, comme celle qui s'étend au large du cap Three Points près de Prince's Town, prise en compte récente du gaz naturel aussi bien pour produire de l'électricité que pour se servir de combustible à des appareils électro-ménagers, projets d'oléoducs concernant toute la sous-région. La GNPC représente un des pôles économiques du pays, tout en contribuant à freiner la dégradation de l'environnement due à l'utilisation du bois comme seule énergie domestique.

Des « communautés d'habitation »

Pour accueillir tout le personnel travaillant au port ou dans les innombrables entreprises de la zone industrielle, il a fallu également créer une ville nouvelle. Et pour cela, les autorités du Ghana ont vu large car il fallait surtout éviter d'être pris de court par un peuplement trop important et trop rapide, qui aurait abouti à l'entassement des habitants de Tema, à l'apparition de bidonvilles et au manque d'infrastructures de toutes sortes. Au contraire, Tema, aujourd'hui paraît même trop à l'aise dans ses larges espaces et son immense lacis de routes et autoroutes urbaines desservant plusieurs noyaux urbains plutôt qu'un unique centre-ville comme dans les villes d'autrefois. Ici, les urbanistes semblent, visiblement, s'être inspirés de Brasilia ou de Los Angeles, toutes proportions gardées. Plutôt que des quartiers contigus, ils ont défini et fait construire une dizaine de « communautés d'habitation », composées chacune de plusieurs unités de voisinage de 5 000 personnes environ. Des maisons particulières, des pavillons plurifamiliaux, des petits immeubles offrent différentes catégories de logements. Chaque communauté est équipée de magasins, d'écoles, de marchés, et pour le moment se trouve entourée de champs qui aèrent la ville et servent de réserve foncière. C'est d'ailleurs leur ceinture verte qui permet à l'observateur de situer facilement les quartiers d'habitation, distribués dans la région ouest de Tema. Ils sont bordés à l'est, sur toute leur longueur, par la zone industrielle qui vient aboutir au port.

Si, pour l'homme d'affaires, l'autoroute est préférable pour se rendre d'Accra à Tema, pour le touriste, la route côtière est de beaucoup la plus attrayante. Elle longe la mer depuis le château de Christianborg, passe devant les bâtiments de la Foire internationale et à travers le quartier populaire et animé d'Osu où une pancarte très colorée signale que des artisans y fabriquent les parasols et les divers insignes traditionnels des chefs et de leurs subordonnés.

En juillet, puis en août, peut-être le touriste aura-t-il la chance d'y assister aux fêtes d'Homowo. Il verra ainsi en situation ces objets de haute importance, portés par les hauts dignitaires traditionnels en habits de fête, où prédomine un rouge éclatant, couleur distinctive du clan Ga de cette localité.

Après Osu, la route côtière longe plusieurs étangs, parsemés de buissons. Sur le bord de la route, les poissons, pris au filet par des pêcheurs que l'on voit opérer de loin, sont vendus au fur et à mesure, tout frais, par les femmes et les enfants.

(Voir renseignements pratiques p. 169).

LA CUISINE GHANÉENNE

■ *La soupe à l'arachide : Acheter de la pâte d'arachide en pot, ou la piler grillée, après en avoir enlevé la peau, et l'écraser en rajoutant un peu d'eau. Faire cuire dans une marmite des oignons, des tomates, du bœuf ou du poulet coupés en petits morceaux avec de l'eau. Quand la viande est cuite, rajouter du concentré de tomates, épices, piments, pâte d'arachide et laisser mijoter une heure.*

Le fufu : Se fait soit avec de l'igname, soit avec de la banane plantain et du manioc, mélangés ou séparés. On coupe le légume en morceaux, on le fait cuire et on le passe comme une purée, sans liquide et on le forme en boule. Se mange avec une sauce dans laquelle on a fait cuire de la viande, du poisson ou du crabe avec des tomates, des aubergines, des piments et des oignons ou avec de la soupe à la noix palmiste.

La soupe à la noix palmiste : On fait cuire les noix palmistes dans de l'eau, on les pile, on mélange avec de l'eau froide et on filtre pour retirer la peau. Faire bouillir avec du piment, des tomates et des oignons. On mélange parfois cette soupe avec la soupe à l'arachide.

Le kenkey : On mélange de la farine de maïs avec un peu d'eau pour faire une pâte qu'on laisse fermenter pendant un jour ou deux. On roule cette pâte dans une feuille de banane qu'on attache et on plonge le tout dans l'eau bouillante pendant deux ou trois heures. Le kenkey se mange avec n'importe quelle sauce.

*Comme dans toute l'Afrique, les marchés
traditionnels au Ghana (par exemple ici, celui de Wa),
sont particulièrement hauts en couleurs et
constituent un des grands points d'attraction
pour le touriste de passage.*

tumu

■ Principale étape sur la route du nord, menant de Wa à Bolgatanga, Tumu — au cœur d'une région de savane — intéressera surtout le visiteur étranger pour son architecture typique. A la différence des « kraals » de la région de Bolgatanga (Upper East Region) — dont les maisons sont rondes et coiffées d'un chapeau de paille —, celles de Tumu sont rectangulaires et dotées d'un toit plat à terrasse.

Celles-ci sont d'abord disposées aux quatre coins de l'enclos, mais ce n'est pas systématique. Bientôt, elles auront complètement envahi le « Bonia », nom que la population Kaséna donne au « kraal ».

Il faut visiter l'un de ces bonias qui comprend, en son centre, un terre-plein où vient dormir le bétail. Il est entouré des cases d'habitation, groupées par trois ou quatre, de façon à former plusieurs « appartements » bien délimités par des murets que l'on franchit grâce à des marches de pierre ou à des troncs d'arbres, entaillés pour y poser le pied. Ainsi les animaux ne peuvent pas pénétrer dans les cours intérieures et ne risquent pas de salir leur sol impeccablement propre. Par un escalier analogue, les habitants grimpent sur les toits des habitations qui s'articulent souvent entre elles, à la manière des maisons orientales dont les terrasses communiquent. On y fait sécher les céréales, et quand il fait chaud toute la famille y dort.

Chez les Kaséna, la décoration des maisons est entièrement réservée aux femmes et celles-ci extraient des longues cosses d'un arbre de la région, le dadawa, un jus qui donne aux murs à la fois leur coloration brune et leur aspect lisse.

Parfois, dans l'une de ces cours intérieures, on remarque une demi-sphère émergeant du sol : il s'agit de la tombe de la plus vieille femme de la famille. Un puits vertical est d'abord creusé, puis à un mètre environ, en croix, une galerie horizontale dans laquelle le corps est glissé, appuyé sur le côté droit. Le puits seul est comblé et surmonté de la sphère revêtue du même enduit que le sol et qui se trouve exactement au-dessus du cœur de la défunte.

Dans les environs de Tumu, on visitera le Gbele Game Sanctuary, où vivent en complète liberté des singes, des buffles et des antilopes. En principe, la chasse y serait autorisée, mais il vaut mieux se renseigner avant de sortir le fusil au Tumu District Council.
(*Voir renseignements pratiques p. 169*).

wa

■ S'il n'a jamais eu l'occasion de rencontrer de chef traditionnel au Ghana — ou lors de précédents voyages en Afrique — le visiteur étranger doit profiter de son passage à Wa pour demander audience au Wa-Na. Particulièrement affable et hospitalier, Na-Momora Bondiri II reçoit ses visiteurs selon le protocole traditionnel, commun à tous les hauts dignitaires africains. A l'entrée du palais, construit dans le style des anciennes mosquées — avec ses tours en forme d'obus —, le chef du protocole vient vous chercher dans le vestibule, vous fait passer dans une cour, puis dans la petite salle d'audience où le Wa-Na est assis sur une simple chaise pliante, tandis que son entourage — plusieurs vieillards — se tient à ses pieds, sur des peaux de chèvre posées à même le sol. Lors des cérémonies officielles, le Wa-Na s'installe sur une peau de léopard recouvrant un gros pouf de cuir, avec un deuxième coussin sous les pieds, sur l'estrade dressée à cet effet dans la cour d'honneur. Et il arbore, à cette occasion, une somptueuse cape de soie blanche à revers rouge et une sorte de calot brodé d'or. Par déférence, due à son rang, aucun visiteur ne lui adresse directement la parole mais se sert d'un ou plusieurs interprètes qui vont transmettre les questions au Wa-Na, puis ses réponses à l'interlocuteur. On apprendra ainsi que cet ancien soldat de l'armée des Indes britanniques, qui a fait campagne en Birmanie lors de la Seconde Guerre mondiale (dans le corps médical), n'est pas investi d'un pouvoir héréditaire. Lorsque l'ancien chef est mort en 1978, il a été élu par le Conseil des anciens. D'ailleurs, en dépit des apparences, les chefs coutumiers n'ont guère la possibilité de devenir des despotes, les anciens étant toujours là pour exercer leur contrepouvoir. De plus, la mise en place d'une administration moderne dans tous les Etats africains après l'indépendance a sensiblement affaibli le pouvoir de ces monarques traditionnels. Ils ne peuvent plus lever d'impôts ni se constituer une armée personnelle mais seulement exercer les fonctions d'une sorte de juge de paix, intervenant dans des litiges familiaux (divorce, partage de biens, etc.) et non sur la délinquance.

Ainsi, le temps est révolu, où ces Walla — appartenant à l'ethnie Mamprusi — faisaient la guerre à leurs voisins, pour étendre leur territoire. Comme l'explique le Wa-Na, ses ancêtres — venus de l'est, après une querelle de succession entre deux frères — ont dû faire la guerre aux Lobi, pour pouvoir s'installer définitivement à Wa.

Les Lobi furent chassés vers l'ouest, tandis que les Dagarti se soumettaient aux nouveaux arrivants qui fondèrent la ville et achevèrent d'islamiser la population. Cette islamisation se remarque aisément, non seulement à cause des mosquées, mais parce que la plus importante fête de Wa, le Damba, commémore la naissance du Prophète.

De belles mosquées

Actuellement, quelques Lobi sont revenus à Wa et se sont plus ou moins mélangés avec les Dagarti. Ceux qui sont restés dans l'enclave comprise entre le Wala et la frontière du Burkina-Faso à l'ouest, dépendent de toutes façons du Wa-Na. Comme tant d'autres villes, Wa doit sa création à son emplacement sur le trajet des caravanes cheminant du nord du Sahel vers la côte. Depuis le XVIIe siècle, un marché s'y était formé et l'agglomération, peu à peu islamisée par ses clients du nord, devint célèbre pour ses mosquées, les plus réputées du Nord-Ghana. Il en reste encore deux dont la plus grande est plus ou moins prolongée par un passage voûté qui ménage au crépuscule de jolis effets de lumière. Leur architecture de fortin est la même que celle de toutes les mosquées de la région, notamment celles de Larabanga (voir notice).

La région est beaucoup moins peuplée que le nord-est du pays, en dépit de conditions climatiques équivalentes et d'un sol aussi fertile : elle le doit en partie au « cyclone » Samory, qui, entre 1880 et 1890, ravagea le nord de la Côte d'Ivoire et vint jusqu'ici, parce que les Français lui donnaient la chasse et parce qu'il espérait s'y ravitailler en esclaves.

Il se heurta dans la région à une forte résistance et détruisit les mosquées les plus belles.

Dans la poche Lobi, à présent, ce n'est plus Samory qui menace la vie des habitants, mais la sécheresse et le ver de Guinée infestant les mares d'eau croupie. Heureusement, un important programme d'équipement en puits a été réalisé ces dernières années, ce qui a fait considérablement reculer la maladie dans l'Upper-West Region. Les plantations refleurissent. On le constate dans la ville qui possède de beaux jardins et où certains réussissent à faire pousser tous les légumes, y compris des espèces occidentales.
(*Voir renseignements pratiques p. 169*).

wenchi

yeji

■ La petite agglomération de Wenchi, dans la Brong-Ahafo Region, doit son existence aux anciennes caravanes venues du nord, mais aujourd'hui, elle attire surtout les passionnés d'archéologie, qui viennent visiter Begho, près de Hani, un des sites les plus importants mis au jour dans la région. Il est accessible par une piste qui part sur la gauche de la route reliant Sampa à Wenchi, comme celle de Kokua, petit village un peu plus à l'ouest, à une dizaine de kilomètres de Sampa.

Kokua intrigue les scientifiques par son intéressant mélange de population et par sa fabrication de fuseaux, terminés par des sphères d'argile, striées, avec une plume, de lignes rouges, blanches et jaunes. Bien que toute la région soit habitée par des potiers, c'est au marché qui se tient à Kokua, le jeudi, qu'afflue une clientèle venant de très loin pour acheter ces fuseaux. Pourquoi cette préférence, alors qu'on peut se les procurer ailleurs ? L'explication est peut-être apportée par les archéologues.

A Begho, les fouilles ont permis de découvrir des fuseaux ressemblant étonnamment à ceux fabriqués à Kokua, à quelques kilomètres. Cela implique une probable continuité entre les potiers modernes et ceux de l'Age du Fer.

Autour de Begho, deux autres villages anciens ont été mis au jour. Des os d'animaux domestiques y ont été retrouvés, ainsi que quelques statuettes d'argile. La datation au carbone a permis de situer aux alentours de 1500 av. J.-C. l'existence de ces villages. Étudié par les archéologues, le site de Begho a déjà livré une foule de renseignements. On connaît notamment les raisons pour lesquelles il fut depuis longtemps habité : emplacement à l'orée de la forêt sur la route du Niger, près d'un coude de la Volta, abondance du gibier, terre fertile, ressources en or et en noix de kola recherchées par les caravaniers.

A Begho, on a tenté de retracer, à partir des objets, de l'étude des sols, des traditions orales et des langues parlées actuellement, une histoire cohérente des différents villages de la région, depuis leur création jusqu'à nos jours. On y constate une concordance entre la localisation du site, à la limite de la zone d'influence islamique, c'est-à-dire là où s'arrêtaient les caravaniers du nord et la situation linguistique observée actuellement à Hani. Dans la ville même on parle le brong, dialecte Akan du sud, alors que tout de suite au nord, prédominent les langues issues de celles que parlaient les commerçants Mande d'autrefois.

(Voir renseignements pratiques p. 169).

■ La petite localité de Yeji, au bord du lac Volta, a perdu beaucoup de son importance depuis que le grand axe routier nord-sud, menant de Kumasi au Burkina-Faso, a été aménagé. Une très bonne route goudronnée permet de filer bon train sur Tamale, sans passer par Yeji dont on évite désormais... le bac ! Ouf ! diront les voyageurs pressés, tandis que les autres auront tout le loisir d'emprunter l'ancien itinéraire Kumasi-Tamale, via Yeji, où les attend — où ils attendront, plutôt — l'inénarrable bac de la Volta, toujours égal à lui-même, poussif et capricieux. Il faut compter de longues heures entre deux rotations et s'attendre à rebrousser chemin à la nuit tombante, car le bac s'arrête jusqu'au lendemain matin. Mais tous ces aléas donnent du piment au voyage et ne font pas regretter le détour, si l'on a la chance — quand même — de prendre le bac, sans une trop longue attente, et d'explorer l'autre rive du lac : Salaga, Bimbila et Yendi (voir notice).

Avant la création du lac Volta, on venait de toutes parts en pèlerinage à Kete et à Krachi, deux villages qui étaient autrefois séparés et où le dieu Dente était vénéré. Ils étaient alors construits au-dessus des rapides qui coupaient le cours de la Volta. Mais avec le nouveau barrage d'Akosombo et la création d'un gigantesque lac de retenue, les deux villes étant condamnées par la montée des eaux du lac Volta, leur population a été transférée près du village de Kantajuri, dans une ville nouvelle : c'est le moderne Kete-Krachi, qui possède un port sur le lac et que l'on atteint maintenant de préférence par le bateau reliant Akosombo à Yeji et Buipe.

A Kete-Krachi, comme à Yeji, on trouvera de nombreuses possibilités d'organiser des parties de pêche avec les gens du cru, qui vous loueront leurs pirogues et vous emmèneront vers les meilleurs lieux de pêche. Vous pourrez également vous rendre en pirogue de l'autre côté de Kete-Krachi, sur la berge occidentale du lac Volta où s'étend le Digya National Park (3 120 km²). Pas encore aménagé pour le tourisme, ce parc est quand même très intéressant par la grande variété des espèces, appartenant à la faune des savanes, qu'il abrite. Sous la conduite d'un guide, on verra des antilopes, des singes, des phacochères et peut-être des lions et des éléphants.

De Yeji, en descendant vers Kumasi, on traverse la Brong-Ahafo Region (Atebubu), puis on entre dans l'Ashanti Region. Peu avant Kumasi, Kampong est implantée sur un escarpement qui réserve

*Avec un art consommé, les bâtisseurs des « kraals »,
demeures traditionnelles du Nord-Ghana,
en ont décoré les murs
de motifs géométriques et de représentations stylisées
d'animaux de la brousse africaine.*

yendi

au promeneur de belles vues panoramiques, au cœur d'une région de plantations de café, de cacao et de tabac.

Plus au sud, près de la route menant à Kumasi, des petits villages abritent des « maisons à fétiches » qu'il est curieux de visiter.

Pour se rendre à Kenyasi, où se trouve l'un de ces temples traditionnels, il faut aller jusqu'à Abuaso et tourner à gauche sur une piste qui traverse plusieurs villages enfouis sous la verdure avant d'arriver à une piste perpendiculaire à celle-ci. A droite se trouve Kenyasi et à gauche Abirim, lui aussi abritant un temple.

A Kenyasi, dans la rue principale, quelques cases portent encore les traces de dessins originaux. Le temple n'est plus utilisé depuis que le prêtre est mort. Le bâtiment consacré à l'autel a une façade recouverte de motifs symboliques en relief, tous différents. Les six panneaux qui surmontent la porte en bois représentent notamment une roue, signe solaire. Naguère cette maison possédait le seul exemple restant de volets traditionnels en bois sculpté. Ils ont hélas disparu avant les mesures qui, dorénavant, protègent ces monuments. Mais des témoins attestent encore de leur merveilleux travail, représentant des oiseaux et un feuillage d'un caractère presque byzantin.

A Abirim, un écriteau des Monuments historiques désigne le temple traditionnel. Il est autorisé de photographier la cour et les murs de ce sanctuaire, mais pas l'intérieur de l'autel. La façade du bâtiment consacré à celui-ci est faite aux deux tiers de claustra, de chaque côté de l'entrée. Là aussi ils sont recouverts, comme le bandeau supérieur, de sculptures en relief. A gauche, derrière une porte en bois noir à panneaux, un escalier conduit à une pièce basse destinée au repos du prêtre. Devant cette porte, un stick de bois fiché en terre a la même signification que les cierges dans les églises catholiques. La pièce du haut est éclairée et aérée par une colonnade d'une trentaine de centimètres, finement ouvragée.

Dans les environs de ces deux villages, deux autres temples similaires sont aussi visibles à Saaman et Bosore. Le premier mérite plus particulièrement l'attention : il est encore à peu près intact et ses motifs sculptés sont d'une variété intéressante, par exemple le symbole inhabituel en forme de branche enroulée en spirale que l'on voit en partie basse sur les murs de l'autel. De chaque côté de la porte extérieure, des panneaux représentent des figure stylisées de prêtres, les bras levés et tenant un mousquet.
(*Voir renseignements pratiques p. 169*).

■ A l'écart du grand axe routier sud-nord, Yendi, proche de la frontière togolaise et capitale historique des Dagomba, est accessible depuis Tamale, chef-lieu de la Northern Region.

Le développement de Yendi commença au XVIIᵉ siècle, quand les Dagomba abandonnèrent à son profit leur ancienne capitale Diari, à la suite de leur démêlés avec leurs voisins Gonja. Ils avaient probablement la même origine que les Mamprusi, plus au nord, et leurs ancêtres communs arrivèrent des alentours du lac Tchad vers le XIIIᵉ siècle.

Yendi devint une halte très fréquentée par les caravaniers venant du Dahomey (actuel Bénin), du Togo et du Nigeria et se dirigeant vers Salaga, Kete ou Kintampo.

L'audience du chef

Evidemment, la croissance de Tamale a fait décroître la richesse de Yendi. Mais la ville est toujours la résidence du paramount chief des Dagomba (obtenir une audience de celui-ci est possible à condition de la demander à l'avance à son secrétaire et de savoir que le protocole interdit les visites jusqu'à 16 heures).

Cependant, à l'extérieur de la résidence proprement dite du chef, qui comprend un ensemble de plusieurs cases, sur la place qu'entourent les habitations de ses femmes, un auvent abrite le siège où deux fois par semaine, ce haut dignitaire reçoit l'hommage des chefs dépendant de son autorité et confère avec eux des affaires locales. Il écoute également les doléances présentées par les simples particuliers et règle souvent sur-le-champ les petits différends.

Le touriste, de passage pendant ces séances de plein air, trouvera là une excellente occasion de comprendre la vie quotidienne de la région.

Yendi présente également l'intérêt de se trouver au carrefour de trois itinéraires intéressants : celui conduisant vers l'escarpement de Gambaga, au nord, celui menant vers le Togo, à l'est, par le bac qui traverse l'Oti et Zabzugu ; enfin la route descendant plein sud vers Bimbila, et Kpandae, puis, après passage du bac de Dambai sur le lac Volta, continuant sur Jasikan, Hohoe, Ho et la côte. (*Voir renseignements pratiques p. 169*).

zebilla

■ Toute la région du Nord-Ghana (Upper West et Upper East Regions) est réputée pour la beauté de ses maisons de terre traditionnelles auxquelles on a donné le nom de « kraals », emprunté aux maisons du même type, en Afrique du Sud.

On voit beaucoup de ces habitations en banco, décorées de fresques aux motifs géométriques, aussi bien autour de Wa, au nord-ouest, que sur la route de Tumu à Bakwu, via Navrongo et Bolgatanga. Bien qu'on ait l'embarras du choix, on ira visiter, de préférence, les « kraals » de Zebilla ou d'Amkwalaga (entre Bolgatanga et Bawku) car ces villages offrent plusieurs curiosités supplémentaires.

Une bonne route goudronnée, puis une piste de terre très roulante mènent de Bolgatanga à Zebilla (45 km à l'est), traversant un paysage très riant pendant la saison des pluies, où les paysans font pousser le mil et où les pasteurs trouvent de grands pâturages pour leurs troupeaux de chèvres et de bovins. A Zebilla, la case du chef, près de la route, à la sortie de l'agglomération, ne paie pas de mine, vue de l'extérieur. Mais à l'intérieur, les nombreuses cases rondes, bâties avec de la terre rouge de latérite, sont couvertes de fresques dont les motifs sont parfois des triangles ou des losanges, parfois des animaux très stylisés, particulièrement décoratifs et tracés avec de la peinture noire. Occupé par une famille très hospitalière — celle du chef Symon Apidogo Akparihilla —, ce « kraal » abrite aussi bien les épouses de l'ancien chef que celles du nouveau chef et de ses frères. Chacune dispose d'une case ronde lui servant d'appartement, parfois d'un grenier et d'un « coin cuisine », cernés par un mur ménageant ainsi une cour intérieure. Cette dernière est d'ailleurs compartimentée par de petits murets, qui empêchent la volaille et quelques chèvres d'aller errer dans les autres cours ou de pénétrer dans les cases d'habitation. Au fil des temps, la famille s'agrandissant, on ajoute de nouvelles cellules d'habitation (cases et courettes) à ce conglomérat, qui évoque parfois les rayons d'une ruche. Ainsi les jeunes ménages, souvent polygames, construisent leurs cases et leurs courettes murées à la périphérie du noyau central de cet ensemble d'habitations semi-collectif, occupé par les plus vieux.

L'enclos familial du chef de Zebilla n'est pas seulement intéressant par ses décorations ou par son aménagement intérieur typique, mais aussi par ses multiples fonctions. On y dort et on y mange, on y entrepose des vivres dans les greniers et on y garde de petits animaux dans les basses-cours ou dans de petits corrals. Mais on y fabrique également de la poterie et on y brasse le mil. Cette dernière activité est particulièrement pittoresque et est essentiellement pratiquée par les femmes. Dans une des cours, d'immenses jarres, mises au feu, bouillonnent et débordent, tandis qu'une vieille femme brasse le liquide épais et rougeâtre avec une grande spatule de bois. C'est l'avant-dernière phase d'un long processus de fabrication de la bière de mil (« kpaya ») qui s'étend sur plusieurs jours. Il commence par la récolte du mil qui est étendu sur une aire et mouillé, pour le faire fermenter, puis séché et égrené avant d'être jeté dans de grandes jarres pleines d'eau bouillante, où il va cuire deux jours. Ce liquide sera ensuite filtré, afin d'en faire partir la lie de mil, et alcoolisé par adjonction d'une levure. Particulièrement périssable, le « kpaya » doit être bu dans les quarante-huit heures, sinon il devient amer et imbuvable. Aussi, le chef de Zebilla, dont la production de bière excède largement la consommation familiale, fournit-il tous les marchés de la région, à partir d'un mini-entrepôt, proche du « kraal », qui fait également office de bar.

Une bonne calebasse de « kpaya »

Un lieu particulièrement sympathique, où les voyageurs descendus des taxis-brousse à Zebilla viennent faire une pause avant de repartir, le temps de boire une bonne calebasse de « kpaya » qui, selon le chef, est excellent pour les reins ou pour lutter contre les mauvaises fièvres.

Un peu plus loin vers Bawku, Amkwalaga jouit, comme Tongo, au sud de Bolgatanga (voir notice), d'un renom particulier : ses dieux locaux sont consultés par des pèlerins venus de toute la région en cas de sécheresse ou d'une quelconque calamité.

Comme ceux de Zebilla, les « kraals » de ce village méritent une visite pour leur belle décoration murale et leur parfaite organisation intérieure.

Les formes incurvées des murets de séparation et leur enchaînement élégant, celles des lits de repos, la propreté impeccable des aires réservées à l'habitation, l'ingéniosité de cette population qui fait de l'architecture et de l'urbanisme sans le savoir, tout cela, conjugué à l'accueil qu'il reçoit partout, enchante le visiteur. (*Voir renseignements pratiques p. 169*).

renseignements
pratiques

Accra

SITUATION ET ACCÈS : 165 km (bitumés) pour Ho : 85 km (en partie bitumés) pour Koforidua ; 270 km (en partie bitumés) pour Kumasi : 640 km (bitumés) pour Tamale ; 810 km pour Bolgatanga ; 400 km pour Sunyani par Kumasi ; 144 km (bitumés) pour Cape Coast ; 218 km (bitumés) pour Sekondi. 29 km autoroute pour Tema.

TRANSPORTS AÉRIENS : Aéroport international de Kotoka à la sortie nord-est de la ville, tél. 77.73.20. Liaison par 9 compagnies aériennes avec l'Europe, l'Amérique et les autres capitales africaines. Liaisons aériennes intérieures par la Ghana Airways. Nkrumah Avenue, tél. 77.32.21 ; avec Kumasi, Tamale, Sunyani.

TRANSPORTS ROUTIERS : Autocars de la State Transport Corporation, POB 7384 (Ring Road West), pour toutes les capitales de région et de nombreuses autres villes secondaires ; de l'Omnibus Services Authority et de la City Express Services.

CHEMIN DE FER : Ligne Accra-Kumasi, par Koforidua, New Tafo, Asuboni, Konongo et Accra-Sekondi par Huni Valley, avec embranchements pour Oda et Kade. Gare en bas de Kwame Nkrumah Avenue, en face de Kinbu Road.

RENSEIGNEMENTS : Ministère de la Communication, tél. 22.80.11 ; Ghana Tourist Board, POB 3106 Tesano, tél. 22.21.53, fax 66.23.75 ; ministère du Tourisme, tél. 66.63.14 ; Wildlife Department, POB M 238, tél. 66.64.76 ou 66.61.29.

HÉBERGEMENT : Voir la liste d'hôtels en fin de volume et le spécial voyage d'affaires.

RESTAURATION : *Cuisine ghanéenne* : *Afrikiko Restaurant*, à côté de l'ambassade de France. Liberation Road, tél. 22.99.97. — *Cocobeach Restaurant* à Teschie Nungua. — *Edvy Restaurant*. — *Providence Catering*, près de Dankwa Circle. — *Kingu Garden* à Kinbu. — *Country Kitchen* dans Ringway Estate. — *Home Touch*, sur la route conduisant au camp de Burma, près de l'aéroport.
Cuisine chinoise : *China House*, Osu. — *Panda*, Osu. — *Le Régal*, Cantonments Road, Labone. — *Hinlone*. — *Dynasty*, Osu. — *Mandarin*, Ring Road East. — *Pearl of the East*, près de Cantonments Road. — *Shila* (coréen), Ring Road East.
Cuisine indienne : *Haveli* à Osu.
Cuisine européenne : *Le Novotel* (cuisine française). — *Marie-Lou*, Cantonments Road. — *Shangri-La* (excellentes pizzas à emporter), restaurant de l'hôtel du même nom. — *Annabelle*. — *Le Bouquet*. — *Club 400*, Jones Road, près de Castle Road, dans Adabraka.
Cuisine italienne : *Bella Napoli*. — *Le Ritz*, Graphic Road.
Fast food : *Kikiriki Fried Chicken* à Osu. — *Cornet* sur Ring Road à l'emplacement de l'ancien théâtre Apollo. — *Paloma*, à l'écart de Ring Road. — *Papaye Fast Food* à Osu à côté de la boutique de Joyce Abadio. — *Dolly's* dans la même rue.

DISTRACTIONS ET SPECTACLES : *Night clubs* : *Appolo Theatre*, Ring Road Central, près de Kwame Nkrumah Circle. — *Blow up*, dans la même zone. — *Tip Toe Gardens*, près de New Town Road. — *Le rêve*, à Kwame Nkrumah Circle. — *Le Must*, dans le building Caprice sur Nsawam Road. — *Red Onion et Balm Tavern* à Kaneshie. — *Stallion*, près de Dankwa Circle. — *Fine Style* sur Ring Road. — *La Cave du Roi*, à Osu.
Cinémas : *Orion*, au Kwame Nkrumah Circle. — *Le Globe*, Adjaben Road. — *Le Go-Bliss*. — *Le Roxy*, près de Kingsway Stores sur Kwame Nkrumah Avenue. — *Le Ghana Films and Industry corporation*, près de Captain Sankara Circle. — *Opera*, Pagan Road. — *Rex*, derrière Parliament House.
Casinos : Au *Golden Tulip*.
Représentations théâtrales : *National Theatre* ; *Centre for National Culture*, Hall de l'Université de Legon.

POSTES : Poste centrale, Kwame Nkrumah Avenue.

LOCATION DE VOITURES : Grands hôtels. *Avis*, POB 7914, fax 22.61.88. — *Hertz*, POB 151.19, fax 77.50.09. — *Budget Cart Rental*, POB 082, fax 66.72.26.

AGENCES DE VOYAGES : *Akuaba Tourist & Travel Agency*, Republic House annex, Kwame Nkrumah Avenue, tél. 22.80.20. — *Pan African Sun Tours*, Republic House, Kwame Nkrumah Avenue, tél. 22.80.73, fax 23.21.91, télex 2349. — *Universal Travel & Tourist Services*, Republic House, tél. 66.72.95. *Silicon Travel*, POB 11 489, tél. et fax 22.55.00.

MUSÉES ET DOCUMENTATION CULTURELLE : *National Museum* ouvert du mardi au vendredi de 8 h à 18 h, sam. et dim. de 9 h 30 à 17 h 30, Barnes Road ; *Musée archéologique de l'Université de Legon* ; *Centre for National Culture*, 28 February Road ; *Librairie de l'Université de Legon*. — *Omanye House Artists Alliance Gallery* à Nungua.

BANQUES : Voir chapitre « Spécial voyage d'affaires ».

SPORTS : Achimota golf club. — Kaneshie sports complex. — Labadi pleasure beach. — Polo ground. — Tesano sports club. — Sports stadium. — El-Wak stadium. — Nicholson stadium. — Pippa' health centre.

Aburi

SITUATION ET ACCÈS : Jardin botanique et village de l'Eastern Region, à 38 km au N. d'Accra, par une excellente route bitumée. A 45 km au S. de Koforidua et à 66 km au S.O. du barrage d'Akosombo.

Pages précédentes :
Certains anciens forts de la Côte
sont occupés par des familles ghanéennes, et
il n'est pas rare que le visiteur étranger
croise dans la cour une ménagère absorbée
par les tâches quotidiennes.

HÉBERGEMENT : *May Lodge*, près du jardin botanique d'Aburi, bar-restaurant (POB 25 à Aburi). — *Peduase Lodge* (guest-house du gouvernement).

RESTAURATION : Restaurants dans le jardin botanique et au *May Lodge*.

DIVERS : Boutique d'artisanat à l'intérieur du jardin botanique. Sculpteurs sur bois à l'entrée d'Aburi.

Ada

SITUATION ET ACCÈS : Au bord du golfe de Guinée, dans la Volta Region à 114 km à l'Est d'Accra par route goudronnée ; 78 km à l'O. d'Aflao, par route goudronnée ; 38 km du pont de Sogakofé par route goudronnée. Autocars pour Accra et « mammy trucks ».

HÉBERGEMENT : *Paradise Beach Resort.* — *Ada Hotel*, tél. 22.66.93.

Akosombo

SITUATION ET ACCÈS : Eastern Region, au S. du lac Volta, à 104 km au N. d'Accra, par route goudronnée ; 80 km à l'O. de Ho, par route goudronnée ; 82 km à l'E. de Koforidua par route goudronnée. Autocars pour ces trois villes. Bateau faisant l'aller et retour pour Kete-Krachi tous les lundis. Un aller par semaine en bateau jusqu'à Buipe à l'extrémité nord du lac.

HÉBERGEMENT ET RESTAURATION : *Volta Hotel****, POB 25, tél. 66.26.39, 40 ch., s. de b., clim., tél., service ch., restaurant, bar. — *Lakeside Motel*, entre Atimpoku et Kpong.

Banque. Poste. Station d'essence.

Amedzofé

SITUATION ET ACCÈS : Entre le lac Volta et la frontière du Togo, dans la Volta Region ; à 60 km au N. de Ho par piste. Des « mammy trucks » conduisent de Ho à Amedzofé.

HÉBERGEMENT : *Rest-house*, 5 chambres à 2 lits, s. de b., divisées en 3 chalets, salon dans chaque chalet, cuisine équipée, pas de restaurant.

Axim

SITUATION ET ACCÈS : Sur la côte du golfe de Guinée, dans la Western Region, à 296 km à l'O. d'Accra par une route goudronnée, passant par Takoradi-Sekondi et par Cape Coast ; 75 km de Sekondi et 131 km de Cape Coast.

Les autocars de la State Transport relient Sekondi à Half Assini en passant par Axim.

HÉBERGEMENT ET RESTAURATION : *Ankobra Beach Hotel.* — *Frankfaus Guest-House.*

Poste.

Bawku

SITUATION ET ACCÈS : Village de l'Upper East Region, 56 km de piste accessible à tous les véhicules de Nakpanduri au S. ; 83 km de Bolgatanga à l'O., dont environ les deux tiers sur piste. Ligne circulaire de la State Transport partant de Tamale, Gambaga, Bawku, Bolgatanga et retournant à Tamale par Wa et Damongo.

HÉBERGEMENT ET RESTAURATION : Néant. Le plus proche restaurant est à Bolgatanga. Resthouses à Nakpanduri et à Gambaga.

Poste. Station d'essence.

Bolgatanga

SITUATION ET ACCÈS : Chef-lieu de l'Upper-East Region à 810 km au N. d'Accra et 170 km au N. de Tamale par route goudronnée ; 83 km à l'O. de Bawku dont les deux tiers en piste ; 384 km à l'E. de Wa, par Tumu, sur piste sans difficultés. Autocars de la State Transport pour Tamale, Accra, Bawku, Navrongo, Tumu, Wa, Damongo. « Mammy trucks ».

HÉBERGEMENT ET RESTAURATION : *Black Star Hotel*, POB 40, tél. 23.46, 22 ch., dancing, tennis, restaurant, bar. — *Catering Rest-House*, POB 50, tél. 23.99, 24 ch., rest., bar, night-club. Et aussi : *Sand Gardens* (22 ch.), *Royal Hotel* (22 ch.), *Oasis* (11 ch.), *Bolco Hotel, Bazar Hotel, Central Hotel, Saint-Joseph Hotel.*

Poste. Banque. Station d'essence. Marché.

Lac Bosumtwi

NOM : « Dieu Twi ».

SITUATION ET ACCÈS : Au cœur de l'Ashanti Region, à 29 km au S.E. de Kumasi par la route goudronnée et par une piste de terre, à 60 km environ au N.E. d'Obuasi par la route et la piste. Location de taxis à Kumasi ou utilisation des « mammy trucks ».

HÉBERGEMENT ET RESTAURATION : *Rest-House* au-dessus du lac, 4 chambres confortables (mais il est nécessaire d'emporter des provisions de bouche qui ne nécessitent pas d'être cuisinées). Pas de possibilité d'hébergement dans l'ancien hôtel près du lac, à demi abandonné. Petit hôtel *Kyekyeku*, à Kokofu, petit village à 15/20 km du lac Bosumtwi, sur la route de Bekwai.

Busua

SITUATION ET ACCÈS : Au bord du golfe de Guinée dans la Western Region, à 32 km à l'O. de Takoradi, par une bonne route goudronnée et à 50 km à l'E. d'Axim par une route également goudronnée, 259 km à l'O. de la capitale Accra, par une bonne route goudronnée. Autocars de la State Transport pour Axim et Half Assini d'un côté, Takoradi de l'autre.

HÉBERGEMENT ET RESTAURATION : *Busua Pleasure Beach Resort*** qui vient d'être restauré, POB 80, tél. 21.210, 32 ch. — *Resthouse* dans le château de Dixcove, 4 ch., s. de b. séparée, poss. de se préparer les repas.

Station d'essence. Poste à Dixcove.

Cape Coast

SITUATION ET ACCÈS : Chef-lieu de la Central Region, au bord de la mer, à 144 km à l'O. d'Accra ; 13 km à l'E. d'Elmina ; 74 km à l'E. de Sekondi ; 221 km au S. de Kumasi par route goudronnée. Autocars de la State Transport pour Accra, Elmina, Sekondi, Takoradi, Busua, Axim, Half Assini et Kumasi. Location de taxis de ville pour les environs, Elmina par exemple.

HÉBERGEMENT ET RESTAURATION : *Biriwa Beach***, tél. 33.111, fax 33.166, 11 ch. — *Sanaa Lodge***, tél. 32.570, 12 ch. — *Hans Cottage*, tél. 33.621, 11 ch. — *Oguaa* (ex-Catering Rest-House), tél. 32.594, 9 ch. — *Obatanpa*, Mankesim post-office et plusieurs petits hôtels en projet.
Restauration : dans les différents hôtels, en particulier le *Biriwa Beach*, spécialités de poissons.

Banque. Poste. Station d'essence. Magasins d'alimentation. Musée dans le château. Université.

Elmina

SITUATION ET ACCÈS : Au bord de la mer, dans la Central Region, à 157 km à l'O. d'Accra par route goudronnée ; 13 km à l'O. de Cape Coast ; 136 km à l'E. d'Axim et 61 km à l'E. de Sekondi-Takoradi. Cars de la State Transport pour Accra, Cape Coast. « Mammy trucks ».

HÉBERGEMENT ET RESTAURATION : *Coconut Grove Beach Resort*, tél. 33.637, fax 33.647, 30 ch. — *Oyster Bay Hotel*, 35 bungalows,

bar, piscine, restaurant, plage, POB 227, tél. 3605. — *Harmony Beach*, 17 ch.

TOUR OPERATEUR : *Geocarthy Tour*.

Gambaga

SITUATION ET ACCÈS : Au N.E. du Ghana, à la limite de la Northern Region et de l'Upper-East Region. L'escarpement comprend essentiellement 2 agglomérations : Gambaga et Nakpanduri. Gambaga est à 93 km au S.E. de Bolgatanga, par Walewale et à 82 km au S. de Bawku. Nakpanduri est à 32 km à l'E. de Gambaga, 266 km au N.E. de Tamale par Yendi et à 56 km au S. de Bawku par la piste. Cars de la State Transport pour toutes ces destinations.

HÉBERGEMENT ET RESTAURATION : *Rest-House* modeste à Gambaga. — *Rest-House* à Nakpanduri, 4 ch. à 2 lits.

Ho

SITUATION ET ACCÈS : Capitale de la Volta Region, à 165 km au N.E. d'Accra par route goudronnée ; à 80 km au N.E. d'Akosombo par route goudronnée ; à 106 km au N.O. d'Aflao, à la frontière togolaise ; à 70 km au S. de Kpandu. Autocars de la State Transport pour Accra, Aflao, Hohoe et Jasikan, et pour Kpandu. « Mammy trucks » pour assurer les correspondances ou taxis de ville pour Akosombo.

HÉBERGEMENT ET RESTAURATION : Nombreux hôtels (8), que l'on verra dans la liste des hôtels en fin d'ouvrage.

Banque. Poste. Station d'essence.

Keta

SITUATION ET ACCÈS : Volta Region, au bord du golfe de Guinée, à 213 km à l'E. d'Accra par Sogakofé, 38 km à l'O. d'Aflao, 40 km à l'E. d'Ada. Autocar de la State Transport depuis Accra et Ho.

HÉBERGEMENT ET RESTAURATION : Petits hôtels à Denu et à Aflao, à la frontière du Togo (voir la liste des hôtels en fin d'ouvrage).

Poste. Station d'essence.

Kibi

SITUATION ET ACCÈS : Eastern Region, à 93 km au nord d'Accra ; 86 km au S.E. de Mpraeso et

59 km à l'ouest de Koforidua. Autocar de la State Transport pour Accra.

HÉBERGEMENT ET RESTAURATION : *Rest-House* sans confort ni restaurant ; nombreux hôtels à Koforidua et Nkawkaw (voir liste en fin d'ouvrage).

Poste. Station d'essence.

Kintampo

SITUATION ET ACCÈS : Au centre de la Brong-Ahafo Region, à 475 km au N.O. d'Accra et à 208 km au N. de Kumasi, par une bonne route goudronnée, à 180 km au S.O. de Tamale, par une nouvelle route goudronnée. Autocars de la State Transport de Kumasi à Techiman, puis « mammy trucks ».

HÉBERGEMENT ET RESTAURATION : *Kintempo Guest-House*, 4 ch. — Petits hôtels à Techiman, à 60 km au S. de Kintampo.

Poste. Station d'essence.

Koforidua

SITUATION ET ACCÈS : Capitale de l'Eastern Region, à 85 km au N. d'Accra par route goudronnée (en réfection), 194 km à l'E. de Kumasi par une route goudronnée ; 82 km à l'O. d'Akosombo ; 19 km de Boti Falls par route goudronnée et piste. Cars de la State Transport pour Accra, Kumasi, plus « mammy trucks ». Chemin de fer pour Accra et Kumasi.

HÉBERGEMENT ET RESTAURATION : *St James***, tél. 231.65, 28 ch. — *Eredec**, tél. 232.34, 40 ch. — *Partners May**, tél. 23.18, 11 ch. — *Oyinka Guest-House*, tél. 23.75, 10 ch. et plusieurs autres petits hôtels.

Poste. Banques. Station d'essence.

Kumasi

SITUATION ET ACCÈS : Chef-lieu de l'Ashanti Region, à 270 km au N.O. d'Accra, par route goudronnée ; à 194 km au N.O. de Koforidua, par route goudronnée ; à 370 km au S. de Tamale, via Techiman et Kintampo, par route goudronnée et à 130 km au S.E. de Sunyani, par route goudronnée. Autocars de la State Transport pour Accra, pour Tamale, puis Bolgatanga et les villes du nord, pour Wa, par Wenchi, pour Sunyani et Berekum, pour Mim, pour Cape Coast. « Mammy trucks » pour tous les villages environnants et petites villes.
Lignes aériennes pour Accra, Tamale.

Train pour Accra et pour Sekondi par Obuasi et Tarkwa.

HÉBERGEMENT ET RESTAURATION : Très nombreux hôtels de toutes catégories (voir la liste des hôtels en fin d'ouvrage).
Adehyeman, restaurant de plein air à des prix modérés, cuisine ghanéenne. — *African Child*. — *Royal Gardens*, cuisine chinoise. — *Joyful Chinese*, nouveau restaurant de cuisine chinoise, comme le *Chopsticks*, à prix modéré. — *Jofel*, cuisine continentale et ghanéenne, très bon marché. — *Topaz*, à Nhyiaeso, cuisine indienne. — *Atlanta, Channel 3 and 4 Ventures*, cuisine ghanéenne. Night-clubs : *Dimlite*. — *Nsadwase (City Hotel)*. — *Hedonist*. — *The Sphinx*. — *Star Nite*.

A VOIR : Musée dans le fort de la ville. Centre culturel. Zoo. Musée dans le *Manhyia Palace*.

SPORTS : A la sortie de la ville : Université avec piscine, club hippique, terrains de sports, ping-pong. Ghana Social Club : golf. Mess des officiers : tennis, squash, ping-pong, billard.

Banques. Magasins. Poste. Stations d'essence.

Larabanga

SITUATION ET ACCÈS : Dans la Northern Region, près du Mole National Park, à 140 km à l'O. de Tamale, 174 km au S.E. de Wa et 450 km au N. de Kumasi, par la piste et la route goudronnée.

HÉBERGEMENT ET RESTAURATION : *Campement-hôtel* dans le Mole National Park.

Mole National Park

SITUATION ET ACCÈS : Northern Region, à 380 km au N. de Kumasi, par Techiman et Kintampo (route et piste), à 174 km au S. de Wa, 130 km à l'O. de Tamale. Autocar de la State Transport jusqu'à Damongo. A l'intérieur du parc, location d'une land-rover au motel.

HÉBERGEMENT ET RESTAURATION : *Mole Motel*, tél. 07.12-25.63 (réservation à Accra au Department of Game and Wildlife, à Kumasi au zoo), 35 chambres à 2 lits, avec ou sans clim., s. de b., restaurant, bar. Gardes pour visites dans le parc.

Mpraeso

SITUATION ET ACCÈS : Eastern Region, à 180 km au N. d'Accra ; 112 km à l'E. de Kumasi, par une bonne route goudronnée ; 98 km à l'O. de Koforidua.

Cars de la State Transport Accra-Kumasi à Nkawkaw (8 km). « Mammy truck » ou taxi de ville depuis Nkawkaw. Cars pour Begoro depuis Accra.

HÉBERGEMENT ET RESTAURATION : *Osafo Kantanka*, POB 199, tél. 33.93, 17 ch. — *Begaro Rest-House*, 2 ch. — *Rest-House* de Bunso, 2 ch. Petits hôtels à Nkawkaw (voir la liste des hôtels en fin d'ouvrage).

Poste. Stations d'essence à Nkawkaw et à Begoro.

Navrongo

SITUATION ET ACCÈS : Dans l'Upper-East Region, près de la frontière du Burkina-Faso, à 30 km à l'O. de Bolgatanga, 16 km au S. de Paga, 109 km à l'E. de Tumu. Autocars de la State Transport pour Bolgatanga et pour les villes du nord y compris Paga, à l'est comme à l'ouest.

HÉBERGEMENT ET RESTAURATION ; *Mayaga*, 5 ch. — *Mission catholique*, POB 4, 9 ch. — Motel à Paga.

Banque. Poste. Station d'essence. Marché. Gare routière. Hôpital.

Obuasi

SITUATION ET ACCÈS : Ashanti Region, à 85 km au S. de Kumasi, par route goudronnée ; 160 km au N. de Cape Coast, par Foso et Saltpond ; 225 km au N. de Busua. Chemin de fer pour Kumasi, Dunkwa, Tarkwa et Sekondi.

HÉBERGEMENT ET RESTAURATION : Dix hôtels en ville (voir la liste des hôtels en fin d'ouvrage). Restaurant : *Goldfinger*.

Banque. Poste. Station d'essence.

Paga

SITUATION ET ACCÈS : Poste-frontière entre le Ghana et le Burkina-Faso, dans l'Upper-East Region. A 10 km au N. de Navrongo, par une bonne route goudronnée, et à 50 km au N.O. de Bolgatanga.

HÉBERGEMENT ET RESTAURATION : Petit motel à Paga.

Sekondi-Takoradi

SITUATION ET ACCÈS : Capitale de la Western Region, Sekondi est située sur la côte ouest du Ghana, elle est jumelée avec Takoradi.

Sekondi est à 218 km à l'O. d'Accra, par route goudronnée ; Takoradi est à 242 km au S. de Kumasi (par une route en travaux) ; à 32 km à l'E. de Busua ; à 75 km à l'E. d'Axim. Par ailleurs, Sekondi est à 61 km à l'O. d'Elmina et à 74 km de Cape Coast par route goudronnée. Autocars de la State Transport pour Accra, Cape Coast et la côte ouest. Chemin de fer depuis Sekondi pour Kumasi et pour Accra.

HÉBERGEMENT ET RESTAURATION : Une vingtaine d'hôtels de toutes catégories, dont on trouvera la liste en fin d'ouvrage. *Restaurants : Harbour View. — Effies Restaurant. — Twin City* (cuisine chinoise).

NIGHT-CLUB : *Princess Hall. — Ahenfie. — The Pelican. — Zenith.*

AGENCE DE VOYAGES : Ghana Airways, à l'extrémité sud de Liberation Road, tél. 240.73, fax 031/24874.

BANQUES : Toutes les banques du Ghana sont représentées à Takoradi.

Shai Hills Reserve

SITUATION ET ACCÈS : 64 km au N. d'Accra, par Tema, par route goudronnée ; 54 km à l'E. d'Aburi, par Larteh, par route goudronnée. « Mammy trucks » d'Aburi ou de Tema.

HÉBERGEMENT-RESTAURATION : Néant.

Sunyani

NOM : Dérivé de « asono nwae » (« le lieu où les éléphants sont abattus »).

SITUATION ET ACCÈS : A 400 km à l'O. d'Accra, par route goudronnée ; à 130 km au N.O. de Kumasi, par route goudronnée ; à 34 km à l'E. de Berekum ; à 134 km de Mim par la piste ; à 60 km au S. de Wenchi. Autocars de la State Transport directs pour Kumasi et pour Berekum. « Mammy trucks » pour Wenchi et Techiman. Location de taxi à la journée.
Petit aérodrome régional, desservi par les lignes intérieures de Ghana Airways.

HÉBERGEMENT ET RESTAURATION : *Tropical**, tél. 71.79, 40 ch. — *Catering Rest-House*, POB 104, tél. 109, 8 ch. à deux lits, restaurant, bar. Et aussi : *Ebenezer Hotel, Hôtel de Nimpong, Tata Hotel. — Catholic Centre*, 104 ch.

Tamale

SITUATION ET ACCÈS : Capitale de la Northern Region, à 640 km au N. d'Accra par route goudronnée ; 170 km au S. de Bolgatanga par route goudronnée ; 130 km à l'E. du Mole National Park ; 266 km au S. de Nakpanduri par Yendi, par piste ; 370 km au N. de Kumasi par route goudronnée. Autocars de la State Transport dans toutes ces directions. Ligne aérienne avec Kumasi et Accra.

HÉBERGEMENT ET RESTAURATION : *Catering Rest-House*, POB 247, tél. 29.78, 36 chalets, jardin, restaurant, bar, salle de réunion. — *Marcos Hotel*, tél. 26.78. — *Al Hassan*, POB 957, tél. 228/34, 38 ch. avec restaurant. — Restaurant *Le Crest*.

Banques. Poste. Stations d'essence. Marché. Agence Ghana Airways.

Tema

SITUATION ET ACCÈS : Port et ville nouvelle au bord du golfe de Guinée, Greater Accra Region, à 29 km à l'E. d'Accra par l'autoroute ; 35 km de Shai Hills et 89 km au S. d'Aburi. Cars de la State Transport pour Accra, Aflao, Keta, Kumasi, « mammy trucks » pour Larteh par Shai Hills. Chemin de fer pour Accra.

HÉBERGEMENT ET RESTAURATION : Nombreux hôtels (voir la liste des hôtels en fin d'ouvrage).

SPORTS : *Tema Golf Club.*

Cinéma. Station d'essence. Garage. Banque. Poste. Ghana Airways, tél. 263.19, fax 0221.

Tumu

SITUATION ET ACCÈS : Dans l'Upper-West Region, près de la frontière du Burkina-Faso, à 229 km au N.E. de Wa ; 139 km à l'O. de Bolgatanga, entièrement par pistes. Autocars de la State Transport dans les deux directions.

HÉBERGEMENT : *Lims*, POB 16, 13 ch.

Wa

SITUATION ET ACCÈS : Capitale de l'Upper-West Region, à 229 km au S. de Tumu, par la piste ; 368 km au S.O. de Bolgatanga par la piste ; 174 km au N.O. du Mole National Park et 318 km au N. de Wenchi, dont 57 km par route goudronnée. Autocars de la State Transport pour les villes du nord et pour Kumasi. « Mammy trucks » pour les villages environnants.

HÉBERGEMENT ET RESTAURATION : Plusieurs hôtels, dont on trouvera la liste en fin d'ouvrage.

Station d'essence. Poste. Marché.

Wenchi

SITUATION ET ACCÈS : Brong-Ahafo Region, à 152 km au N.O., 60 km au N. de Sunyani par route goudronnée et 318 km au S. de Wa. Autocars de la State Transport pour Kumasi et Wa. « Mammy trucks » pour Sunyani.

HÉBERGEMENT : *Baah Hotel*, POB 43, 35 ch. *Kaff Guest-House*, POB 14, tél. 244, 4 ch.

Station d'essence. Poste.

Yeji

SITUATION ET ACCÈS : Au bord du lac Volta, à l'E. de la Brong-Ahafo Region, à 226 km au N.E. de Kumasi (Ashanti Region), et à 144 km au S. de Tamale (Northern Region) par la route et le bac. Bateaux une fois par semaine pour Buipe, au N.O. sur la grande ligne fluviale de la Volta, et également une fois par semaine dans l'autre sens pour Kete-Krachi, Kpandu et Akosombo. Autocars de la State Transport pour Kumasi, Accra et Tamale. Bac environ toutes les 2 h 30 de 6 h à 18 h.

HÉBERGEMENT : *Volta Lake Hotel*, 12 ch. doubles, bar, P.O. Box 17. — *Alliance* à Yegi, 9 ch. — *Ebenezer*, 10 ch.

Yendi

SITUATION ET ACCÈS : A l'E. de la Northern Region, à 96 km à l'E. de Tamale par la piste et à 170 km au S. de Nakpanduri. « Mammy trucks » pour Tamale et Nakpanduri. A Nakpanduri, on retrouve les autocars de la State Transport.

HÉBERGEMENT : Néant.

Zebilla

SITUATION ET ACCÈS : Upper-East Region, près de la frontière du Burkina-Faso, à 45 km à l'E. de Bolgatanga, par la route bitumée et la piste, et à 30 km à l'O. de Bakwu, par la piste.

HÉBERGEMENT : Néant (petits hôtels à Bolgatanga).

le voyage

avant de partir

■ Avec ses plages immenses, ses traditions et ses vestiges historiques, le Ghana devrait se situer aujourd'hui dans le peloton de tête des grands pays touristiques en Afrique noire. Malheureusement, la longue période de marasme économique qu'il vient d'essuyer a gravement freiné son essor dans ce domaine. Peu de grandes compagnies aériennes internationales desservent Accra et, comme elles sont essentiellement empruntées par des hommes d'affaires, leurs tarifs sont par conséquent élevés. Actuellement, pas de compagnies charters pour ouvrir le Ghana au grand tourisme et pas de tours-opérateurs internationaux pour y organiser séjours et circuits au forfait. Pour le moment seulement, car il serait bien étonnant que des voyagistes avisés dédaignent longtemps cette nouvelle et passionnante destination touristique. D'autant que les aspects négatifs du tableau qui vient d'être dressé sont en train de disparaître grâce aux retombées de la reprise économique en cours.

Déjà plusieurs grandes compagnies aériennes, qui s'étaient autrefois retirées de l'espace ghanéen, comptent y revenir, en particulier la compagnie française Air France (ce qui permettrait, enfin, de se rendre directement de Paris à Accra, sans avoir à aller chercher une correspondance à Londres, Rome ou Düsseldorf).

Un eldorado touristique

Par ailleurs, l'ancien parc hôtelier — qui était déjà très dense sur tout le territoire ghanéen — est en cours de rénovation, tandis que de nouveaux établissements s'ouvrent, comme le tout neuf Novotel d'Accra, ainsi que différents motels et petits complexes hôteliers.

Sans oublier l'énorme effort accompli en ce moment par le Ghana pour compléter son infrastructure de voies terrestres déjà dense et pour se doter ainsi d'un réseau routier moderne. Partout, en effet, des chantiers sont ouverts : ponts et routes bitumées se multiplient et vont faire disparaître de la carte du Ghana les anciennes pistes de terre, souvent impraticables pendant la saison des pluies, ainsi que les vieux bacs poussifs sur les rivières, qui avaient la détestable réputation de ne pas fonctionner 24 heures sur 24.

Enfin, il faut mettre également à l'actif des Ghanéens leur inaltérable gentillesse et leur serviabilité, qui contribuent largement à faire oublier les mille et un petits tracas d'un voyage.

Après une petite période de rôdage et la mise en place annoncée d'une véritable infrastructure touristique, le Ghana risque bien d'être très vite un de ces nouveaux « eldorados » pour les voyageurs long-courrier dont les publicités alléchantes fleurissent dans tous les catalogues des grands tours-opérateurs mondiaux.

Quelle saison choisir ?

En principe, on peut venir toute l'année au Ghana, sa situation géographique entre le tropique du Cancer et l'Équateur lui évitant toute froidure. Reste le problème de la saison des pluies qui coïncide, en partie, avec la période des vacances estivales en Europe. Il ne faut pas en faire une montagne ! Les pluies tombent d'une manière très inégale dans l'espace et le temps.

Lorsque vous prenez la route en pleine saison des pluies (en juin, par exemple), vous avez la surprise d'essuyer une grosse averse qui fait ployer les palmiers pendant une heure, puis de bénéficier tout de suite après d'une belle éclaircie, avec un ciel presque immaculé. D'ailleurs, sous ces ciels mouvants, le paysage ghanéen devient particulièrement photogénique. Ainsi en est-il des anciennes forteresses et des châteaux de la côte lorsqu'ils sont battus par une mer déchaînée, sous un ciel d'orage. Une vision romantique à souhait qui ne fait pas regretter des ciels plus radieux !

Lorsqu'on n'a pas le choix de sa période de vacances et qu'on risque d'aller au Ghana en pleine saison des pluies, il ne reste plus qu'à étudier avec soin son itinéraire, car les pluies ne tombent pas partout avec la même importance, ni exactement au même moment. Il est même possible de les éviter !

Le climat est en grande partie fonction du régime des vents. Au Ghana s'affrontent les vents secs et brûlants qui viennent du Sahara et ceux, frais et humides, venant du golfe de Guinée, à partir du sud-ouest. Le « front intertropical » se déplace tantôt vers le nord, tantôt vers le sud, entraînant pluie ou sécheresse. Dans le sud, les pluies commencent plus tôt, mais se divisent en deux saisons, culminant en mai et en juin avec interruption en juillet-août puis avec un nouveau maximum en septembre-octobre, tandis que, dans le nord, ces deux saisons se rejoignent en une seule, durant approximativement de juin à octobre. Du moins en théorie. En réalité, le leitmotiv « il n'y a plus de saison », que connaissent bien

Pages précédentes :
Paradoxe ! Bien qu'ils soient capables d'affronter une mer
déchaînée, qui les trempera jusqu'aux os,
ces pêcheurs de Cape Coast n'hésitent pas à ouvrir le parapluie,
dès qu'il tombe trois gouttes !

les Européens depuis déjà de longues années, est valable maintenant pour le reste du monde. La sécheresse devient, à l'état endémique, une menace qui plane sur de nombreuses contrées africaines et, au Ghana, elle sévit souvent dans le nord ou les plaines côtières d'Accra. Il est de plus en plus difficile de prévoir entre mai et novembre la durée et l'importance de la pluie. Cependant, durant cette période, la température baisse, quelle que soit la région, pour ne remonter à son maximum qu'entre février et avril.

Même lorsque les pluies ne sont pas abondantes, le nord reverdit dès les premières gouttes et devient un véritable jardin. Sa beauté compense alors largement le désagrément procuré par de violentes averses. Et si les nuits sont alors assez fraîches, le moindre rayon de soleil a vite fait dans la journée de réchauffer la température. L'hivernage, avec ses hautes herbes et l'apparition de nombreux points d'eau, n'est pas une bonne saison pour apercevoir les animaux dans le Parc national de la Mole. Mais dans beaucoup d'endroits, la pellicule de terre est assez mince sur le sol rocheux et ne porte qu'une herbe courte ne dissimulant pas la plupart des espèces.

Les pistes peuvent être en mauvais état de juillet à novembre, mais tout dépend du sol, de la violence des pluies et de leur fréquence.

Dans le sud-ouest, l'humidité règne pratiquement toute l'année : c'est certainement dans cette région que la saison des pluies se fait le moins désirer. Les amateurs de sports balnéaires ou de farniente au soleil se trouveront donc bien d'éviter les mois correspondant à notre été : tandis que l'Europe a pris l'habitude d'étouffer sous la canicule, les Africains voient avec étonnement le thermomètre descendre jusqu'à 22°C... la Sibérie en quelque sorte !

Voilà qui arrêtera peut-être les amateurs de chaleur, mais rassurera ceux qui craignent de ne pouvoir supporter le climat de l'Afrique. Les premiers en seront quittes pour choisir le nord, plus chaud, ou les mois de janvier à avril, qu'éviteront les seconds.

Formalités sanitaires

Pour effectuer tout voyage en Afrique noire, en particulier au Ghana, il est obligatoire d'être en possession d'un « carnet de vaccination international » et de s'être fait, au préalable, vacciner en Europe contre la *fièvre jaune* (vaccination anti-amarile). Il est conseillé de le faire au moins dix jours avant le départ, en raison de la réaction qui peut survenir après une semaine d'incubation (migraine ou fièvre). Ensuite, la validité de ce vaccin s'étend sur dix ans. Il est conseillé de veiller au rappel de la vaccination DTP et de se faire vacciner contre l'hépatite A.

Partout en Europe la vaccination anti-amarile est payante et seuls des centres agréés peuvent l'effectuer. A Paris, ce sont : l'*Institut Pasteur* (ouvert de 9 h à 16 h 30, du lundi au vendredi, et de 9 h à 11 h 30 le samedi), tél. 01.45.68.80.00 ; 25, rue du Docteur-Roux, 75015 Paris.

Centre de vaccinations international d'Air France (de 9 h à 18 h du lundi au vendredi — de 9 h à 17 h le samedi), Gare des Invalides, 75007 Paris, tél. 01.41.56.66.00, métro et RER : Invalides. Sans rendez-vous, vaccins fournis par le centre, délivrance du carnet de santé. Inutile d'être à jeun. Pour tous conseils concernant la prophylaxie, particulièrement la prévention contre le paludisme, consulter le Minitel : 36 15 VACAF ou le 08.36.68.63.64, de préférence une dizaine de jours avant le départ.

En France, d'autres centres sont habilités à vacciner contre la fièvre jaune dans les hôpitaux de toutes les grandes villes.

Si vous avez la moindre inquiétude sur votre santé avant ou après tout voyage en Afrique, des centres spécialisés sont à la disposition des voyageurs

Températures et précipitations : moyennes mensuelles

	J	F	M	A	M	J	J	A	S	O	N	D
Accra	27	28	28	28	27	26	25	24	25	26	27	28

Températures moyennes en degrés centigrades (°C)

☐ petites précipitations ▨ grosses précipitations
▨ précipitations moyennes ☐ soleil

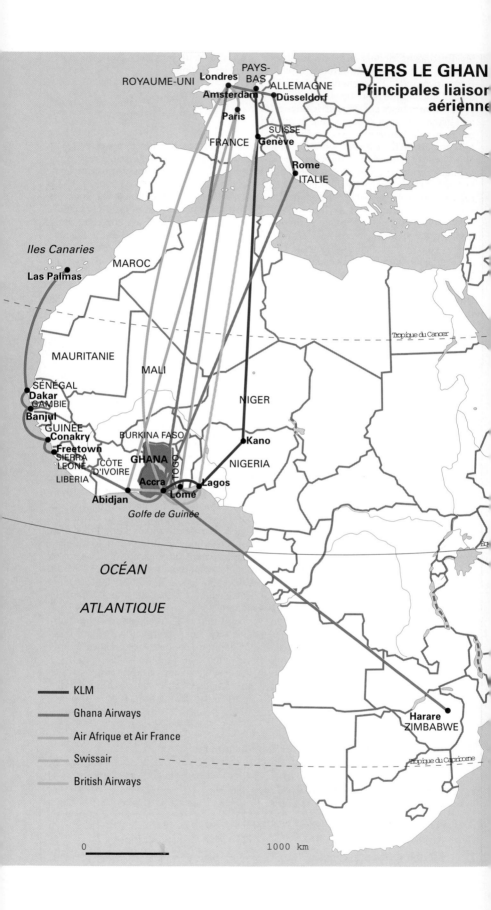

VERS LE GHAN

Principales liaisor
aérienne

ROYAUME-UNI **Londres**
PAYS-BAS
Amsterdam ALLEMAGNE
Düsseldorf
Paris
FRANCE SUISSE
Genève

Rome
ITALIE

Iles Canaries
Las Palmas MAROC

MAURITANIE MALI

SÉNÉGAL NIGER
Dakar
GAMBIE
Banjul GUINÉE
Conakry BURKINA FASO
Freetown **Kano**
SIERRA CÔTE **GHANA**
LEONE D'IVOIRE TOGO NIGERIA
LIBERIA **Accra** **Lagos**
Abidjan **Lomé**
Golfe de Guinée

OCÉAN

ATLANTIQUE

Tropique du Cancer

Harare
ZIMBABWE

Tropique du Capricorne

───── KLM
───── Ghana Airways
───── Air Afrique et Air France
───── Swissair
───── British Airways

0   1000 km

pour répondre à tous problèmes : *AP Voyages/AP Vacances*, hôpital de la Pitié-Salpétrière, 75013 Paris (tél. 01.45.85.90.21). Les grands hôpitaux de province comme l'hôpital Saint-André de Bordeaux ou l'hôpital Houphouët-Boigny de Marseille sont évidemment à consulter en cas de doute.

Certaines maladies se manifestent après un long moment d'incubation, il faut consulter un médecin devant tout signe anormal (fièvre, affections cutanées, troubles digestifs) se manifestant dans les semaines suivant votre retour en Europe. Bien lui préciser le lieu de vos vacances au Ghana ou les pays traversés, si vous avez effectué un circuit en Afrique, ainsi que les imprudences possibles que vous auriez pu commettre (boire de l'eau non filtrée, se baigner dans un marigot ou une lagune polluée, avoir été piqué par des insectes, etc.).

La veille de votre départ et pendant votre voyage au Ghana, il faut veiller à la bonne prise de médicaments contre le paludisme (Savarine), puis la continuer pendant 4 semaines après votre retour en Europe, et à consulter devant tout symptôme habituel, en rappelant toujours au médecin que vous venez de séjourner dans un pays chaud.

Formalités administratives

Pour entrer au Ghana et y séjourner, un visa est nécessaire : on l'obtient en 48 h auprès de l'Ambassade du Ghana, 8, Villa Saïd (petite allée privée donnant sur l'avenue Foch), 75016 Paris (tél. 45.00.09.50). Prévoir quatre photos d'identité et de l'argent liquide pour payer le visa (différents tarifs selon la qualité du voyageur : touriste, homme d'affaires, journaliste).

Les chasseurs doivent demander un permis au Department of Game and Wildlife.

Équipement vestimentaire

Pour la ville : Vêtements d'été légers en coton (proscrire les tissus synthétiques) en toutes saisons. Les femmes en pantalon et, à plus forte raison, en short n'étant pas toujours bien vues, surtout dans le nord islamisé, mieux vaut pour elles porter jupe ou robe de longueur « convenable ». Prévoir un parapluie (ou l'acheter sur place) en saison des pluies

et un bon pull. Lunettes de soleil.

Pour les safaris-vision au Parc de la Mole : Chaussures de marche, chemisette, shorts ou pantalons légers, mais de couleur terne, pour ne pas être repéré par les animaux. Chapeau indispensable en raison de la longue marche sous le soleil.

Ne pas oublier les jumelles, un appareil photo avec un télé-objectif (voir plus loin) et deux ouvrages de référence : le *Guide des grands mammifères d'Afrique* (par J. Dorst et P. Dandelot, éd. Delachaux et Niestlé) et *Les Oiseaux de l'Ouest africain* (par W. Serle et G.J. Morel, même éditeur).

Pour la chasse : Chaussures de brousse et tenue de chasse camouflée.

Pour la plage : Maillot de bain et lunettes de soleil.

Pour tous les autres circuits : Vêtements solides, de type jeans et bonnes chaussures de marche.

Équipement photo

Les photographes amateurs seront aux anges, car le Ghana est particulièrement photogénique. Ils fixeront sur la pellicule aussi bien les vieux forts portugais de la côte que les anciennes mosquées du Nord, les fastes des anciens royaumes Ashanti ou des innombrables chefferies du pays, les marchés hauts en couleur, les paysages très verts du Sud — évoquant... l'Irlande ! — ou encore les animaux du Parc national de la Mole.

Mais, attention ! les Ghanéens sont très chatouilleux sur le problème de la photo. Avant toute prise de vue, il vous faut *impérativement* une autorisation de photographier (délivrée par le Ministère de l'Information à Accra) et demander toujours, au préalable, l'autorisation des gens que vous photographiez.

Avant de quitter l'Europe, vous commencerez par vous constituer une bonne réserve de pellicules (diapositives, sensibilité 100 Asa, Kodachrome ou Ektachrome). Vous aurez avantage à les acheter à l'aéroport d'embarquement, en tax-free shop, car elles sont sensiblement moins chères qu'à Paris ou à Accra. Préservez soigneusement vos pellicules de l'humidité et de la chaleur, en les remettant toujours dans leur boîte d'origine, une fois le rouleau terminé (votre sac photo ne doit pas non plus être exposé au soleil ou demeurer dans un endroit trop humide). Il existe des coffrets étanches spéciaux en vente chez les revendeurs de matériel photographique.

Pour éviter les ciels trop blancs ou pour faire, au contraire, apparaître les nuages, mettez des filtres u.v. (contre les rayons ultra-violets) sur chacun de vos objectifs.

Objectifs : 50 mm pour les portraits, grand angle pour les panoramas (marchés, plages, lacs, etc.) et téléobjectif — 500 mm — pour prendre les animaux du parc de la Mole (ou, encore mieux, un zoom).

Pour le camping et le sport

A l'intérieur du pays, les petits hôtels et campements offrant le plus souvent un niveau de confort très rustique, il faut prévoir d'emporter du matériel de couchage et de cuisine ainsi que des provisions alimentaires.

Pour le couchage : un sac léger. Mais aussi une bombe insecticide du commerce (en vente partout au Ghana), pour éloigner les moustiques. L'eau du robinet — ou du puits — suffit amplement pour la toilette, mais il ne faut pas la boire, à moins d'emporter un filtre ou des pastilles de désinfectant. Mieux vaut, au départ d'Accra, acheter une à deux caisses de bouteilles d'eau minérale qui feront le voyage et qu'on pourra, au besoin, regarnir dans les grandes villes (Kumasi, par exemple). Sinon, on peut toujours boire les boissons en bouteilles (coca-cola, bière, jus de fruits) vendues tout au long de la route, qu'on conservera au frais dans une boîte ou une bouteille isotherme.

Sur le plan de l'alimentation il n'est pas rare d'avoir à faire halte en brousse, loin de toute agglomération où on pourrait acheter de la nourriture : on puisera alors dans la réserve de boîtes de conserves (sardines, corned beef, fromages, crème de gruyère en portions) et on améliorera l'ordinaire en achetant sur la route des bananes et des ananas, ainsi que du pain.

Pour ces pique-niques improvisés, prévoir des couverts (canif, cuiller, fourchette), un décapsuleur et un ouvre-boîte.

Autres objets indispensables : une lampe torche de poche (de type « maglite ») et un réveil-matin.

Quant aux sportifs, ils n'oublieront pas non plus leurs équipements : raquettes, balles et tenue de tennis, clubs et sacs pour le golf.

TROUSSE D'HYGIÈNE ET MÉDICALE

Pas de panique si vous avez oublié de mettre dans votre nécessaire de toilette, avant le départ, une brosse à dents ou un flacon de shampooing : les boutiques d'Accra sont aussi bien achalandées que celles de Paris ou de Londres !

Même remarque pour la trousse à pharmacie personnelle : sauf si l'on suit un traitement médical particulier nécessitant des médicaments difficiles à trouver sur le marché, on peut se procurer n'importe quel remède courant dans les pharmacies ghanéeenes.

Néanmoins, une petite trousse de secours est toujours utile. Elle contiendra :

— de la Savarine (prévention du paludisme),
— de l'Alka Seltzer,
— un pansement intestinal (Smecta),
— un anti-diarrhéique (Intétrix, Immodium ou Diarsed),
— de l'alcool à 90°, du mercurochrome (ou du Dakin) et des pansements (compresses, sparadrap), du Synthol,
— du talc,
— des lotions anti-moustiques et une crème anti-histaminique pour calmer les démangeaisons (le vinaigre blanc est très efficace contre ces dernières),
— une crème solaire,
— de l'aspirine ou un analgésique à base de paracétamol.

Les chasseurs peuvent emporter armes et munitions, à condition d'avoir un port d'arme et d'avoir sollicité un permis de chasse auprès des autorités du Ghana.

Pratique de l'anglais

L'anglais étant la langue la plus couramment parlée au Ghana, il n'est pas inopportun, si on en a le temps, de s'entraîner un peu avant de partir, en prenant quelques cours auprès d'un répétiteur ou dans une école de langues (Berlitz, par exemple). Ou encore en écoutant disques et cassettes de la BBC ou Assimil, pour rafraîchir un peu sa pratique de l'anglais courant.

Ne pas oublier de placer dans sa valise un *dictionnaire* de poche anglais-français et français-anglais, qu'on trouvera dans toutes les bonnes librairies.

Se renseigner et se documenter

Il n'existe pas encore d'Office du Tourisme ou de Maison du Ghana en Europe, aussi, pour obtenir quelques renseignements sur le pays, se retournera-t-on vers l'*Ambassade du Ghana*, 8, Villa Saïd, 75016 Paris (tél. 01.45.00.09.50). Ou bien on recherchera des documents et des ouvrages divers sur le Ghana dans les librairies de voyage à Paris, dont on trouvera la liste à la notice « Bibliographie », en fin de volume.

Enfin, on n'oubliera pas d'acheter des cartes routières de l'Afrique de l'Ouest et du Nord (si on vient au Ghana depuis l'Europe par la route) et du Ghana à l'Institut Géographique National, 107, rue La Boétie, 75008 Paris, tél. 01.42.56.06.68, et le 3615 IGN sur le Minitel.

Où s'adresser à l'étranger ?

Voici une sélection des représentations diplomatiques du Ghana dans le monde :
Algérie : 62, rue des Frères Benali Abdellah-Hydra, Alger.
Allemagne : Rhein Allee 58, 53173 Bonn et Waldstrasse 11, 13156 Berlin.
Arabie Saoudite : POB 94339, Riyadh 11693 et Consulat général du Ghana, POB 1657, Jeddadh 21441.
Angola : Rua Vereador Castelo Branco 5, 10 Caixa Postal, 1012 Luanda.
Belgique : 73, Bd Général Wazis, 1030 Bruxelles.

Bénin : BP 488, Cotonou.
Brésil : Shis QL. 10, Conj. 08, Casa 02, POB 07,.0456 Brasilia.
Bulgarie : POB 38, 1113 Sofia .
Burkina-Faso : 01 BP 212, Ouagadougou 01.
Canada : Ghana High Commission, N° 1 Clemow Avenue, The Glebe, Ottawa, Ontario, Canada K1S 2A9.
Chine : 8, San Li Tun Road, Beijing.
Côte d'Ivoire : BP 1871 Abidjan.
Cuba : 5 A Avenida N° 1808, Esquina A'La Calle 20 Miramar, Havana.
Danemark : Egeberg Alle 13, DK-2900 Hellerup, Copenhague.
Egypte : 24 El B. A. Abdel Aziz Street, Dokki, Le Caire.
Ethiopie : POB 3173, Addis Abeba.
France : 8, Villa Saïd, 75016 Paris, tél. 01.45.00.09.50, fax 01.45.00.81.95.
Guinée : Building Ex-Urbaine et la Seine, BP 732 Conakry.
Inde : Ghana High Commission, A - 42 Vasant Marg Vasant Vihar, New Delhi - 110057.
Italie : 4, Via Ostriana, 00199 Rome.
Kenya : High Commission of the Republic of Kenya resident à Lagos : 52, Queen's drive, Ikoyi, POB 6464, Lagos.
Japon : Azabu POB 16, Tokyo.
Libye : POB 4169, Tripoli.
Nigeria : Ghana High Commission, 21/23 King George V Road, Onikan, POB 889, Lagos.
République Tchèque : V Tisinc 4, Prague 6.
Royaume-Uni : Office of the High Commissioner for Ghana, 104 Highgate Hill, Londres N6 5HE.
Sierra Leone : Ghana High Commission, 16, Percival Street, Freetown.
Suisse : 11 Belpstrasse, 3000 Berne.
Togo : BP 92, Lomé.
Russie : 14 Skatertny Pereulok, Moscou.
USA : 3512 International Drive, N.Y. Washington DC 20008 et Ghana Permanent Mission to the United Nations : 19 East 47th Street New York, NY 10017.
Zimbabwe : Ghana High Commission, 11 Downie Avenue, Belgravia, POB 4445, Harare.

MOYENS DE COMMUNICATIONS

BURKINA FASO

Ouagadougou

Hamale
Han
Tumu
Paga
Navrongo
Bawku
Zebila
Bolgatanga
Nakpanduri
Gambaga

Volta Noire

Wa

Mole

Volta Blanche

T O G

Sawla
Tamale
Yendi
Zan
Larabanga
Damongo
Zabzugu
Buipe

Daka

Salaga
Bimbila

Oti

**CÔTE
D'IVOIRE**

Bamboi
Yeji
Ktare
Dumbai
Kintamno
Hani
Boabeng
Kete Krachi
Kokua
Wenchi
Atebubu
Berekum
Techiman
Lac Volta
Jasikan
Sunyani
Hohoe
Kpandu
Amedzofe
Vane
Kumasi
Konongo
Mpraeso
Ho
Bekwai
Nkawkaw
Kpetoe
Awaso
Begoro
Akosombo
Bosuso
Aflao
Obuasi
Kibi
Koforidua
Sogakofe
Kade
Akuse
K
Dunkwa
Oda
Larteh
Samreboi
Nsawan
Shai
Ada
Anyan
Prestea
Asamankese
Aburi
Hills
Huni Valley
Swedru
Tema
Tarkwa
ACCRA
Senya Beraku
Winneba

Bia
Tano
Pra
Abidjan

Half Assini
Samreboi
Saltpond
Shama
Cape Coast
Takoradi
Sekondi
Axim
Busua
Prince's Town Dixcove

Autoroute	═══
Route goudronnée (ou en cours de bitumage)	───
Piste	---
Bac ★	Chemin de fer ┝┿┥
Aéroport international ✈	Lignes aériennes ═══
Autres aéroports et principaux aérodromes ✈	Service lacustre

0   50   100 km

RÉGIONS ADMINISTRATIVES, ETHNIES

UPPER EAST REGION

Lobi

Dagati

Kasena *Nankansi* *Busanga*
Gurense *Namnam*

Dagati Bolgatanga *Frafra* *Kusasi*

Sissala *Builsa* *Talensi*

UPPER WEST *Bimawba*

REGION

● Wa *Grusi* *Mamprusi* *Chokosi*

Wala **NORTHERN REGION**

Lobi *Dagati* *Dagomba*

Tamale ● *Konkomba*

Vagala

Gonja *Gonja* *Nakumba* *Konkomba*

Banda *Atwode*

Mo *Adele*

Brong *Krachi*

BRONG AHAFO REGION *Nchumuru* **VOLTA**

Ntrubu

Ahafo Sunyani ● *Nchumuru*

ASHANTI · REGION *Ewe*

Kwahu *Avatime*

Ho ●

● Kumasi *Ashanti* **EASTERN**

REGION *Ewe*

Sefwi *Asin* *Juaben* *Krobo* **REGION**

Denkyira *Akim* Koforidua

WESTERN *Wasaw* *Ga* *Adangbe*

Aowin *Wasaw* **GREATER**

REGION **CENTRAL** **ACCRA** **ACCRA**

REGION

Fanti

Nzima *Ahanta* Cape Coast ●

Sekondi ●

Ethnie *Fanti*

Parc national

Chef-lieu de région ●

Limite de région administrative ———

0 —————— 100 km

aller au ghana

Par avion

Il faut seulement cinq à six heures (en vol direct) pour se rendre au Ghana depuis l'Europe, à bord de gros porteurs modernes comme les DC10 et les Boeing 747. Une dizaine de grandes compagnies aériennes régulières internationales desservent Accra-Kotoka, seul aéroport international du Ghana, situé dans les quartiers nord-est de la capitale (12 km du centre-ville).

VOLS EUROPE-AFRIQUE :
— *Depuis la France* : Momentanément, la compagnie Air Afrique ne dessert plus Accra en vols directs, il faut donc se contenter de vols en correspondance. Ainsi a-t-on le choix entre des vols de Paris-Roissy à Abidjan (en Côte d'Ivoire) ou Lomé (au Togo) sur Air Afrique, puis correspondance pour Accra par la Ghana Airways ou Air Ivoire. Ou encore, des vols de Paris-Roissy à Londres-Heathrow par Air France ou British Airways, puis correspondance pour Accra à Londres-Gatwick par la Ghana Airways ou British Airways (BA).
— *Depuis l'Angleterre* : Londres-Gatwick est l'aéroport pour les vols (directs) sur Accra offerts par Ghana Airways et BA (presque tous les jours).
— *Depuis la Hollande* : La KLM assure, selon les saisons, un à deux vols depuis Amsterdam-Schiphol à Accra, via Kano ou Lagos, au Nigeria.
— *Depuis la Suisse* : Swissair offre plusieurs vols hebdomadaires de Genève ou Zurich à Accra, via Lagos (au Nigeria).
— *Depuis l'Allemagne* : Ghana Airways offre deux vols par semaine Accra-Düsseldorf.
— *Depuis l'Italie* : Ghana Airways relie une fois par semaine Accra à Rome.
— *Depuis la Russie* : Aeroflot relie une fois par semaine Accra à Moscou par Cotonou.

VOLS INTER-AFRIQUE :
Au départ d'Accra, la compagnie Ghana Airways assure de nombreux vols, vers l'ouest, sur Abidjan en Côte d'Ivoire (cinq vols hebdomadaires), Freetown en Sierra Leone (cinq vols hebdomadaires), Conakry en Guinée (trois vols), Banjul en Gambie (quatre vols), Dakar au Sénégal (trois vols) et Las Palmas aux Canaries espagnoles (deux vols). Vers l'est : depuis Accra jusqu'à Lomé au Togo (deux vols), Lagos au Nigeria (sept vols). Enfin, vers l'Afrique australe, Ghana Airways va, depuis Accra, jusqu'à Harare au Zimbabwe (un vol hebdomadaire).

Autres compagnies desservant Accra-Kotoka : Ethiopian Airlines, Egyptair, MEA (Liban), Nigeria Airways, Air Ivoire.

Ainsi, en utilisant bien le système des correspondances dans les grandes plate-formes aériennes que sont Londres, Paris ou Rome, on peut venir du monde entier au Ghana. Exemple : de New York on se rendra à Londres sur de très nombreux vols de compagnies anglaises ou américaines, puis on prendra la correspondance de Londres à Accra sur des vols Ghana Airways ou British Airways (BA). Par ailleurs, le carrefour aérien d'Harare, au Zimbabwe, que Ghana Airways dessert une fois par semaine depuis Accra, permet de continuer sa route sur l'Australie ou dans toute l'Afrique australe.

ADRESSES DES COMPAGNIES DESSERVANT LE GHANA :
Ghana Airways : A Accra, siège social (head office), Ghana House, P.O. Box 1636, tél. 77.33.21, fax 77.70.78 ; Cocoa House, P.O. Box 1636, tél. 22.19.01 et 22.11.50 ; Kotoka International Airport, tél. 77.61.71, fax 77.32.93. A Abidjan, Côte d'Ivoire : immeuble Le Général, avenue du Général-de-Gaulle, 01 BP1605, tél. 32.27.83 et 32.42.21. A Düsseldorf, en Allemagne : Graf Adolf Strasse, 43, 4000, tél. 492.11/37.03.37. A Lomé, Togo : Hotel Palm Beach, BP 3456, tél. 21.56.92. A Londres, Grande-Bretagne : 3 Princes Street, London W1, tél. 44.171/499.02.01. A Rome, Italie : 50 Via Sicilia, 00187 Roma, tél. 488.51.40, fax 481.76.50/474.45.01 et 601.11.79.
British Airways : A Paris, tour Kupka, 18 rue Hoche, 92800 Puteaux, tél. 01.46.53.73.00. A Accra : Kojo Thompson Road, à l'angle de la N. Liberia Road, P.O. Box 2087, tél. 22.83.73/66.78.00 et 66.79.00. A Londres : P.O. Box 10, Heathrow Airport, Hounslow, Middx TW6 2JA (réservations de 7 h à 22 h 45 au 01.897.40.00).
Air Afrique : A Paris, agence 104, avenue des Champs-Elysées, 75008, tél. 01.44.21.32.73 (réservation, tél. 01.44.21.32.32). A Abidjan : siège rue Joseph Anoma, le Plateau (réservation : tél. 32.05.00). A Lomé : tél. 21.20.42.
Air France : A Paris : renseignements et réservations : 0.802.802.802. A Abidjan : Immeuble SMGL, 11, rue Joseph Anoma, Le Plateau, tél. 33.22.31 et 32.20.93. A Lomé (Togo) : immeuble Taha, BP 2990, tél. 21.69.10 et 21.23.87.
KLM : A Amsterdam : Leidseplein1, tél.

020/649.36.33. A Accra : North Ridge, POB 223 Accra, tél. 22.69.25/22.40.20. *Swissair* : A Genève, réservations, tél. (022) 799.59.99. A Zurich, réservations, tél. (01) 251.34.34. A Accra, 47 Independence Avenue, Pegasus House, 1ᵉʳ étage, tél. 23.19.18 ; à l'aéroport d'Accra-Kotoka, tél. 77.33.63.

La plupart de ces compagnies régulières offrent des réductions, en plus des tarifs de base « première » (first), « affaires » (business class) et « économique » (economy class). Elles sont réservées aux jeunes, aux familles, au 3ᵉ âge, aux groupes, sous certaines conditions (achat, réservation et émission du billet le même jour pour des séjours à dates fixes, qu'on ne peut plus changer à moins d'être pénalisé). Par ailleurs, ces réductions sont surtout offertes en saison creuse, c'est-à-dire en dehors des périodes de vacances scolaires et de fêtes de fin d'année). Pour toutes ces modalités tarifaires, voir avec une agence de voyages ou avec une agence de la compagnie aérienne considérée.

Au départ de l'Europe, avant le départ ou en transit, à Rome, Londres ou Düsseldorf, on en profitera pour acheter des rouleaux de pellicules photographiques en zone hors-taxe des aéroports.

Par bateau

Depuis la disparition des anciennes lignes coloniales de paquebots desservant l'Afrique, plus personne ne songe à prendre le bateau pour se rendre sur ce continent depuis l'Europe. Il existe néanmoins des navires marchands — spécialisés dans le transport de fret — qui disposent de quelques cabines sur leurs cargos, utilisées généralement par l'équipage. Outre la longueur du voyage (12 jours), il n'est pas toujours commode de décider ces compagnies à vous prendre à bord, même en y mettant les moyens.

A noter cependant que le Ghana dispose d'une compagnie de cargos — la *Black Star Line* — qui effectue de nombreuses rotations avec tous les grands ports de l'Europe du Nord et de l'Italie. On peut toujours essayer de la contacter à ses bureaux de Londres, Rotterdam ou Hambourg...

Par la route

Aller de Paris à Accra par la route a toujours représenté une véritable expédition, possible si l'on avait l'habitude d'affronter, peu ou prou, le Sahara. Car la traversée d'un désert aussi immense exige des équipements adéquats et une conduite très différente de celle qui est pratiquée « hors piste » sur des terrains durs. Nombre de conducteurs chevronnés s'enlisent dans le sable à la première occasion. Outre la fatigue occasionnée par le désensablement, on court un gros risque d'y laisser la vie si on sort des itinéraires balisés.

Malheureusement l'itinéraire classique passe par Alger, après une traversée avec sa voiture par car-ferry, puis Tamanrasset et la frontière nord du Niger. Or il n'est plus question, dans l'état actuel de la situation politique de l'Algérie, de traverser ce pays.

La seule voie imaginable serait celle empruntant l'itinéraire Espagne, Maroc, Mauritanie (avec le passage plus que problématique quand on n'est pas en convoi de la zone du Polisario !) Le reste de l'itinéraire ne pose pas de problèmes sur le plan de la sécurité mais présente certaines difficultés, au Sénégal, entre Tambacounda et Bamako, au Mali. De Bamako on rejoint sans aucun problème le Burkina-Faso à Bobo-Dioulasso, puis Ouagadougou, la capitale du Burkina, pour atteindre Paga, le poste-frontière du Ghana qui ouvre la voie du grand axe nord-sud Bolgatanga-Accra, via Tamale. Kintampo et Kumasi, entièrement bitumé ou en voie de l'être.

C'est une véritable expédition, à ne pas envisager si l'on ne roule pas à deux voitures minimum, si l'on se trouve en route pendant l'hivernage qui rend parfois totalement infranchissable la piste reliant le Sénégal et le Mali et si l'on ne dispose pas de quelques semaines !

Si l'on réside dans les pays voisins du Ghana, Côte d'Ivoire ou Togo, on peut aujourd'hui emprunter d'excellentes routes côtières (Abidjan-Accra, via Grand-Bassam, ou Accra-Lomé via Aflao).

Le précédent itinéraire n'est pas le seul qui permette une communication routière entre le Ghana et la Côte d'Ivoire : de Kumasi, la route de Wenchi, puis Sampa, conduit à Bondoukou. De Bondoukou, on peut rejoindre Abidjan par Bouaké.

En résumé, voici quelques consignes (impératives !) destinées aux voyageurs empruntant le grand itinéraire Europe-Afrique traversant le Sahara : ne pas voyager en solitaire ; ne jamais s'écarter de la route, surtout par vent de sable, sous peine de se perdre parfois irrémédiablement ; éviter de circuler la nuit ; prévenir du moment de son départ et de l'heure de son arrivée présumée les autorités de chaque étape, de façon à ce que des secours puissent être immédiatement envoyés en cas de retard anormal.

Pièces de rechange et provisions

Les voitures doivent être obligatoirement des 4 x 4 tout-terrain (Land ou Range-Rover, Toyota, Nissan, etc.) et être totalement révisées avant de partir, être pourvues d'un train de pneus de rechange, de pièces détachées, du matériel permettant toutes les réparations majeures et un possible désensablement (pelles et plaques métalliques). Bien entendu, l'essence, l'eau (pour la voiture et les passagers) et les provisions alimentaires emportées doivent être prévues pour assurer une autonomie de plusieurs jours. Ne pas oublier non plus de prendre la saison en considération. Le Sahara d'octobre à avril est très agréable pendant la journée, mais glacial la nuit, et il faut prévoir des vêtements et sacs de couchage très chauds. D'ailleurs, si la différence de température entre les nuits et les jours diminue au fur et à mesure que l'on s'enfonce vers le sud, elle ne disparaît pas complètement, surtout dans le nord du Ghana, et les campeurs apprécieront leur sac de couchage.

Ne pas oublier, évidemment, les boussoles et cartes routières, notamment celle que Michelin vient de réactualiser (Afrique du Nord et Afrique de l'Ouest).

Pendant l'été, le Sahara est brûlant et tout le monde ne peut supporter impunément de conduire par une température torride et sous une réverbération très fatigante pour les yeux. En outre, en descendant vers le golfe de Guinée, on va à la rencontre de la pluie.

Sans se laisser impressionner exagérément par une « aventure » qui n'en est plus une, dès lors qu'une préparation rationnelle a été effectuée, il n'est pas bon non plus de se faire aveuglément confiance. D'où la nécessité de chercher des coéquipiers pour former un convoi de plusieurs véhicules.

Celui qui a la possibilité de venir au Ghana avec sa voiture s'en félicitera tous les jours. Pour profiter au maximum de ce pays splendide, mais dont l'infrastructure hôtelière comporte encore de fréquentes lacunes, voyager avec un matériel de camping résout tous les problèmes. Or ce matériel peut difficilement être compris dans les 20 kg de bagages admis par les compagnies aériennes. Malheureusement, le voyage terrestre représente une traversée plus longue que la traversée en bateau. Par conséquent, l'idéal reste l'expédition par cargo de la voiture et du matériel, et le voyage personnel par avion.

Le voyage organisé

Pour le moment, aucun grand touropérateur français ne programme le Ghana sur ses catalogues. Il existe un organisme international basé aux USA, en Allemagne, en Angleterre, et qui peut, à Accra, vous aider à organiser votre séjour (voir p. 201).

Assurance et assistance

Pour tous les risques inhérents au voyage (maladie, accidents de voiture, décès), il existe maintenant en Europe (et en France en particulier) des sociétés d'assistance. Ainsi, en cas de maladie, elles remboursent à peu près intégralement les frais médicaux et d'hospitalisation ou assurent le rapatriement du malade ou du blessé. En cas de décès de l'assuré, son corps est rapatrié, et si le défunt est l'un de ses proches, en Europe, il peut rentrer immédiatement, tous frais de transport payés.

Par ailleurs, en cas de problème au Ghana, la société d'assistance prend en charge l'avocat et avance la caution pénale.

Enfin, en cas de panne ou d'accident de voiture, le dépannage et le remorquage sont pris en charge. Dans certains cas, la société d'assistance peut expédier une pièce détachée introuvable au Ghana, rapatrier le véhicule et ses passagers, etc. (voir le détail de ces diverses modalités avec la société d'assistance, avant le départ).

*Un des attraits du Ghana
est le nombre de durbars ou de festivals,
partout célébrés avec enthousiasme
et permettant aux étrangers
de partager sans problème la liesse populaire.*

séjour et vie quotidienne

■ Très hospitaliers, les Ghanéens chercheront plutôt à vous aider en cas de problème qu'à vous tracasser. Mais, *consigne impérative*, il faut pouvoir s'exprimer dans la langue nationale (l'anglais) et, donc, ne pas oublier son dictionnaire de poche.

Dans la quasi-totalité des cas, les touristes allant au Ghana s'y rendent en avion et débarquent à l'aéroport international d'Accra-Kotoka. En cours de rénovation, celui-ci est proche de la capitale qu'il borde au nord-est (12 km du centre-ville).

Formalités d'entrée

Police/immigration : Vous devez être en possession d'un passeport valide et d'un visa d'entrée (voir « Avant de partir »). Par ailleurs, dès votre arrivée à l'aéroport, le service d'immigration du Ghana vous remettra un *formulaire à remplir dans les 48 heures* (prévoir deux photos) en se rendant au District Immigration Office d'Accra.

Santé : Vous devez également présenter un carnet de vaccination international portant le cachet du centre agréé qui vous a vacciné contre la fièvre jaune. La validité du vaccin anti-amarile est de dix ans (voir « Avant de partir »).

En cas d'urgence, tous les aéroports possèdent un service de vaccination.

La veille seulement du voyage, un traitement antipaludéen peut être commencé, mais il est indispensable dès le départ au Ghana, durera pendant tout le séjour et sera à continuer 4 semaines après le retour. Les comprimés quotidiens de Savarine sont préférables à ceux que l'on ne prend qu'une fois par semaine, car on a facilement tendance à oublier ces derniers.

Douane : Ne donnent lieu à aucun droit les articles suivants : cigarettes, cigares ou tabac, pour l'équivalent d'une livre. Vins et spiritueux, un quart de litre de chacun ; parfums et eau de toilette contenant de l'alcool, une demi-pinte ; les effets personnels, comprenant les vêtements, les articles de toilette, les accessoires de sport, les appareils photographiques, les machines portables, telles que machine à écrire, etc; Les armes et munitions, qui sont de toute façon soumises à des limitations, les lecteurs de CD, les appareils de radio, les instruments de musique, les bicyclettes ou autres véhicules sont soumis à des taxes, sauf lorsqu'il s'agit d'articles destinés à être réexportés intacts dans un délai de trois mois. Les produits alimentaires sont également soumis à une taxe et les douaniers qui fouillent les voitures à la frontière sont très stricts sur ce point. Si les voyageurs qui ont fait un long parcours possèdent encore une boîte de conserve ou deux, cela ne prête pas à conséquence, mais tout le ravitaillement important que l'on aurait prévu pour le séjour au Ghana serait taxé ou, selon les cas, confisqué.

L'assurance est obligatoire pour tous les véhicules, ainsi qu'un permis de conduire international et un triptyque de passage en douane.

Bagages/taxis : Prévoir, dès l'arrivée, de changer un peu d'argent en cédis, monnaie officielle du Ghana, pour les inévitables porteurs de l'aéroport et la course du taxi; Attention ! les taxis n'ont pas de compteur et il faut donc s'entendre sur le prix à payer avant de monter dans la voiture. Celui-ci peut varier de 10 000 à 25 000 cédis selon l'emplacement de l'hôtel.

A faire avant le retour

Pour le retour en Europe, il est indispensable de reconfirmer sa réservation au moins 72 heures à l'avance à Accra ou à Kumasi (en raison de l'affluence et des longues formalités de sécurité, de douane et de police, il est essentiel de se présenter à l'aéroport d'Accra-Kotoka au moins 3 heures avant le départ).

Veillez à présenter le visa de sortie délivré par le service d'immigration (voir « Formalités d'entrée ») et à acquitter (en dollars) la taxe d'aéroport (20 dollars). Comme les cédis ne sont pas convertibles en Europe, il vaut mieux avoir épuisé ses derniers billets avant de gagner l'aéroport (conserver quelques coupures quand même pour le taxi et les porteurs et d'éventuelles boissons, en zone d'embarquement).

Dans la zone « hors taxe » de Kotoka, vous trouverez quelques boutiques vendant de l'alcool, du parfum, quelques objets d'artisanat, un peu d'électronique (attention ! ces boutiques ne prennent que des devises et non pas vos derniers cédis ; par ailleurs, elles ne sont pas toujours ouvertes tard dans la nuit, au moment des derniers vols). N'oubliez pas que dans l'avion, la « boutique en vol » vous propose aussi de nombreux articles hors taxes, au cas où vous n'auriez pas fait le plein de « souvenirs », pour vos amis et pour vos proches, au Ghana. Si vous passez par Londres pour regagner Paris, l'aéroport d'Heathrow est également une « mine » pour effectuer quelques emplettes.

Où se renseigner ?

A Accra, l'organisme à consulter est le Ghana Tourist Board (P.O. Box 3106, tél. 233-21.22.21.53/23.17.79, fax 23.17.79). Il publie un certain nombre de brochures qui peuvent être d'un grand secours.

Certains organismes ne sont théoriquement pas faits pour renseigner les étrangers, et le touriste doit bien comprendre que nul n'y est tenu de le recevoir. C'est souvent une question d'affinité due à une profession ou à une passion commune. Les professeurs de l'université de Legon, spécialisés en botanique, en zoologie, en études africaines, les agronomes des stations de recherches, accepteront souvent de rencontrer un confrère ou un amateur particulièrement intéressé par les sujets qui sont les leurs et lui communiqueront de précieux renseignements.

Dans la plupart des villes existe un service d'information, dont les représentants seront consultés avec profit. En particulier, ils seront à même d'indiquer les possibilités d'hébergement, les curiosités à visiter, les dates des fêtes traditionnelles de leur région.

Enfin, rendre visite au chef d'un village où l'on vient d'arriver n'est pas seulement une question de courtoisie, mais souvent l'occasion d'apprendre beaucoup de choses, de sa part et de celle de son entourage.

La monnaie et le change

La monnaie du Ghana est le *cédi*, qui se présente en coupures de 50, 100, 200 et 500 cédis (bientôt 1 000). Il existe (théoriquement) des pièces de monnaie (*pesewas*), mais avec le haut niveau d'inflation qu'a connu le Ghana ces dernières années, elles ont perdu presque toute valeur et, de ce fait, sont de plus en plus rarement utilisées dans les échanges. Autre retombée de l'inflation : en changeant vos devises (francs ou dollars), vous aurez la surprise de recevoir pour un faible montant (en échange d'un ou deux billets de 500 FF, par exemple), plusieurs énormes liasses de billets ghanéans, qui nécessitent, pour leur transport, toute une sacoche ou toute une mallette !

Attention aux taux de change ! Ils varient d'un bureau de change à l'autre et d'un jour à l'autre. A notre avis, la meilleure marche à suivre est de changer d'abord une toute petite somme à l'aéroport, en arrivant (pour payer porteurs et taxi), puis d'effectuer un tour des principaux bureaux de change d'Accra, dont

les taux sont affichés à l'extérieur. Souvent, le change à votre hôtel (Novotel, par exemple) est le plus avantageux, mais il n'a pas toujours assez de coupures pour changer de grosses sommes. Aussi, avant tout circuit à l'intérieur du pays, il est utile d'accumuler un certain pécule, pour régler l'essence, les hôtels et les restaurants, en s'y prenant à l'avance, afin que votre changeur à Accra ait eu le temps de rassembler suffisamment de liquidités.

Avec ces problèmes d'argent, on touche le seul point sensible dans tout voyage au Ghana, pays où l'économie est entrée dans une phase de convalescence et où l'on essaye, par des mesures draconiennes d'austérité, de ramener l'inflation à des niveaux acceptables. Aussi ne doit-on pas être étonné si les grandes cartes de crédit internationales (Visa, American Express, Diners Club) ne sont acceptées que par un nombre infime d'établissements hôteliers, de restaurants et de commerces.

A noter également que le dollar est davantage apprécié au Ghana que le franc français, aussi les taux de change pour cette dernière monnaie s'en ressentent.

Les chèques de voyage sont d'une utilité moyenne, en dehors des très grandes villes comme Accra ou Kumasi, où les hôteliers des petites localités, n'ayant pas encore reçu beaucoup de touristes étrangers, ne sont pas rompus à ces formes modernes de paiement et préfèrent être réglés en cédis.

Le coût de la vie

En dehors des grands hôtels de la capitale, des restaurants de luxe et des locations de voiture, le coût de la vie est relativement bas dans tout le reste du pays, dès qu'on sort d'Accra. Que ce soit au Parc national de la Mole, dans le nord à Tamale ou à Bolgatanga, ou sur la côte Atlantique, on trouvera une multitude de petits établissements hôteliers où les prix du gîte et du couvert sont particulièrement modiques (évidemment, le confort est plutôt sommaire !). Sans parler de ces petits rest-houses qui ont été ouverts dans les forts de la côte où l'on paie moins cher que dans une auberge de la jeunesse en Europe. Quant au prix des repas, il existe également une multitude de « gargotes » dans tout le pays où l'on vous sert un plat unique (poulet-riz ou ragoût de bœuf), avec une boisson, pour des prix défiant toute concurrence ! Les objets d'artisanat ne sont pas non plus très oné-

RELIEF, HYDROGRAPHIE ET HÉBERGEMENT TOURISTIQUE

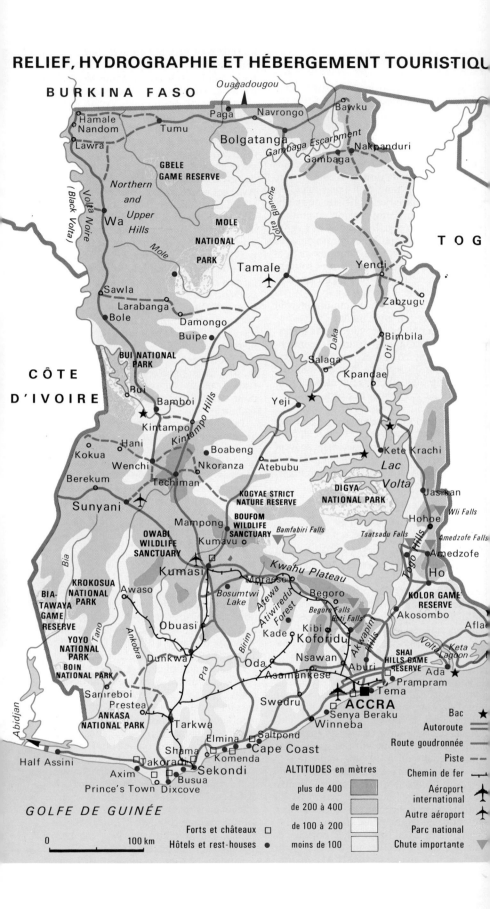

BURKINA FASO

Ouagadougou

TOGO

CÔTE D'IVOIRE

Hamale
Nandom
Lawra
Tumu
Paga
Navrongo
Bawku
Bolgatanga
Gambaga Escarpment
Nakpanduri
Gambaga Blanche
Gambaga

GBELE GAME RESERVE

Northern and Upper Hills

Wa

MOLE NATIONAL PARK

Mole

Tamale

Yendi

Sawla
Larabanga
Bole
Damongo
Buipe

Zabzugu

Bimbila

BUI NATIONAL PARK

Daka

Oti

Salaga
Kpandae

Bui
Bamboi

Kintampo Hills

Yeji

Kintampo
Hani
Kokua
Wenchi
Boabeng
Nkoranza
Atebubu

Kete Krachi

Lac Volta

Berekum
Techiman

KOGYAE STRICT NATURE RESERVE

DIGYA NATIONAL PARK

Jasikan

Wli Falls

Sunyani

Mampong

BOUFOM WILDLIFE SANCTUARY

Bamfabiri Falls

Tsatsadu Falls

Hohoe

Amedzofe Falls

OWABI WILDLIFE SANCTUARY

Kumavu

Amedzofe

Togo Hills

Ho

Kumasi
Mpraeso

Kwahu Plateau

KROKOSUA NATIONAL PARK

Awaso

Bosumtwi Lake

Afewa
Atiwiredu Forest

Begoro

KOLOR GAME RESERVE

BIA-TAWAYA GAME RESERVE

Begoro Falls
Biri Falls

Akosombo

Afla

YOYO NATIONAL PARK

Obuasi

Kibi
Kade
Koforidu

Volta

Keta Lagoon

BOIN NATIONAL PARK

Dunkwa

Briim

Oda
Nsawan

SHAI HILLS GAME RESERVE

Ada

Bia
Tano
Ankobra
Pra

Samreboi
Prestea

ANKASA NATIONAL PARK

Asamankese
Aburi

Pramprem

Abidjan

Tarkwa
Swedru

Tema

ACCRA

Bac

Winneba
Senya Beraku

Autoroute

Elmina
Saltpond

Route goudronnée

Shama
Komenda
Cape Coast

Piste

Half Assini
Takoradi
Sekondi

Chemin de fer

Axim
Busua

Aéroport international

Prince's Town
Dixcove

Autre aéroport

GOLFE DE GUINÉE

ALTITUDES en mètres

plus de 400
de 200 à 400
de 100 à 200
moins de 100

Parc national

Chute importante

Forts et châteaux □
Hôtels et rest-houses ●

0   100 km

PRINCIPALES PRODUCTIONS ET RESSOURCES

BURKINA FASO

TOGO

CÔTE D'IVOIRE

Ignames
Bolgatanga Tabac
Gambaga
Mil
Maïs
Wa
Coton Ignames
Mil
Arachide Mole
Maïs Tamale Coton
Ignames
Tabac Maïs
Ignames

Ignames

Maïs
Atebubu Ignames
Maïs Wenchi LAC VOLTA
Sunyani
Kola Café
Manioc
Manioc Café
Manioc Café
Plantain Kumasi Orangers Ho
Obuasi Orangers Barrage d'Akosombo
Café Koforidua Tabac
Wiawso Café Tabac Keta Lagoon
Manioc Dunkwa Manioc Orangers Manioc
Kola
Orangers Tema
Tarkwa Orangers ACCRA
Cape Coast
Orangers Sekondi
Axim Takoradi

Riz
Tomates
Cocotiers
Canne à sucre

Élevage · Pétrole · Bananiers
Zone d'abattage de bois · Diamants · Karités
Pêche artisanale · Bauxite · Palmiers à huile
Pêche industrielle · Manganèse · Cultures vivrières
Port industriel · Extraction d'or · Culture intensive de cacao
Zone industrielle · Dépôt d'or alluvial · Limites de plantations de cacao

reux, ce qui permet de faire le plein de « souvenirs » lorsqu'on visite le pays. Mais à condition de marchander ! Car au Ghana, comme dans tout pays africain, le marchandage est de règle dans tous les échanges. Aussi bien lorsqu'on prend un taxi, que lorsqu'on veut acquérir un objet ou des vivres au marché. En général, le marchand annonce toujours un prix d'appel trois à quatre fois plus élevé que le prix réel de l'objet désiré. A vous de jouer et de commencer très bas puis de vous rapprocher des offres successives du marchand qui descend peu à peu ses prix. Un peu de théâtre peut accélérer le marchandage. En quittant l'étal du marchand, vous avez toutes les chances d'être rattrapé et d'obtenir un « bon prix » !

Reste le poste de votre budget « vacances » consacré à la location d'une voiture, et là, pas de marchandage qui tienne, les loueurs locaux et internationaux pratiquent dans toute l'Afrique des taux souvent exorbitants (surtout si on loue une 4 × 4), imposent les services d'un chauffeur et le dépôt d'une caution… Ce qui amène les voyageurs peu fortunés à se rabattre sur les transports locaux (autocar, « tro-tro », train, etc.), beaucoup moins coûteux, mais très inconfortables et peu pratiques lorsqu'on veut sortir des sentiers battus.

L'heure et les horaires

L'heure officielle du Ghana est alignée sur celle du Méridien de Greenwich (Temps Universel ou GMT = 0). Ainsi le Ghana est-il en retard d'une ou deux heures sur la France, selon que l'on soit en hiver ou en été en Europe. Exemple : lorsqu'il est midi à Accra en janvier, il est 13 h à Paris (horaire d'hiver, GMT + 1) et, toujours lorsqu'il est midi à Accra, cette fois-ci en juillet, il est alors 14 h à Paris (horaire d'été, soit GMT + 2).

Voici maintenant les principaux horaires du pays : les banques sont ouvertes de 8 h à 14 h et le vendredi jusqu'à 15 h. Elles sont fermées le samedi et le dimanche. Mais ces jours-là les grands hôtels dépanneront les étourdis.

Les bureaux et administrations ouvrent de 8 h à 12 h 30 et de 13 h 30 à 17 h, sauf samedi et dimanche.

Les magasins n'ont pas tous exactement les mêmes horaires, et ceux-ci changent selon les jours de la semaine. D'une manière générale, on pourra compter sur des ouvertures comprises entre 8 h 30 et 12 h, 14 h et 17 h 30. Le samedi, ainsi

parfois que le mercredi, les grands magasins et supermarchés sont fermés l'après-midi.

Mais de toute façon, il y a de nombreuses exceptions : certains supermarchés attendent parfois largement plus de 19 h avant de fermer, surtout dans les villes de province. Il en est de même des petites boutiques et surtout des éventaires de plein air qui n'ont pas d'heure. Sans parler des marchandes de poissons d'Osu, à Accra, qui vendent leur marchandise à la lueur de lampes à pétrole. Dans les quartiers populaires des grandes villes on trouve dehors des noyaux animés, où l'on peut se ravitailler en épis de maïs grillés ou bouillis, en fruits, en beignets, en pain et en plats cuisinés, parfois assez tard, et, en tout cas, jusqu'à la sortie des cinémas à 22 h 30.

Dans les villages, il faut essayer d'arriver le jour du grand marché qui, parfois, n'a lieu qu'une fois par semaine, mais offre alors le maximum de variétés. Les autres jours, on y trouve malgré tout quelques marchandes ou alors il faut se rendre au grand marché qui a lieu dans une agglomération voisine. Le problème se pose surtout l'après-midi, souvent plus que calme, sauf exceptions comme dans les gares routières, où la plupart du temps trônent les mammies, pourvoyeuses de fruits, légumes ou plats cuisinés.

Le matin, le breakfast à l'anglaise ou le petit déjeuner continental sont prêts à partir de 6 h 30 ou 7 h. Mais il faut se rendre dans la salle à manger. Seuls les grands hôtels ont un service permanent pour les chambres, avec supplément. Les restaurants ouvrent pour le déjeuner de 12 h à 14 h et de 19 h jusqu'à une heure qui varie considérablement selon l'emplacement et la catégorie de l'établissement pour le dîner.

… Et à n'importe quel moment, ou à peu près, on peut se faire servir de la bière dont les Ghanéens font une consommation impressionnante.

Le rythme de la vie

Dans les grandes villes, les horaires de travail commandent l'animation des rues, et le trafic automobile est particulièrement intense entre midi et 14 h et entre 17 h et 19 h. Trouver un taxi pose alors un problème, heureusement plus facilement résolu par la coutume de prendre plusieurs passagers par voiture.

A partir de 19 ou 20 h, les quartiers administratifs ou résidentiels deviennent presque déserts, et seuls le voisinage des cinémas ou les quartiers populaires restent animés souvent tard dans la nuit. Dans les villes de l'intérieur, c'est encore plus net. Cela ne veut d'ailleurs pas dire que la population se couche tôt, mais elle vit surtout dans les cours intérieures, et les rues sont en général moins animées que dans beaucoup de pays africains. Une exception, mais une exception qui se remarque de loin, à Accra, lorsque des matches de football sont donnés en nocturne : la lueur du stade illumine tous les quartiers avoisinants et les clameurs s'entendent à bonne distance.

La fin de la semaine revêt, surtout dans les grandes villes du Sud, d'obédience chrétienne, un aspect particulier : le samedi après-midi est le jour des mariages et le dimanche tout entier celui des services religieux.

Du côté des musulmans, les cérémonies se déroulent le vendredi après-midi. Mais chaque jour se passe au rythme des cinq prières rituelles que tout fidèle de l'Islam, après s'être lavé les pieds, les mains et le visage, récite sur son tapis de prière, en direction de La Mecque, à l'endroit même où l'appel du muezzin — ou sa montre — l'avertit qu'il en est temps.

Musulman ou chrétien, le Ghanéen reste fidèle à ses coutumes ancestrales, et en particulier à celles qui accompagnent les funérailles. Celles-ci sont distinctes de l'enterrement, qui ne donne pas lieu à des manifestations aussi importantes et qui ne se produit pas le même jour. En tout cas, les funérailles ont généralement lieu le samedi.

Sacrifices, offrandes, libations accompagnés de prières spéciales ont lieu en privé. Ces rites ont pour but d'apaiser l'esprit du défunt qui pourrait errer encore à la limite des mondes visible et invisible et de lui permettre de s'installer dans l'au-delà dans les meilleures conditions possibles. Aussi, lorsque les parents et amis se répandent dans les rues, il ne s'agit plus alors de manifestations de douleur, mais de réjouissances, puisque tout est entré dans l'ordre immuable des choses. C'est en dansant au son des tam-tams que les participants défileront par toute la ville, quelquefois en brandissant des rameaux d'un arbre spécial, avant de se réunir sur la place la plus importante du village ou du quartier.

Mais le samedi, dans les hôtels des grandes villes, d'autres réjouissances, tout à fait laïques, se déroulent parfois dès 15 heures au son d'un orchestre moderne, souvent très bon. Il s'agit de matinées et soirées dansantes dans lesquelles règne une curieuse ambiance de retenue qui rappelle toujours l'influence actuelle des pasteurs prostestants.

Jours fériés légaux

Le Ghana observe huit jours fériés légaux par an :
— le jour de l'An (1er janvier),
— le Jour de l'Indépendance (6 mars),
— le Vendredi Saint,
— le Samedi Saint,
— le lundi de Pâques,
— le jour de la République (1er juillet),
— Noël,
— le Boxing Day (lendemain de Noël).

Poste et télécommunications

Ayant été récemment automatisé, le réseau de télécommunications du Ghana est de bonne qualité : on peut facilement et rapidement envoyer du courrier, téléphoner, télexer et passer des télécopies dans toutes les grandes agglomérations du pays vers l'intérieur et l'étranger.

Pour affranchir vos cartes postales et vos lettres, puis les expédier, vous vous adresserez à la réception de votre hôtel : elle est en général équipée d'une boîte à lettres et vend des timbres. Grâce au transport aérien, votre courrier met deux ou trois jours à atteindre votre correspondant à l'étranger.

En général, les grands hôtels (en particulier le Novotel d'Accra) sont équipés de standard et de cabines téléphoniques reliées en automatique avec le monde entier (on peut également téléphoner de sa chambre). Veillez bien à regarder votre montre lorsque vous avez à téléphoner à l'étranger car le temps passe vite et le coût des unités est assez élevé !

Vous pouvez aussi téléphoner depuis l'annexe de la grande poste d'Accra (High Street), envoyer des télex et des fax. Le plus pratique pour téléphoner en international est d'acheter sur place une télécarte, dont l'utilisation va se généraliser rapidement au Ghana. Dans la cabine de la poste, le récepteur est équipé d'un compteur affichant, au fur et à mesure de votre communication, les unités consommées. Cela vous permet d'être plus bref et plus précis ; en même temps vous ne vous ruinez pas en téléphone !

Pour téléphoner d'Accra à l'étranger, composez le 00 (international), le code du pays, le code de la ville, puis le numéro de votre correspondant. Exemple : pour avoir Paris, on composera sur le cadran le 00 (international)-tonalité-le 33 (indi-

On peut être habillé comme un prince...
et ne pas dédaigner les services des innombrables
petites marchandes des rues qui détaillent mille
articles de première nécessité,
comme l'huile de palme.

catif de la France), puis le 1 (Paris) et le numéro à 8 chiffres de son correspondant.

Voici quelques indicatifs de pays :

Allemagne : 49	Italie : 39
Belgique : 32	Pays-Bas : 31
Canada : 1	Royaume-Uni : 44
Espagne : 34	Suisse : 41
France : 33	USA : 1

Pour recevoir une communication de l'étranger à Accra, dites à votre correspondant de composer le 00 (international), le 233 (indicatif du Ghana), le 21 (indicatif d'Accra) et votre numéro dans la capitale ghanéenne.

Numéros à retenir

Voici quelques numéros de téléphone utiles à Accra :
British Airways (BA) : 66.78.00
Ghana Airways : 77.33.21.
Ambulance : 999.
Police : 999.
Hôpitaux : à Accra, Adabraka polyclinic, 22.24.90 ou Korle-Bu teaching hospital, 66.54.01 ; à Tema, l'hôpital général, 26.94 ; à Kumasi le 42.82.

Système métrique

Comme tous les pays anglophones, le Ghana s'est longtemps aligné sur les règles de circulation routière (rouler à gauche) et le système de poids et mesures prévalant en Angleterre. Mais depuis 1974, il a opté pour le système métrique et tout le monde, à partir de cette date, a dû également rouler à droite, comme tous les pays voisins (Togo, Burkina-Faso, Côte d'Ivoire). Néanmoins, il reste des vestiges de l'ancienne ère : chez les marchands de tissus de pagne, par exemple, on continue à utiliser le yard (0,914 m) lorsqu'on vend des coupons d'étoffe.

Alimentation électrique

Grâce au barrage d'Akosombo, presque tout le Ghana est alimenté en électricité (220 volts), à l'exception de tout petits villages et de campements isolés (comme celui du Parc National de la Mole) qui fonctionnent avec des groupes électrogènes. Pendant la saison des pluies, il n'est pas rare que des orages provoquent des coupures d'électricité sur le réseau national (attention aux appareils électro-ménagers sensibles aux sautes de tension !).

Conseils d'hygiène et de santé

En général, la couverture sanitaire du Ghana est bonne : on trouve un peu partout, dans les agglomérations importantes, pharmacies, médecins, hôpitaux et dispensaires.

En vacances au Ghana, il ne faut pas trop se préoccuper des risques de maladies tropicales, au point d'en gâcher le séjour : un peu de prévention suffit.

Le seul grand risque d'un séjour en Afrique tropicale est d'attraper le paludisme — transmis par les moustiques —, mais si l'on prend régulièrement sa Nivaquine (un comprimé quotidien au départ, pendant le séjour et six semaines suivant le retour), il n'y a plus grand'chose à redouter. Vous pouvez aussi, en plus, vous protéger des piqûres d'insectes en vous appliquant sur la peau des lotions anti-moustiques du commerce, en vaporisant votre chambre à coucher d'insecticides ou en mettant la climatisation (le froid fait fuir les moustiques autant que les insecticides).

Un banal désagrément, très courant lorsqu'on voyage dans les pays chauds, dû à la différence de température et au changement de régime alimentaire : la « tourista », qui se manifeste par des diarrhées. Si vous ne voulez pas attraper la « tourista », veillez à ne pas boire trop glacé, évitez de vous gaver d'ananas et de mangues aux vertus laxatives, prenez garde aux « chaud-froid » (exposition au soleil, plongée dans l'eau froide de la piscine ou de la mer, nouvelle exposition au soleil, retour à l'hôtel ou dans la voiture gelés par la climatisation). Pour faire cesser la « tourista », prenez des gélules d'Intétrix ou d'Immodium, mangez du riz et reposez-vous dans une chambre tiède (en arrêtant tout ventilateur ou climatiseur).

En saison des pluies, attention à ne pas trop patauger dans la boue et à vous doter d'un bon parapluie, car un rhume s'attrape vite.

En revanche, n'abusez pas non plus du soleil, particulièrement fort et traître, près de la mer et des lacs. Coup de soleil et insolation sont vite arrivés ! Pour bronzer, vous commencerez par vous mettre, les premiers jours, une crème hautement protectrice tout en veillant à ne pas trop vous exposer longtemps au soleil, sur la plage ou au bord des piscines. Ensuite, vous pourrez progressivement allonger le temps d'exposition.

Lors des safaris-vision dans les parcs nationaux, il faut également se protéger du soleil par des crèmes et un couvre-chef, car on progresse le plus souvent à découvert, dans des savanes où l'ombre est rare (emporter toujours une gourde d'eau ou une bouteille, pour éviter toute déshydratation).

Donner ou non un pourboire ?

La question des pourboires est délicate : dans de nombreux restaurants, le service figure sur l'addition, ainsi que les taxes (en tout 20 %). Mais il arrive que seules les taxes soient comptées. Pourtant, dans le premier cas, certains serveurs font nettement comprendre que de meilleurs comptes feraient de meilleurs amis tandis que dans le second, le garçon peut regarder d'un air étonné la soucoupe dans laquelle on a déposé plus que la somme demandée et le fasse remarquer, comme si l'idée même de pourboire lui était inconnue. Quelques centaines de cédis seront quelquefois acceptés avec des remerciements chaleureux, tandis qu'ailleurs ils provoqueront une grimace de surprise amère, même si dans les deux cas il ne s'est agi que d'une valise portée sur un trajet similaire.

La question du service à rétribuer ou du don à faire, d'ailleurs, est très délicate et demande à être envisagée selon chaque cas. Si le gardien d'un parc ou l'enfant qui montre le chemin d'une chute d'eau s'attend à recevoir une gratification, il faut y regarder à deux fois avant de tendre un billet à celui qui a aidé bénévolement le nouveau venu pendant une bonne heure à chercher poulet ou pintade dans les fermes pour assurer le dîner : comment savoir si ce n'est pas l'instituteur du village ou toute autre personne similaire, qui n'apprécieraient guère ce geste ! En revanche, ils seront toujours enchantés d'être invités à aller boire une bière.

Il peut arriver aussi que, dans un « kraal », certains laissent entendre qu'un don en argent serait apprécié. Mais ailleurs, si le touriste, ému au récit d'une calamité quelconque, manifeste sa solidarité par un don au chef de village qui charge aussitôt un enfant d'attraper une volaille pour en faire cadeau à l'étranger, celui-ci a l'impression pénible de s'être montré indélicat. L'argent peut aider, c'est vrai, mais il ne représente pas une panacée universelle et, avant de se donner bonne conscience en le distribuant, il vaut mieux chercher si l'on ne pourrait pas manifester son amitié par des cadeaux plus personnels.

Comment se comporter

En général, les Ghanéens trouvent plutôt plaisant d'être photographiés et font alors un détour pour se mettre sur la trajectoire, quitte à prendre un air indifférent. Malheureusement, l'appareil provoque chez d'autres un accès de fureur qui peut aller jusqu'à la violence. La seule manière de ne pas commettre d'impair consiste donc à demander la permission ou — mieux — à attendre que la demande vienne de ceux-là mêmes que l'on désire prendre comme sujets. Dans un village inconnu, surtout si personne n'y parle anglais, le mieux sera de porter son appareil en bandoulière, sans ostentation et sans faire mine de s'en servir. Il se trouvera certainement au moins un enfant pour venir l'examiner et faire signe qu'il est prêt à poser. Et, au milieu des rires, le reste du village suivra le mouvement.

(Ne pas oublier qu'au Ghana un « permis de photographier » est obligatoire et qu'un certain nombre d'édifices publics sont interdits à la photo, surtout à Accra : bâtiments officiels, aéroports, ministères, camps militaires. Il faut toujours avoir sur soi ce permis qu'on obtiendra au Ministère de l'Information à Accra).

L'étiquette en matière de salutation est simple : quels que soient l'âge et le sexe de deux personnes qui se rencontrent, celle qui est en mouvement doit saluer la première, qu'elle entre dans une pièce ou s'approche de quelqu'un dans la rue. En conséquence, il tombe sous le sens que, dans la majorité des cas, le touriste qui arrive dans un endroit inconnu devra dire bonjour, ne serait-ce que d'un signe de la main, aux habitants assis ou debout qu'il rencontrera. Et même s'il croise un piéton se déplaçant comme lui, qu'il fasse le premier geste. Il en sera vite récompensé : à la moindre manifestation de politesse de sa part, le visage le plus fermé se détendra immédiatement.

Lorsqu'on est reçu dans une maison ou que l'on en part, il vaut mieux serrer la main de tous les assistants, en allant de droite à gauche, sans tenir compte de l'importance de chacun ou du degré de connaissance que l'on a avec lui.

Lorsque deux amis se rencontrent, chacun prend son élan pour faire résonner la paume de sa main contre celle de l'autre. Mais quand ils se séparent, en se serrant la main, chacun glisse son medius contre le medius de l'autre de façon à les faire claquer au moment où les doigts se

Quarante-deux forts jalonnent les côtes ghanéennes
et bien des ports de pêche s'abritent derrière ces
citadelles, souvent bâties sur des presqu'îles
rocheuses pour mieux se défendre contre les
assaillants, qu'ils viennent par la mer ou la terre !

circuler
au ghana

séparent. La première fois, cela surprend, mais on s'habitue vite à ce petit geste amical qui ponctue gaiement les adieux et signifie que l'on a eu du plaisir à se retrouver ou même à faire connaissance, car il arrive que des inconnus qui viennent de se présenter l'un à l'autre l'échangent aussi.

La main gauche, comme dans les pays arabes, est considérée comme inférieure à la droite. Aussi donner, recevoir, montrer quelqu'un ou le saluer de la main gauche est tout à fait discourtois, comme l'est également le fait de croiser les jambes de telle sorte que le pied surélevé soit pointé vers l'interlocuteur.

La générosité du Ghanéen est légendaire (et amplement justifiée)... sa susceptibilité aussi. Autant il considère comme inadmissible et injurieux qu'un don de sa part ne soit pas accepté, autant il s'attend à des remerciements chaleureux et réitérés. Il souhaite également entendre vanter les mérites de son pays. Et si les compliments ne viennent pas assez vite, il les provoque sans fausse humilité. Car en bon Africain, le Ghanéen aime qu'on l'aime, qu'on s'intéresse à ses coutumes, à son art, à son âme... et surtout qu'on sache le distinguer de ses voisins. De même qu'un Scandinave se considère comme très différent d'un Latin, les Ghanéens, tout en prônant l'unité africaine, revendiquent fièrement leurs particularités.

Dans ces conditions, la clé de l'entente est facile dès que le touriste s'intéresse sincèrement à ces particularités. D'un bout à l'autre du pays et du haut en bas de l'échelle sociale, on lui expliquera complaisamment tout ce qu'il ne comprend ou ne connaît pas. En échange, il lui sera également posé de nombreuses questions, pour tenter d'éclaircir certains aspects quelque peu bizarres du comportement européen, et il faudra répondre à un feu roulant d'interrogations.

Par avion

La compagnie nationale Ghana Airways dessert également plusieurs villes du Ghana, en vols réguliers, au départ d'Accra-Kotoka, sur des Fokker 28.

Ainsi peut-on emprunter la ligne Accra-Kumasi une fois par semaine et celle d'Accra-Tamale, au nord, deux fois par semaine.

Ghana Airways à Accra : Ghana Airways House, Ghana Airways Avenue, Airport Residential Area, POB 1636, tél. 233-21.77.33.21/42/35/36, fax 77.70.78/33.16. Cocoa House, POB 1636, tél. 22.19.01/11.51. Kotoka International Airport, tél. 77.66.71. *Golden Airways* dans le quartier de Labone, POB 4300, tél. 77.79.78, première compagnie privée indépendante, dessert depuis octobre 1996 Kumasi et Tamale en vols quotidiens. Vols prévus pour Takoradi. Airlink : vols pour Kumasi mardi, vendredi, dimanche et pour Tamale lundi, mercredi, vendredi.

Par le train

Créé pour permettre d'exporter les ressources en minerai et en bois du pays et aussi pour surveiller le remuant pays Ashanti, le chemin de fer suit un tracé éloquent. Une première ligne relie Accra à Kumasi, au centre du pays, par Koforidua, Asuboni, Nkawkaw et Konongo. Elle longe heureusement d'assez près une bonne partie des monts Kwahu pour que le touriste qui l'emprunte profite pleinement de ce paysage de toute beauté. Mais comme cette ligne n'était pas faite dans un but touristique, le train s'arrête essentiellement dans des agglomérations d'importance économique, telles que Konongo, qui vit de l'extraction de l'or.

De Kumasi, le train redescend en une deuxième ligne importante vers Sekondi, sur la côte ouest, par Obuasi, Dunkwa (avec embranchement pour Awaso, en pleine zone forestière), Huni Valley et Tarkwa, toutes villes minières.

A Huni Valley, une troisième ligne rejoint Accra et Tema, avec embranchement pour d'autres villes minières : Oda et Kade.

Deux projets importants : la prolongation de la ligne d'Awaso jusqu'à Sunyani, à travers la zone d'abattage et de transformation du bois, et la création d'un embranchement de Bososo jusqu'à Kibi (proche d'un gisement de bauxite).

En fait, le touriste n'a guère de raison de choisir ce moyen de locomotion, sauf entre Dunkwa et Sekondi, sur la ligne Sekondi-Kumasi, à l'ouest, tant que les travaux de rénovation et de bitumage de la route joignant Dunkwa à Tarkwa ne seront pas terminés. En revanche, la prolongation de la voie ferrée d'Awaso à Sunyani sera d'un grand intérêt, car cette région, qui comprend les plus belles forêts du Ghana, est très défavorisée sur le plan des routes et, par conséquent, ce projet ouvrira peut-être au tourisme une zone jusqu'ici pratiquement vierge et même presque ignorée.

Comme dans toute l'Afrique, l'inconvénient de ce mode de locomotion tient à ce qu'on a toujours privilégié le transport de marchandises, aux dépens du trafic passagers. Aussi toute la qualité du service attendue par un voyageur européen, habitué aux ultra-modernes TGV, s'en ressent : il ne trouvera pas d'horaires des chemins de fer ghanéens et ne pourra pas réserver sa place dans une quelconque agence de voyages à Accra ou à Kumasi. Il lui faudra se rendre à la gare (Kwame Nkrumah Avenue, dans le centre-ville d'Accra), faire la queue, s'informer des horaires de départ et acheter son billet pour le jour même (au-delà, il est périmé et n'est pas remboursé). Heureusement, un regain d'intérêt pour ce mode de transport commence à se faire jour dans les sphères dirigeantes du Ghana, qui devrait aboutir à la fin des « trains de brousse », pittoresques, certes, mais lents et inconfortables comme les tortillards d'antan en Europe. Déjà, des trains « Express » bleus et blancs (première et deuxième classe) ont sensiblement élevé le standard des trains ghanéens. Ils ont l'avantage d'être plus confortables et plus rapides, ne s'arrêtant plus dans chaque gare. La prochaine étape sera-t-elle la création d'une réservation informatisée, comme pour les avions ?

Par bateau

Une traversée du lac Volta est un véritable morceau de roi dans tout voyage au Ghana. Créé par la main de l'homme, le lac Volta, qui compte parmi les plus grands plans d'eau artificiels du monde, s'étend depuis le barrage d'Akosombo, au sud du pays, jusqu'aux abords de

DISTANCES ROUTIÈRES (EN KM)

	Accra	Bolga-tanga	Cape Coast	Ho	Kintampo	Koforidua	Kumasi	Sekondi	Sunyani	Tamale	Tema	Wa	Yendi
Accra	0	810	144	165	478	85	270	218	400	658	29	740	754
Bolgatanga	810	0	779	914	350	752	558	853	470	170	839	368	266
Cape Coast	144	779	0	309	429	229	221	74	351	609	173	691	705
Ho	165	914	309	0	564	162	356	362	486	476	135	790	380
Kintampo	478	350	429	564	0	402	208	503	120	180	507	280	276
Koforidua	85	752	229	162	402	0	194	303	324	582	114	664	678
Kumasi	270	558	221	356	208	194	0	242	130	388	299	470	484
Sekondi	218	853	74	362	503	303	242	0	372	683	247	765	779
Sunyani	400	470	351	486	120	324	130	372	0	300	429	378	396
Tamale	658	170	609	476	180	582	388	683	300	0	687	314	96
Tema	29	839	173	135	507	114	299	247	429	687	0	769	515
Wa	740	368	691	790	280	664	470	765	378	314	769	0	410
Yendi	754	266	705	380	276	678	484	779	396	96	515	410	0
	Accra	Bolga-tanga	Cape Coast	Ho	Kintampo	Koforidua	Kumasi	Sekondi	Sunyani	Tamale	Tema	Wa	Yendi

*Dans la capitale, de nombreuses rues ont été
goudronnées, des routes à deux voies ouvertes,
tandis qu'un pont suspendu enjambe
Ring Road à Kanda Junction,
pour faciliter le trafic routier intense.*

Tamale, au nord. Il faut compter trois jours de navigation pour effectuer tout le trajet Akosombo (Marina) jusqu'au nouveau port de Buipe, soit 418 km.

Les paysages traversés sont magnifiques : depuis les montagnes couvertes de forêt, au sud, jusqu'aux savanes du nord. Et les couchers de soleil sur le lac, féeriques ! Voilà qui permet d'affronter les fatigues d'un voyage plus qu'inconfortable, car les bateaux sur les lacs, véritables marchés flottants, n'ont ni restaurant à bord ni cabines. Tout le monde couche sur le pont à la belle étoile. Autant dire que la traversée est surtout recommandée par temps sec et non en pleine saison des pluies ! Cependant, il est prévu de mettre prochainement en service un véritable car-ferry moderne, doté de tout le confort. Ouf !...

La principale ligne part d'Akosombo et monte sur Buipe, via Kpandu et Kete-Krachi (Eastern Region). Une autre dessert le bras occidental du lac (d'Akosombo à Adowso) et enfin une troisième dessert l'Eastern Region (d'Akosombo à Dambai et Oti-Domanko).

Les départs pour la grande ligne du Nord Akosombo-Buipe ont lieu, en principe, tous les lundis matin. On se renseignera auprès de la *Volta Lake Company* (P.O. Box 75, Akosombo), aussi bien pour les horaires des lignes régulières que pour les excursions, organisées à la demande, par cette entreprise.

Avant toute croisière, prévoir un sac de couchage, des provisions de bouche pour trois jours (surtout des boissons fraîches qu'on conservera dans des bouteilles thermos) et un nécessaire de toilette.

Par la route

Dans de nombreuses régions, le réseau routier du Ghana constitue pour l'automobiliste une bonne surprise. Dans le sud, le sud-est et le long de la côte vers l'ouest, les routes sont généralement goudronnées, même les voies secondaires.

Sans oublier le grand axe sud-nord partant de la capitale, Accra, et reliant par une bonne voie goudronnée (ou en cours de bitumage) : Kumasi (Ashanti Region), Techiman et Kintampo (Brong-Ahafo Region), Tamale (Northern Region) et Bolgatanga (Upper Region).

De plus, les transports en commun sont bien organisés. Le réseau de la State Transport Corporation, qui comprend de très confortables autocars verts, couvre pratiquement tout le pays. Ces autocars partent à des heures régulières, ne prennent pas plus de passagers qu'ils ne sont censés en contenir et offrent donc la possibilité de se rendre depuis Accra dans un nombre considérable de grandes et petites villes. C'est une source considérable d'économie pour le voyageur au budget moyen qui peut gagner à peu de frais n'importe quelle région, quitte à chercher sur place d'autres moyens de visiter les petits villages et les curiosités touristiques.

Ces moyens sont au nombre de deux. D'abord les taxis locaux. Louer un de ces petits véhicules à la demi-journée ou la journée permet à un groupe de trois ou quatre personnes de rayonner sans beaucoup dépenser autour d'une grande ville. Les nombreuses excursions à faire autour de Kumasi, par exemple, sont toutes réalisables de cette façon, car les distances sont courtes. Il faut marchander, bien sûr, et ne jamais partir sans avoir précisé, pour un prix définitif, le temps exact de location et les distances à parcourir. Avant toute discussion, questionner la réception des hôtels pour avoir une idée préalable de ce qu'il est possible — mais pas certain — d'obtenir comme forfait. Le marchandage est un art et demande de la patience et du savoir-faire !

Mais il ne faut pas quitter le Ghana sans avoir emprunté les incomparables « mammy trucks » ou les « tro-tros ». Les puristes établissent une distinction entre les deux, les premiers étant théoriquement plus grands que les seconds et peut-être un peu moins hétéroclites. Mais la différence semble imperceptible au profane ; ces véhicules défient toutes les lois humaines et surnaturelles et il est évident que la plupart d'entre eux ne sont plus en état de rouler depuis belle lurette... et pourtant ils tournent !

Le plaisir de les emprunter commence à la gare routière. Ils ne passent pas inaperçus, car ils sont couverts d'inscriptions sur le thème de la religion (« Dieu est le roi », « Tout pour Dieu », « Avec Dieu, tout est possible ») ou profanes (« La vie c'est la guerre », « Les temps changent, mon ami », « Confiance », « Vérité »).

Pour être honnête, il faut avoir soi-même, et souvent, une bonne dose de patience pour supporter un long trajet, coincé au milieu de toute cette foule de gens ou de paquets qui peu à peu s'incrustent dans un mélange d'os et de chair meurtris ! Mais il n'est pas possible de comprendre tout à fait un pays, si on ne se frotte pas à sa vie quotidienne.

Les « mammy trucks » doivent leur nom à une clientèle en majorité féminine, se déplaçant avec poissons, ignames, fruits divers, vin de palme, etc. Aussi la connaissance visuelle du pays s'accompagne-t-elle de sa connaissance olfactive. Mais il ne faut pas croire qu'il règne le moindre « sexisme » à bord de ces véhicules. La gent masculine y est très bien représentée : les bras, jambes, têtes qui émergent ici ou là lui appartiennent généralement, les « mammies » se réservant les meilleures places.

Il serait vain d'attendre de ces moyens de transport le respect d'un quelconque horaire. Le plein doit d'abord être fait avant de songer au départ, or le plein est une notion extrêmement subjective. Et puis la machine a parfois des caprices : à son âge, on ne saurait lui en vouloir. Ce n'est qu'après un long conciliabule entre elle et son servant qu'elle ébranle sa carcasse...

Les « tros-tros » n'ayant aucune fausse honte, on les rencontre jusque dans Accra.

Mais dans la capitale, comme dans toutes les villes importantes, les rues sont également sillonnées d'autobus, peints en rouge ou en jaune. Leur tarif est très modique et ils constituent un moyen bon marché et très efficace pour visiter une agglomération inconnue. A éviter aux heures de pointe, comme tous les autobus des grandes villes du monde.

Taxis et locations de voiture

Les taxis n'ont pas de compteur, et l'étranger doit s'enquérir du prix de la course avant de monter, s'il ne veut pas avoir de surprise désagréable. Et il vaut mieux fuir la porte des grands hôtels si l'on ne veut pas être pénalisé d'office d'un supplément.

La plupart des taxis d'Accra sont collectifs. Après des tours et détours effectués pour déposer chacun à destination, le touriste apprécie tout à fait le mode de règlement forfaitaire et prend gaiement les choses. D'ailleurs, ces trajets collectifs sont souvent très intéressants : les co-passagers lient volontiers connaissance et peuvent donner des renseignements précieux.

Il est évidemment plus confortable de louer une voiture pour visiter l'ensemble du pays.

Les agences de location offrent généralement des forfaits à la journée, à la semaine et au mois, mais ne pratiquent pas la formule du « kilométrage illimité », en dehors d'Accra. On peut se procurer des voitures de toutes marques et de toutes puissances, avec ou sans chauffeur. Malheureusement, ces agences sont toutes à Accra et le prix de leurs services très élevé, surtout lorsqu'on loue des véhicules tout-terrain. Parmi les loueurs d'automobiles, on retrouve au Ghana des grandes compagnies multinationales, comme Hertz (Allways Travel Agency), Europcar (Vanef), Budget Rent-a-car, Avis, etc.

« Tôle ondulée » et animaux sur la route

Le touriste qui voyage seul à bord d'une voiture ne doit pas oublier que la conduite sur piste, même en bon état, représente une fatigue à laquelle les routes européennes ne l'ont guère préparé. Tous les pays tropicaux ont à se mesurer avec le handicap sérieux de pluies torrentielles pendant quelques mois, ravinant plus ou moins les routes selon leur déclivité et la nature de leur sol. Il vaut mieux ne pas prévoir d'étapes trop longues si l'on ne sait pas ce qu'est une piste de « tôle ondulée » ou si la saison des pluies vient tout juste de s'arrêter et que les services d'entretien des routes n'ont pas encore pu faire les réfections nécessaires. D'ailleurs, avant tout voyage routier pendant la saison des pluies, on aura intérêt à se renseigner dans les gares routières sur l'état des pistes et des routes dans l'itinéraire choisi. Il se peut, parfois, qu'on soit obligé de changer d'itinéraire et de faire un détour, lorsque les routes sont impraticables, même avec une auto 4 × 4 tout-terrain.

L'approvisionnement en essence ne pose guère de problème dans la majeure partie du pays. Cependant, la région de l'Est, entre Yendi et Jasikan, ou celle de l'Ouest, étant très peu peuplées, le ravitaillement en essence y sera parfois problématique, voire impossible. Il faut donc prévoir un jerrican d'essence et même un jerrican d'eau, ainsi que deux pneus de rechange, dès que l'on s'engage sur des pistes peu fréquentées.

A noter que, depuis 1974, la conduite au Ghana est à droite...

Quant aux animaux de toutes sortes et de toutes tailles qui encombrent les routes et ne se déplacent même pas ou vont dans le mauvais sens, ils exigent d'être en permanence maître de la voiture. Excellente école de réflexes, mais aussi de prudence.

Les contrôles de police sont fréquents aux sorties des grandes villes, quand la route passe d'une région à une autre ou près des frontières. Mieux vaut ne pas avoir oublié son passeport à Accra ou l'avoir enfermé au fond d'une valise.

Les conducteurs ne se mettent pratiquement jamais en code pour croiser une voiture, la nuit. Ceux qui risquent d'être éblouis feront mieux de renoncer tout de suite à rouler après le coucher du soleil.

La signalisation des routes n'est pas encore généralisée dans tout le pays. En dehors des panneaux indiquant le nom des agglomérations traversées, on trouvera peu de pancartes signalant les distances entre ces villes et villages.

Se déplacer à pied

Très originaux : les « foot-safaris » dans le Parc national de la Mole, dans la Northern Region. Des itinéraires pédestres ont, en effet, été aménagés dans ce beau parc et permettent de mieux être en harmonie avec cette belle nature sauvage en même temps qu'on peut approcher — sans les effrayer, comme lorsqu'on prend une voiture — la grande faune du parc : antilopes, singes, éléphants et même lions et léopards.

Voyages organisés

La plupart des agences de voyages d'Accra font de la billetterie aérienne (achat et réservation de places d'avion sur les lignes internationales).

Peu, encore, organisent des circuits à l'intérieur du pays.

Néanmoins, on aura quand même avantage à les contacter car elles connaissent, mieux que quiconque, les ressources du pays et les meilleurs moyens de transport.

Quelques adresses : *Silicon Travel & Tours Ld*, Coplan House, Kojo Thompson Road, Adabraka, P.O.Box 11489, tél. 22.85.20, fax 22.85. 20/22.99.88 - E mail : Silicon @ ncs.com.gh

En Angleterre :
Tub Hill House, London Road, Seven Oaks, Kent, tél. 07.32.74.11.55, fax 07.32.74.01.23.

En Allemagne :
Sackgasse 2, 86420 Diedorf, tél/fax 49-823.845.

Akuaba Tourist and Travel Agency, Republic House Annex, Liberty Avenue, P.O. Box 2059, Accra, tél. 22.40.22.

Pan African Travel and Tours Ltd, Republic House Annex, Kwame Nkrumah Avenue, P.O. Box 5419, Accra, tél. 233.21.22.68.16, fax 66.42.82.

Quelques idées de circuits

Voici quelques suggestions de circuits établis à partir de durées très variables de séjour au Ghana :

En une demi-journée : Visite de la capitale Accra, en particulier du Musée National.

En une journée : Visite d'Accra (le matin) et du Jardin botanique d'Aburi, au nord de la capitale.

En deux à cinq jours : La côte Atlantique, et notamment les anciens forts portugais (Elmina, Cape Coast, Axim...).

En deux à cinq jours : Saut vers Kumasi, capitale des Ashanti (Centre culturel, Fort anglais, zoo, etc.) et vers Obuasi (mines d'or). Détour vers le lac Bosumtwi, la forêt de Kibi et les Kwahu Mountains.

En deux à cinq jours : La côte Est (port de Tema, le littoral d'Ada à Keta), la Volta Region (Ho, Kpandu, Hohoe).

En une semaine : Croisière sur le lac Volta, d'Akosombo à Buipe. Retour par la route.

En quinze jours à trois semaines : Grand circuit dans le Nord, au départ d'Accra (Parc national de la Mole, mosquées de Larabanga, chefferies de Wa et Zebilla, cases peintes entre Navrongo et Bawku, etc.).

Bordé par la Côte d'Ivoire, à l'ouest, le Burkina-Faso, au nord, et le Togo, à l'est, le Ghana est un excellent tremplin pour rayonner dans ces pays.

Ghana-Côte d'Ivoire : Une route côtière permet, maintenant, d'aller sans problème d'Accra à Abidjan, capitale de la Côte d'Ivoire (au passage, arrêt aux stations balnéaires ivoiriennes d'Assinie et de Grand-Bassam).

Ghana-Burkina-Faso : Une excellente route goudronnée relie le nord du Ghana (Navrongo, Paga) à la capitale burkinabé Ouagadougou (au passage : Parc national de Po, au sud de Ouagadougou, réputé pour ses éléphants).

Ghana-Togo : Une autoroute Accra-Tema, puis une bonne route, permettent de se rendre à Lomé, capitale du Togo, implantée juste à la frontière du Ghana après Aflao. On continuera ensuite vers l'est, par la route côtière, pour visiter le lac Togo. D'Accra, une autre route mène au Togo, par le barrage d'Akosombo, puis la région de Ho et passe à Dafo, poste-frontière. On traverse toutes les collines de Klouto (hôtel-campement) et on descend vers la jolie petite ville togolaise de Kpalimé, au centre d'une région de cacao et de cascades.

loisirs et fêtes

■ Plus que les plages immenses du Ghana, le visiteur étranger appréciera surtout son énorme capital de traditions remontant à des temps immémoriaux, et qui sont toujours perpétuées avec faste. Ainsi en est-il des innombrables fêtes traditionnelles que les Ghanéens appellent « festivals ». Néanmoins, comme on le verra plus bas, le Ghana n'est pas démuni en matière de loisirs sportifs (tennis, golf, bateau, natation, safaris-vision, chasse et pêche).

Les fêtes traditionnelles

Il y a deux catégories de fêtes : les fêtes occasionnelles ou personnelles qui interviennent par exemple lors de l'attribution de son nom propre à un enfant, quelques mois après sa naissance, lors des rites d'initiation, c'est-à-dire du passage de l'enfance à l'âge adulte, au moment du mariage et des funérailles ; d'autre part, chaque ethnie ou chaque ville a son ou ses festivals annuels qui donnent à tous les habitants d'une communauté la possibilité de resserrer leurs liens, de se réconcilier en cas de brouille et de renouveler l'expression de leur fidélité au chef et aux ancêtres, invisibles, mais toujours présents et actifs. Ces festivals varient dans leur forme, leur époque, leur prétexte. Par leur diversité même ils sont à la fois les témoins de la richesse culturelle du Ghana et une source de plaisir et d'intérêt toujours renouvelée pour l'étranger.

En général, ils commémorent un événement historique, qui a eu une importance particulière pour le développement et l'installation des habitants d'une ville, des membres d'une ethnie ou d'un clan. Mais il s'agit également souvent de fêter le début ou la fin d'une récolte, de purifier les « stools » (tabourets rituels) ancestraux ou d'apaiser une divinité.

Tous reposent sur une croyance en un monde immatériel où évoluent des êtres surnaturels, ainsi que l'esprit des ancêtres. Certaines coutumes surprennent, comme les manifestations de moquerie et même les critiques parfois mordantes. Dans le « Kuntum », célébré par les Nzima et les Ahanta de la côte ouest, toute liberté est donnée pour scandaliser ses voisins et ridiculiser ses supérieurs. Leurs fautes, leurs défaillances sont étalées au grand jour et ils doivent accepter sans sourciller d'entendre ce que tout le monde a pensé d'eux et de leur conduite pendant toute l'année, sans avoir eu le droit de l'exprimer.

Dans le nord, pendant le « Gologo », on peut aussi attaquer vertement ses voisins et se moquer de leurs difformités physiques ou morales.

Parfois, il s'agit de démystifier une calamité naturelle redoutée par tous. Pendant le « Homowo » des Ga, dans la région d'Accra, la famine est conspuée dans l'espoir de lui faire honte et d'inaugurer une période d'abondance.

Dans certains cas, il s'agit pour les jeunes de faire la preuve de leur adresse et de leur courage. Primitivement, la « Chasse au daim », particulière à Winneba, sur la côte ouest, représentait un exploit particulièrement dangereux, puisqu'il fallait capturer un léopard, sans autre aide que ses mains nues. Ce n'est qu'à la suite de nombreux décès que le dieu à qui était dédié le sacrifice du léopard fut prié de bien vouloir se contenter d'un daim ou plutôt d'une antilope.

Pendant le festival d'Ayerye, chez les Fanti, les jeunes gens qui ont reçu une instruction militaire dans la compagnie de leur père doivent montrer ce qu'ils savent faire. Aussi simulent-ils une bataille, menée entre leurs différentes compagnies.

Revanche d'une humiliation

Parmi les fêtes qui commémorent un événement historique, le « Papa festival » de la ville de Kumawu donne l'occasion aux habitants de prendre leur revanche sur une origine assez déplaisante pour eux, puisque Kumawu signifie « le rameau qui est mort ». Ce nom fait allusion au choix que fit le célèbre roi Osei Tutu de l'emplacement de sa future capitale en plantant deux branches de l'arbre Kum et en sélectionnant celui qui fleurit, Kumasi. Kumawu, donc, prit une éclatante revanche sur cette humiliation lorsque l'un de ses chefs se sacrifia en 1699 pour permettre au peuple Ashanti de remporter la victoire contre leur suzerain et oppresseur Dankyira. C'est en son honneur qu'est célébré le Papa festival.

Souvent il s'agit purement et simplement de renouveler les bons rapports que l'on doit avoir avec Dieu ou avec les ancêtres. Chez les Ashanti, la fête d'« Adae », qui se divise en « Akwasidae » (la fête du dimanche) et en « Awukudae » (la fête du mercredi), n'est pas une manifestation annuelle. Elle se base sur le calendrier Akan, dont l'année se divise en 9 cycles de 40 jours (chacun est célébré un dimanche et un mercredi). Ces fêtes sont destinées à prouver aux ancêtres qu'on ne les a pas oubliés et à les inciter à continuer à protéger les vivants.

Offrandes, « durbars » et festivals

Dans la plupart de ces festivals, il y a deux parties. D'abord les rites pratiqués plus ou moins en privé et qui consistent en offrandes aux dieux ou aux ancêtres, en libations et en incantations. Mais quand ces cérémonies à but purement spirituel ont été accomplies suivent des réjouissances qui sont l'occasion pour un chef de revêtir son costume d'apparat, de porter tous les insignes de son pouvoir et de déployer toute sa majesté. Il apparaît alors en public sur son palanquin, abrité sous un dais et accompagné de tous les chefs qui lui ont prêté serment d'allégeance et sont également revêtus avec autant de majesté et entourés de la même pompe. Il s'agit alors de « durbars », rassemblant une foule immense, venue renouveler sa foi et sa fidélité au paramount chief. La joie éclate dans toute les rues sous forme de danses, chants, accompagnés par des tam-tams qui ne servent parfois que pour ces occasions. Il faut noter que les durbars peuvent n'avoir rien à voir avec une cérémonie religieuse et se déployer à l'occasion de la venue d'un visiteur illustre.

Le cycle de l'année

JANVIER. En janvier, Walewale, dans la région nord, avec le «Bugum», célèbre les retrouvailles d'un roi et de son fils perdu. Le Ramadan musulman donne à Bole (Northern Region) l'occasion d'une fête particulière.

Toujours en janvier, se déroulent le « festival du riz » d'Akpafu (Volta Region), le « Kpini-Kyiu » de Wa (Upper Region), le « Tengbana » à Tongu (Upper Region), le « Denso Abaim » à Techimentia (Brong-Ahafo Region) et le « Ntoa Fukokuese » à Nkoranza (Brong-Ahafo Region).

MARS. Le « Damba » commémore l'anniversaire de Mahomet, à Walewale. Et aussi le « Asikloé », à Anfoega, dans la Volta Region ; le « Volo », rappelant la fin de l'exode du peuple Volo depuis le Togo où il fuyait un roi tyrannique et impie (région d'Akuse).

Le « Lekoyi » à Likpe (Volta Region), le « Kotokyikyi » et l'« Ogyapa » à

Senya Beraku (Central Region), le « Kurubi » à Namase (Brong-Ahafo Region), Le « Lalue Kpledo » à Prampram et le « Dipo » (Manya et Yilo Krobo, Eastern Region).

AVRIL. En avril, le « Damba » de Bole marque la fin de l'année et le commencement de la suivante. Le « Bogum », le « Serpeemi » et le « Wodomi » réunissent les Krobo de l'Eastern Region.

Quant aux Dagomba de la Northern Region, ils fêtent à la même époque le « Dam » et le « Bugum ».

MAI. Ce mois est l'époque de la « Chasse au daim », déjà évoquée ; du « Beng », en l'honneur du plus grand fétiche des Gonjas (Northern Region à Sonyo Kipo, près de Bole) ; du festival d'Osudoku (Eastern Region, près d'Asutsuare), marquant le début de leur année ; du « Donkyi » à Namase (Brong-Ahafo Region) et du « Don » à Bolga (Upper Region).

La bénédiction des ancêtres

JUIN. Le mois de juin est une période importante, puisqu'il groupe l'« Assafua », purification du dieu du même nom par les habitants de Sekondi ; l'« Ahumkan » des Akim de Kibi, sorte de fête de fidélité de la population à l'égard de tous ses chefs ; le « Gyenprem », à Tafo, marqué par un durbar, pour rendre grâce de l'abondance des récoltes et d'une année de paix ; l'« Ahobaa », à Enyan-Kakraba, près de Saltpond, où l'on implore la bénédiction des ancêtres ; le « Kete », en l'honneur du fétiche Kete Kyen, à Sekondi ; l'« Ebisa », qui s'adresse au fétiche ainsi nommé, toujours dans le secteur de Sekondi ; le « Kli-adzim », à Agbozume, pour fêter le dieu local. Et aussi l'« Ahoba Kuma » (Abura, Central Region) et l'« Apiba » à Senya Beraku (Central Region).

JUILLET. Les habitants d'Elmina commémorent, par le « Bakatue », la découverte de leur ville, tandis qu'à Sekondi, décidément une ville de festival, on célèbre le « Bombei », l'« Ekyen Kofie », la fête de la moisson des ignames, ainsi que le « Kuntum ». Dans la Central Region, à Enyam-Maim, c'est également l'époque de la fête des ignames ainsi que du « Wodomi » à Manya Krobo (Eastern Region).

AOÛT. Ce mois apporte son cortège de

festivités : l'« Asafotu-Fiam » de la région d'Ada évoque le souvenir des victoires remportées par les ancêtres du XVIIe siècle pour conquérir la terre ; l'« Edim Kese » voit de nouveau Sekondi en liesse avec un durbar ; l'« Equadoto » à Ayeldu, près de Cape Coast, s'adresse aux ancêtres ; l'« Homowo » de la région d'Accra rappelle les difficultés que les ancêtres des Ga eurent pour surmonter la famine pendant leur migration, au XIVe siècle ; l'« Apatwa », à Dixcove, dure pratiquement pendant tout le mois ; l'« Awubia » à Awutu, à l'ouest d'Accra, est une fête des morts ; le « Fetu Afahye » donne l'occasion aux habitants de Cape Coast de renouveler leur allégeance à leur chef. Citons également l'« Ahoba Kese » (Abura, Central Region).

SEPTEMBRE. Septembre voit l'« Akwambo » et l'« Ayerye », à Enyam-Maim ; la fête de l'igname célébrée à Ho, ainsi qu'à Abaadze-Dominase, près de Saltpond et, dans la même région, l'« Akwambo » et l'« Abangye ». Et aussi l'« Akyempem » à Agona (Ashanti Region) et le « Fetu » à Cape Coast (Central Region).

OCTOBRE. Ce mois est l'époque du « Kundum » des Nzima ; de l'« Ohumkyire », identique à l'« Ohumkam », qui est célébré également à Kibi.

NOVEMBRE. En novembre, le « Fao » donne aux habitants de Paga, près de Bolgatanga, l'occasion de remercier les dieux pour la bonne récolte. Autres festivités pendant ce mois de novembre : le « Bohyenhuo » et l'« Atweaba », tous deux se déroulant dans l'Ashanti Region.

DÉCEMBRE. Décembre voit la fête des ignames à Anfoega ; l'« Odwira », le plus important festival des Akim, destiné à la purification de leurs « stools », le « Tutu » à Assin Manso (Central Region) durant deux semaines, glorifient les ancêtres du stool de leur paramount chief ; le « Feok » à Sandema dans l'Upper Region rappelant la victoire des ancêtres sur ceux qui opéraient des raids pour se fournir en esclaves, enfin l'« Afahye » pendant lequel le paramount chief et les gens d'Assin-Manso se souhaitent la bonne année et qui est l'occasion d'un grand durbar.

sports et spectacles

Les sports nautiques et terrestres

Se baigner dans l'Océan exige la plupart du temps une extrême prudence, à cause de la violence de la barre. Il y a cependant des exceptions, particulièrement à l'ouest : la côte y est très découpée et les nombreux caps encadrent des étendues d'eau calme.

Parmi les principales plages aménagées ou en cours d'aménagement, on citera, d'ouest en est : Axim, Busua, le littoral entre Sekondi et Takoradi et entre Elmina et Cape Coast, Biriwa et Winneba, Accra (plages du Riviera Beach et de New Labadi Beach). Acapulco Club (16 km à l'est d'Accra), Paradise Beach (30 km à l'E.), Prampram (50 km), Ada et Keta.

Les bains de rivière sont pratiqués dans l'embouchure de la Volta à Ada. Ils pourraient l'être dans l'estuaire des fleuves qui se jettent dans la mer à l'ouest, comme l'Ankobra ou le Pra. Cependant, il y a toujours lieu de craindre la bilharziose et, avant de se baigner, il faut se renseigner auprès des autorités médicales de la région.

En ce qui concerne le lac Volta ou le lac Bosumtwi, les avis sont partagés sur les risques de bilharziose. Mais cette maladie étant provoquée par un minuscule coquillage qui ne se trouve que sur les bords de rivières ou de lacs, c'est-à-dire là où l'eau est stagnante, une sage précaution consiste à gagner d'abord en pirogue les régions d'eau profonde.

Les piscines ne sont pas encore nombreuses dans le pays, mais peu à peu les régions s'équipent. A Accra, il en existe plusieurs, y compris un bassin de dimensions olympiques, ainsi qu'à Teshie, Tema, Takoradi, Akosombo, Kumasi, Mole et bientôt Bolgatanga.

Sur le plan national, la *natation* n'est réellement pratiquée que depuis 1971, ce qui explique qu'il reste encore beaucoup à faire dans le domaine de l'équipement. Mais cette lacune tend à se combler, non seulement pour permettre aux jeunes espoirs de s'entraîner, mais aussi pour donner une arme de plus au tourisme.

Quelques clubs de voile existent, notamment dans la région d'Accra et à Sekondi-Takoradi.

La *pêche sportive* est pratiquée de façon tout à fait individuelle par les touristes, à condition de pouvoir s'entendre avec un piroguier. Dans l'embouchure de la Volta, elle est très populaire.

Comme tous les pays où les Britanniques ont séjourné, le Ghana ne manque

mille souvenirs

pas de golfs ni ne courts de tennis. De beaux parcours de *golf* (« greens ») ont en effet été aménagés à Accra (Achimota et Sakumo) et tout près du port de Tema, ainsi qu'à Kumasi, Akwatia, Obuasi (Ashanti Region), à Tafo (Eastern Region) et à Takoradi (Western Region). Quant au *tennis*, la plupart des grands hôtels de la capitale disposent de courts (en particulier le Novotel et le Shangri-La), ainsi que ceux des grandes villes, comme Tema, Kumasi, Cape Coast, Bolgatanga, etc.

Autre sport terrestre d'élection : le *foot-safari*, ou randonnée pédestre dans les parcs naturels, dont le Ghana s'est fait le pionnier (Mole National Park). Sans oublier la *chasse* qu'on peut pratiquer un peu partout dans le pays, à condition d'en solliciter l'autorisation au préalable.

L'*équitation* se pratique à Accra, à Takoradi, à Kumasi et, d'une manière embryonnaire, dans la Réserve de Shaï Hills.

Accra possède également un terrain de *polo*, entre l'aéroport et l'université de Legon.

Loisirs et spectacles

Le cinéma occupe une place importante dans les loisirs des Ghanéens, et il existe de nombreuses salles à Accra et dans les grandes villes. Mais à l'Arts Centre et au Drama Studio d'Accra, au Centre culturel de Kumasi, bien d'autres catégories de spectacles attirent jeunes et adultes, en particulier chaque samedi et chaque dimanche. Le théâtre est pratiqué par des troupes de professionnels ou d'amateurs et s'accompagne souvent de chants et de danses, traditionnels ou modernes.

Des orchestres de jeunes musiciens de pop music se sont formés dans de nombreux endroits. Une fois par an, ils entrent en compétition pour une coupe nationale.

Le « Ghana by night » peut être parfois très « chaud », comme dans tous les pays d'Afrique noire, où la danse reste le loisir le plus prisé par toute la population, de l'homme de la rue au haut fonctionnaire. Parmi les meilleurs night-clubs d'Accra, on citera : L'Appolo Theatre, Holy Gardens, Picadilly Circle, The Moon, Cave du Roi, Tip Toe, Blow up, Black Caesar's Palace, etc. Et à Kumasi : Dimelite.

■ Le Ghana s'est d'abord appelé, non sans raison, la Côte de l'Or. Bien des touristes y viennent donc avec l'arrière-pensée de rapporter des bijoux fabuleux pour une bouchée de pain. De l'or, ils en trouveront, certes, dans les bijouteries, sous forme de pépites, de colliers, de pendants d'oreilles, de bagues. Mais il s'agit de réalisations modernes et il faut renoncer, sauf en de rares exceptions, à découvrir et surtout à acheter l'équivalent des parures et insignes royaux... même à prix d'or.

« Kente » et « adinkra »

Néanmoins, on peut quand même profiter de certaines productions des anciens ateliers royaux, près de Kumasi, qui fonctionnent toujours et fabriquent pour les chefs et divers dignitaires traditionnels une large variété d'objets et bijoux en bois sculpté et doré (bagues, bâtons de clan, pendentifs, colliers, pectoraux, bracelets et décorations de bonnets) ainsi que de magnifiques pagnes tissés : « kente » et « adinkra ».

Avant tout achat de « kente », en boutique à Accra et Kumasi, ou dans les ateliers de Bonwiré (« capitale du kente », à l'est de Kumasi), il faut visiter le Musée National d'Accra, où des échantillons de ces tissages sont exposés et les motifs traditionnels expliqués.

Porté par l'Asantehene (empereur des Ashanti) et ses dignitaires, le « kente » est également revendiqué par les autres ethnies du Ghana, notamment les Ewe, qui font de Kpetoe, près de Ho, dans la Volta Region, au sud-est, la véritable terre d'origine de ce tissu.

D'un coût élevé, car il réclame plusieurs mois de travail, le « kente » est un véritable morceau de roi que les touristes ramènent en Europe, non pas pour le porter, selon l'usage comme une toge romaine, mais plus prosaïquement pour s'en servir comme dessus de lit. Comme on le constatera sur place, le « kente » est confectionné sur de tout petits métiers artisanaux qui produisent de longues bandes de plusieurs mètres, qui seront ensuite coupées et assemblées. En général, ces coupons de tissu se vendent toujours au « yard », ancienne mesure anglaise valant 0,914 m. Connaissant maintenant les habitudes (et les moyens financiers limités) de leurs visiteurs étrangers, les tisserands ghanéens ne leur proposent pas les immenses pagnes de chef — qui seuls méritent l'appellation de « kente » — mais des pièces plus petites,

*Les artisans ghanéens
tissent toujours des « kente »
et impriment des « adinkra »,
vêtements traditionnels
des chefs ghanéens.*

de la taille d'une nappe, voire même de simples bandes pouvant servir de ceinture ou encore... des chemisettes et des shorts ! Si on reste au Ghana quelque temps, on peut se faire exécuter un « kente », selon les mesures, les coloris et les motifs de son choix

Des tissus imprimés artisanalement

A Tewobaabi, près de Bonwire (à l'est de Kumasi), les ateliers du chef Nana Kwaku Dua II (« Baffour Gyimah Enterprise », tél. 3) produisent des « adinkra », tandis qu'on trouve dans sa boutique un large assortiment d'insignes de chef en bois sculpté. A la différence du « kente », l'« adinkra » n'est pas tissé artisanalement. C'est une cotonnade industrielle de couleur vive (jaune, bleu, rouge, vert) ou noire (lorsqu'elle est portée pour les funérailles) sur laquelle de nombreux motifs géométriques sont imprimés. Chacun de ces dessins est symbolique et renvoie souvent à un adage. Parmi les principaux motifs, on trouvera la spirale, la lune, les étoiles, le soleil, les chevrons, les triangles, etc. En visitant les ateliers, on verra les calebasses d'encre, épaisse comme du goudron et tirée d'une plante, ainsi que les motifs sculptés dans le bois, dotés d'un manche, que l'artisan encre et appuie sur le tissu, comme un cachet. Peu encombrant, très décoratif et moins coûteux qu'un « kente », l'« adinkra » constitue un cadeau apprécié.

Antiquités, brocante

Utilisant plutôt le bronze que le bois, les artistes ghanéens traditionnels ont laissé peu de masques et de statuettes, en dehors de la fameuse « poupée ashanti » (« akuaba »), dont on ne trouve aujourd'hui que des copies, au Centre culturel de Kumasi et chez les brocanteurs du marché Makola à Accra. Inutile d'en chercher les originaux, car les antiquaires du monde entier sont déjà passés par là, depuis des décennies et, d'ailleurs, il faudrait obtenir une autorisation d'exporter si, par chance, on en découvrait.

Un même sort est réservé aux « chineurs » européens qui souhaiteraient trouver des anciens poids à peser l'or (géométriques ou figuratifs), célèbres auprès de tous les collectionneurs d'art africain. Heureusement, les artisans continuent à en fabriquer d'habiles copies et souvent vieillies jusqu'à donner l'illusion d'une pièce originale (boutique d'artisanat du Centre culturel de Kumasi et marché Makola à Accra).

Sur les éventaires des marchands qui bordent 28th February Avenue à Accra, il est possible de faire des trouvailles intéressantes, tels des masques revêtus de métal ou de cauris, des cavaliers de bronze du Bénin ou du Cameroun ainsi que des récipients de bronze sculptés Ashanti de différentes tailles. Les sculptures sur bois qui sont vendues dans de nombreux magasins ont leurs tenants. Hélas ! il s'agit presque toujours de fabrications déplorablement modernes. Mais enfin, chacun son goût ! Les stools (tabourets de chefs traditionnels) vendus à Accra ou à Kumasi sont de qualité inégale. Les plus beaux se trouvent à Ahwiaa, près de Kumasi.

Dans un tout autre genre, les poupées de chiffon représentant, en deux tailles, des personnages de la vie quotidienne ghanéenne, ont de la classe. De plus, elles ont l'avantage d'être faciles à emporter...

Vêtements traditionnels

Dans le nord du pays, on aura le choix entre trois spécialités. Les chemises d'homme en coton à rayures, avec leur forme évasée donnée par plusieurs plis couchés et leurs larges emmanchures, sont assez mal portées par les Européens que mystérieusement elles féminisent. Elles conviennent donc généralement mieux aux femmes. De même, les hommes du Nord portent deux sortes de chapeaux de paille coniques : l'un hérissé de brins de paille multicolores, l'autre à la pointe et au bord revêtus de cuir. Cette fois, les femmes ne prétendront pas qu'elles l'achètent pour un parent ou ami et le garderont pour elles sans hésitation. Elles feront toutefois mieux de ne pas le mettre au Ghana, car elles feraient beaucoup rire et passeront un mauvais moment pendant le retour en avion : ce satané chapeau (celui dont les brins de paille s'accrochent partout !) ne pourra entrer dans aucune valise ni sac de voyage et il faudra le ramener en bandoulière...

Maroquinerie

Autre spécialité du Nord : les sacs en cuir souple, bordés de franges. Les uns, très grands, se portent à l'épaule, les autres ressemblent presque à des penden-

tifs et en tout cas se mettent autour du cou. On trouve également des boîtes rigides recouvertes du même cuir rouge à dessins noirs, utilisables en porte-monnaie.

Poterie

Un peu partout au Ghana, mais particulièrement sur les marchés du Nord, on trouvera des plats, cruches, jarres (« canaris ») en terre cuite ocre, rouge ou noire, parfois décorés de motifs géométriques.

Au Ghana, ces récipients servent à toutes sortes d'usages : comme marmite ou comme assiette, comme vase à eau, mais aussi comme tonneaux — lorsqu'ils sont de grande taille — pour contenir de la bière de mil. On en ramènera en Europe pour en faire des vases à fleurs, en ne choisissant pas les plus volumineux, en raison des problèmes de transport aérien.

Vannerie

Sur le bord des routes, on rencontre souvent des villageoises portant sur la tête des paniers de toutes tailles et de toutes formes. Certains sont ronds avec des poignées, d'autres en tronc de cônes, voire en forme de pyramides. En général, ils sont très rustiques et peu décorés. Mais le problème pour le touriste est toujours de ramener, par l'avion, ces objets souvent très beaux mais bien encombrants (difficile de les faire passer pour des bagages à main et de les prendre en cabine. En soute, ils risquent d'être très malmenés).

Philatélie

Les timbres du Ghana sont souvent très beaux, dommage qu'il n'existe pas encore un service philatélique à la grande poste d'Accra, pour pouvoir les collectionner. Aussi se contentera-t-on d'acheter ceux qui ont cours à l'époque du voyage au Ghana.

Fleurs et fruits tropicaux

Juste avant le départ, il faut absolument aller faire des emplettes de dernière minute aux marchés d'Accra. Notamment pour ramener de délicieux fruits tropicaux, plus savoureux qu'en Europe : ananas, mangues et papayes.

bibliographie

■ Le Ghana étant anglophone et ayant appartenu à la sphère d'influence britannique, c'est à Londres qu'on trouvera la plus abondante littérature (en anglais) sur le pays. Quelques ouvrages sur l'histoire et le tourisme au Ghana (toujours en anglais) sont vendus sur place dans les boutiques des grands hôtels, comme le Novotel d'Accra, les musées à Accra, Elmina et Cape Coast, et dans les librairies locales.

Néanmoins, on peut quand même trouver en France quelques ouvrages, encore trop rares, consacrés au Ghana et édités en français. Dans la plupart des cas, on aura intérêt à aller fouiller dans le stock des librairies spécialisées dans le voyage et le tourisme, dont on trouvera la liste en fin de notice.

Ouvrages généraux

Ghana, tome XI de la *Grande Encyclopédie du Monde* (éditions Atlas). *Le Ghana*, Beautés du Monde (Larousse), fascicule comprenant également une notice sur le Togo et le Bénin.
Le Ghana, notice contenue dans l'*Atlas des Civilisations Africaines* (Beaux Livres/Nathan).

Histoire/ethnologie

La plupart des ouvrages ci-dessous ne sont disponibles qu'au Ghana :
Forts and Castles of Ghana, par Albert van Dantzig (Sedco Publishing Limited).
Christiansborg Castle-Osu (Ghana Museums and Monuments Board).
The Castles of Elmina, a brief history and guide, par Tony Hyland (Ghana Museums and Monuments Board, series number 3)
Clay figures used in funeral ceremonies (Ghana Museums and Monuments Board).
Festivals of Ghana, par A.A.Opoku (Ghana Publishing Corporation).
Apoo Festival, par E.V. Asihene (Ghana Publishing Corporation).
Traditional Rule in Ghana, past and present, par Kwame Arhin (Sedco Publishing Limited, Accra).
Adinkra Poems, par A. Kayper-Mensah (Ghana Publishing Corporation).
Ancient Ashanti Chieftaincy, par Ernest E. Obeng (Ghana Publishing Corporation).
Ashanti of Ghana, people with a soul, par J.W. Tufuo and C.E. Donkor (Anowuo Educational Publications).
Naissance d'un État africain, le Ghana, par J. Boyon (Paris 1958).
Le Ghana de Nkrumah, par S.G. Ikoku (Paris, 1971).

Histoire de l'Afrique, par R. et M. Cornevin (Payot).
Histoire de l'Afrique Occidentale, par Djibril Tamsir Niane et J. Suret-Canale (éd. Présence Africaine).
Histoire Générale de l'Afrique, par Ibrahima Baba Kaké et Elikia M'Bokolo (éd. ABC).
L'Univers Akan des Poids à Peser l'Or, par G. Niangoran-Bouah (trois tomes, éditions NEA-MLB).

Zoologie

Indispensable si on visite les parcs nationaux du Ghana, en particulier celui de la Mole, au nord-est :
Guide des grands mammifères d'Afrique, par Jean Dorst et Pierre Dandelot (éd. Delachaux et Niestlé).
Les Oiseaux de l'Ouest africain, par W. Serle et G.J. Morel (éd. Delachaux et Niestlé).

Économie

Le Ghana, notice entière consacrée à ce pays dans l'*Atlaséco*, atlas économique mondial, publié chaque année en France par les éditions SGB (4, rue Commaille, 75007 Paris, tél. 01.45.48.15.02) et en vente à l'automne dans les kiosques et librairies-journaux.

Divers

Ghana, the land, the people and the culture (Ghana Tourist Development Company Ltd).
Ghana, a traveller's Guide, par Jojo Cobbinah (Books on African Studies, Jerry Bedu Addo).
Le Ghana, par P. Puy-Denis (éditions Karthala) 1994.

Littérature

Anthologie négro-africaine, par Lilyan Kesteloot (Marabout-université).

Revues/ magazines

L'hebdomadaire *Jeune Afrique* publie régulièrement articles de fond et suppléments sur le Ghana.
Dans la revue *Balafon* d'Air Afrique : « L'empire de l'or : les Ashanti », par Claude Tardits (N° 79, nov./déc. 1986).

Priorité du Ghana moderne,
la formation des jeunes
s'avère être une tâche colossale,
dans un pays confronté à
une très forte croissance de la natalité.

la table

Cartographie

Indispensable ; la carte routière du Ghana (Road Map of Ghana), au 1 :1.000.000ᵉ éditée par la compagnie pétrolière Shell et la compagnie aérienne hollandaise KLM. Au verso de la carte : plan très détaillé de la ville d'Accra.

Il existe également des cartes physiques du Ghana publiées par l'Institut Géographique National français ; au 1 :1.000.000ᵉ, notamment une carte de la côte englobant également le littoral du Togo et du Bénin (carte « Accra-Lomé-Porto-Novo ») et une carte du Nord (« Tamale »). Par ailleurs, Michelin vient de réactualiser sa carte routière de l'Afrique de l'Ouest.

Librairies de voyage

A Paris :
L'Astrolabe, 46, rue de Provence, 75009.
Itinéraires, 60, rue Saint-Honoré, 75001.
Ulysse, 35, rue Saint-Louis-en-l'Ile, 75004.
L'Harmattan, 16, rue des Ecoles, 75005.
L'ABC du voyage, 14, rue Serpente, 75006.

■ Pays agricole, le Ghana cultive une assez large variété de légumes sur tout le territoire : raves de manioc (« kassava »), ignames, patates douces, mil, maïs, ignames, riz, bananes-plantain constituent une garniture de base pour les plats en sauce (ou ragoûts) plus communément appelés, dans toute l'Afrique Noire, les « sauces ». Selon les viandes utilisées, ces « sauces » peuvent varier à l'infini. Dans tout le pays, on trouve du petit élevage (volaille, porcs, chèvres et moutons) et dans le nord, pays de savanes, du gros élevage de bovins. Ce qui explique la très bonne qualité de la viande servie un peu partout en « stew » (ragoût ou pot-au-feu, ayant souvent mijoté dans l'huile rouge de palmiste).

N'oublions pas les 550 km de côtes ghanéennes où vivent de grandes communautés de pêcheurs. La marée est excellente et met sur la table des bons restaurants du sud du pays nombre de langoustes, soles, rougets, etc. Malheureusement, il n'existe pas encore de transport routier frigorifique, si bien que poissons de mer et crustacés ne sortent guère du littoral. On peut toujours se rattraper dans le Centre et le Nord avec les poissons de rivières et de lacs.

LANGUE ET LEXIQUE

■ *Si on parle l'anglais, on peut se faire comprendre un peu partout au Ghana, dont c'est la langue officielle. Plus particulier, le « pidgin » est un mélange d'anglais et de différents mots empruntés aux dialectes locaux. Son aire linguistique étant très limitée, il n'est guère utile de s'y initier. Il n'en est pas de même, en revanche, de la langue Akan qui est parlée non seulement par tous les peuples d'origine Akan mais aussi par les autres. Elle est donc, aujourd'hui, devenue, comme l'anglais, une des grandes langues nationales du Ghana. Ce n'est pas seulement par curiosité qu'il est utile de s'initier à cette langue, mais aussi pour témoigner votre amitié et votre intérêt pour les gens qui vous accueillent avec tant de gentillesse au Ghana. En utilisant quelques formules de politesse lors de vos rencontres avec des Ghanéens de la ville et de la brousse, vous attirerez très vite leur sympathie. La meilleure façon de mieux connaître le pays, en somme !
(Attention ! tous les mots suivants sont écrits en phonétique).*

oui : çâ-âh
non : dééh-bi
merci : midâcé
bonjour : mââ-dji
bon après-midi : mââ-ah

bonne nuit : mââ-djou
bienvenue : akwaba
au revoir : nânnti-yêêh/yé-kôh
où est l'hôtel Novotel ? : wô-hi Novotel ?

(suite p. 220)

Autre apport important à la table ghanéenne : la viande de brousse. Comme tous les peuples d'Afrique Noire, les Ghanéens raffolent de la « biche », petite antilope qui vit en forêt et en savane, dont le nom scientifique est le céphalophe. Autre animal sauvage, très pourchassé pour sa chair, qui ressemble à celle du lièvre : l'agouti ou aulacode, gros rongeur de la taille d'un castor, qui est grillé ou préparé en ragoût. Il faut être un vieil « Africain » pour se pourlécher les babines. Généralement, les visiteurs étrangers, qui mettent le pied pour la première fois en Afrique, font la grimace lorsqu'on leur sert de l'agouti ou du singe, provoquant l'hilarité générale dans les petites gargotes où on leur a présenté de tels plats !

« Fufu » et « soupe-à-l'arachide »

Attention ! Après cette belle énumération des viandes et des légumes du Ghana, il ne faut surtout pas vous attendre, une fois dans le pays, à faire des festins pantagruéliques. La longue crise économique dont le Ghana vient de sortir a posé à tous des problèmes de survie au jour le jour. Si bien qu'au Ghana, on s'est habitué à une certaine frugalité des repas. Inutile de chercher des hors-d'œuvre variés et un dessert dans la plupart des petits restaurants et gargotes que vous trouverez tout au long de la route. En général, un plat unique est indiqué sur une ardoise, à l'entrée (évidemment, cette remarque ne vaut pas pour les grands hôtels des villes importantes, où la carte, plus étoffée, sert une « cuisine internationale » standard).

Parmi les plats typiques ghanéens, on citera : « la soupe à l'arachide » (pâte de cacahuètes grillées accompagnant un ragoût de bœuf ou de poulet, avec des oignons, de la sauce tomate et des épices), le « fufu » (pâte d'igname, de manioc, ou de banane-plantain) qui sera arrosé d'une « sauce » (morceaux de viande, de poisson ou de crabe ayant mijoté dans l'huile de palmiste avec des épices), la « soupe à la noix de palmiste » obtenue en faisant bouillir des noix de palmistes, puis en les écrasant et en les mélangeant avec des tomates pilées, des oignons et du piment. Et, enfin, le « kenkey » (pâte obtenue avec de la farine de maïs mélangée dans l'eau qui doit fermenter deux à trois jours ; puis elle est roulée dans une feuille de bananier et plongée dans l'eau bouillante). Cette sorte de pain de maïs est ensuite consommée avec n'importe quelle sauce.

Les boissons

La bière représente partout la boisson nationale. Dans les grandes villes, on trouve des marques étrangères. Dans l'épicerie-supermarché-bureau de tabac-buvette des villages, il s'agit d'une bière de fabrication ghanéenne, bonne et assez légère.

Partout, la deuxième place — ou la première en pays musulman — revient aux boissons gazeuses sucrées et au Coca-Cola.

Tout récemment une nouvelle boisson douce (non alcoolisée) a fait son apparition : le « malta », sorte de liqueur brune à base de malt, produite par les brasseries. Il en est fait un grand tapage publicitaire dans tout le pays et à la télévision (« Mama don't forget the malta »), ce qui explique sans doute sa grande vogue auprès des famille ghanéennes.

Sur tous les marchés du Sud et du Centre, s'ajoute le vin de palme (nsafu ou nsafufu) plus ou moins fermenté et par conséquent plus ou moins alcoolisé. On le boit de préférence dans des petites calebasses et, lorsqu'il est bien frais, il désaltère parfaitement. Tout à fait fermenté, il devient un alcool puissant (« African gin ») dont il convient de se méfier, surtout lorsqu'il faut ensuite conduire.

Dans le Nord règne le *pito*, extrait du mil et tenant à la fois du cidre et de la bière. Lorsque l'étranger entre dans une de ces brasseries artisanales (à Zebilla, par exemple, dans l'Upper East Region), il est d'usage d'absorber toute une calebasse. S'il ne fait pas la grimace en la vidant d'un trait, le touriste sera acclamé par toute l'assistance.

Quelle que soit la région, au cours de son voyage, le touriste aura l'occasion fréquente de goûter au gin ou schnaps local qui occupe une place particulière, puisqu'il sert aux libations offertes aux ancêtres ou aux dieux. D'ailleurs la visite au prêtre féticheur s'accompagne obligatoirement du don d'une bouteille de schnaps… ou de plusieurs, si cette visite se double d'une consultation d'oracle.

Après avoir versé du liquide sur le sol, le prêtre distribue le reste de l'alcool aux assistants qui pratiquent ainsi une sorte de communion ; donc il vaut mieux ne pas rencontrer plus d'un prêtre féticheur ou chef de village dans la même journée !

Du côté des boissons chaudes, thé ou café, chères aux Occidentaux, seuls les restaurants et hôtels d'une certaine importance peuvent en servir.

L'immense lac Volta,
créé par les barrages d'Akosombo et de Kpong,
est une véritable mer intérieure
traversée par les ferries
et dont l'avenir touristique est assuré.

l'hébergement

■ Avec la reprise économique qui s'est fait jour au Ghana et la volonté récente du gouvernement de développer davantage le tourisme, l'hôtellerie va connaître un nouvel essor. Déjà le pays bénéficie d'une politique judicieuse qui, il y a quelques années, s'est traduite par la construction de petits établissements, essaimés sur tout le territoire.

Ainsi, aujourd'hui, on ne compte plus le nombre de campements, guest-houses, catering rest-houses, motels et hôtels de toutes catégories construits près des plus beaux sites touristiques (comme le lac Bosumtwi, au sud de Kumasi, par exemple) ou dans les locaux les plus inattendus, comme les anciens forts de la côte.

Malheureusement, la crise économique, en provoquant un arrêt quasi complet du tourisme dans le pays pendant plusieurs décennies, a parallèlement entraîné la fermeture ou la vie au ralenti de toute cette hôtellerie. Les établissements s'en ressentent durement, bon nombre connaissant aujourd'hui un état de délabrement rédhibitoire.

Mais, cette crise économique n'a pas eu que des effets négatifs, car dans le domaine du tourisme et de l'hôtellerie, elle a souvent stimulé l'initiative privée. De plus, maintenant que l'économie repart, ce n'est plus l'État qui se charge seul de toute l'industrie hôtelière, mais une multitude de modestes entrepreneurs privés qui montent un peu partout sur le territoire de petits programmes hôteliers. Un changement d'échelle qui sera apprécié par tous les voyageurs qui n'ont pas les moyens financiers d'aller dans les grands établissements de luxe et qui, même s'ils étaient fortunés, préféreraient des hôtels restés à l'échelle humaine où, très vite, on peut faire partie de la famille ! On trouve ce type d'hébergement simple, économique et familier, aussi bien dans le Nord (Bolgatanga, Wa), que dans le Centre (Kumasi, Obuasi) ou sur la côte Atlantique (Ada, Cape Coast, Takoradi, Elmina, etc.). Parallèlement, de luxueux établissements destinés à la clientèle « haut de gamme » des touristes fortunés et des hommes d'affaires sont également ouverts au Ghana, comme l'excellent Novotel d'Accra doté d'équipements et de services de qualité (restaurant, piscine, boutiques, tennis, business centre, etc.). Ainsi, avec le retour à l'expansion, tout le parc hôtelier existant va bénéficier d'un coup de neuf, et les projets gelés vont redémarrer.

les hôtels (sélection)

ACCRA

*Labadi Beach*****, en face de la Foire internationale, POB 1, tél. 77.25.01, fax 77.25.20, 104 ch. dont 4 suites et 2 ch. pour handicapés, 2 restaurants, 2 bars, piscine, tennis, secrétariat, salle de conférences, centre de mise en forme, volley ball, agence de voyage, loc. voitures, boutiques.

*Golden Tulip****, entre l'aéroport et le centre, Liberation Road, POB 16033, tél. 77.53.60, fax 77.53.61, 163 ch., 4 suites, 16 chalets avec kitchenette, restaurant, bars, casino, club de jazz, tennis, piscine, pratique de golf, boutiques, centre d'affaires, location voitures.

*Novotel****, Barnes Road (centre), POB 12720, tél. 66.75.46, fax 66.75.33, 180 ch. et 6 suites, restaurant, piscine, tennis, salle de conférences, secrétariat, practice de golf.

*Wangara***, Labone Crescent, au nordest du centre, POB 6565, tél. 77.25.25, fax 77.24.38, 52 ch., 2 restaurants, 3 bars, salle de conférences, services de secrétariat, salle de banquets, piscine, billard.

*Shangri-La***, Airport, POB 9201, tél. 77.75.00, fax 77.48.73, 52 ch., restaurant, piscine, sauna, équitation, secrétariat, bar, salle de conférences.

*Secaps***, près de l'aéroport, POB 1176, tél. 50.02.06, 32 ch., restaurant, piscine, tennis, salle de gymnastique.

*Mariset***, Airport, POB 0608, tél. 77.45.42, fax 77.20.85, 16 ch., restaurant.

*Granada**, Airport, POB 6250, tél. 77.53.43, 35 ch., restaurant, piscine.

*King David**, Kokomlenle, POB 10323, tél. 22.98.32, 35 ch., restaurant.

*Kingsby**, New Achimota, POB 5496, tél. 22.37.42, 22 ch., restaurant.

*North Ridge**, North Ridge, POB 1365, tél. 22.58.09, 31 ch.

*Sunrise**, North Ridge, POB 2287, tél. 22.45.75, fax 22.76.56, 19 ch. restaurant.

*Sanaa Lodge**, Tesano, POB 6461, tél. 22.04.43, 51 ch., restaurant, piscine, secrétariat, bar, boutique.

*Penta**, Osu, POB 7354, tél. 77.45.29, fax 77.43.18, 26 ch., restaurant.

*Maple Leaf**, New Achimota, POB 3787, tél. 40.01.85, 22 ch., restaurant.

*Sunlodge**, Tesano, POB 6909, tél. 22.97.58, 12 ch., restaurant.

Riviera, Victoriaborg, remarquablement situé face à la mer mais fort délabré, POB 4226, tél. 66.29.90, 100 ch., restaurant, grande terrasse, piscine… désaffectée.

Cocobeach Resort, Teshie Nungua, à Osu, POB 0738, tél. 71.28.87, 12 ch., restaurant, discothèque, terrain de camping.

Flair Guest House, Cantonments, POB 2228, tél. 77.55.99, 4 ch., restaurants.

Aama, Kokrobite Beach Resort, POB 2923 (réserver à Novotel) fax 66.75.33, 30 ch., restaurant, salle de conférences.

ABURI (Eastern Region), ind. tél. : 081

May-Lodge, près du jardin botanique, POB 25, tél. 25, 4 ch., restaurant.

Aburi Botanical Gardens, tél. 23.00.55, 40 ch., bar, restaurant.

ADA (Great Accra Region), ind. tél. : 0968.

Ada Hotel, tél. 22.66.93 et 22.23.01, 13 ch.

AKOSOMBO (Eastern Region), ind. tél. : 0251.

*Volta***, POB 25, tél. 66.26.39, fax 66.37.91, 40 ch., bar, restaurant.

Lakeside Motel, Senchi, POB 84, 11 ch.

AMEDZOFE (Volta Region), ind. tél. 091

Rest-House, 5 ch.

AXIM (Western Region), ind. tél. : 0342

Ankobra Beach, POB 79, tél. 296, 8 ch.

Frankfaus Guest House, POB 44, tél. 20.342, 14 ch.

Monte-Carlo, POB 86, 11 ch.

BEGORO, (Eastern Region)

Sweet Memories Lodge, Box 31, 4 ch.

BOLGATANGA, (Upper-East Region)

Catering Rest-House, POB 50, tél. 23.99, 24 ch., bar, restaurant.

Black Star, POB 40, tél. 23.46, 11 ch., bar, restaurant.

Et aussi de nombreux petits hôtels : *Sand Gardens* (22 ch.), *Oasis* (11 ch.), *Central* (11 ch.), *Saint-Joseph* (10 ch.).

BOSUMTWI (Lac), (Ashanti Region)

Rest-House, 4 ch.

BUNSO (Eastern Region)

Rest-House.

BUSUA (Western Region), ind. tél. 031

*Busua Resort**, POB 7, tél. 212.10, 32 ch.

CAPE COAST (Central Region), ind. tél. 042.

*Biriwa Beach**, POB 479, tél. 33.111, fax 33.666, 11 ch., restaurant : spécialités de poissons.

*Tourist Beach**.

*Sanaa Lodge**, POB 504, tél. 32.570, 12 ch.

Fairhill Guest-House, POB 1039, tél. 32.570, 12 ch.

Hans Cottage, POB 1240, tél. 33.621, 11 ch.

Sammo Guest-House, POB 1312, 12 ch.

Oguaa Hotel, ex-*Catering Rest-House*, POB 305, tél. 32.594, 9 ch.

Obatanpa, C/o Mankesim Post Office, 14 ch.

Adaano Hotel, POB 44 à Anomabo, tél. 33.692, 21 ch.
Mudek, Pedu, POB A9, tél. 327.87, 35 ch.
En projet le *New Palace*, situé sur l'autoroute, vers Takoradi, en face du jardin d'horticulture de l'Université de Cape Coast, ainsi que les hôtels d'une * : *Dunkwa Guest*, *Nataco*, *Savoy Hotel*, Sam Road.

DUNKWA (Central Region), ind. tél. 0372
Grandee, POB 121, tél. 420, 12 ch.
Okotopon Guest-House, POB 35, 8 ch.
Pacific Port, POB 17, 6 ch.

ELMINA (Central Region), ind. tél. 042
Coconut Grove Beach Resort, POB 175, tél. 33.637, fax 33.647, 30 ch., le plus bel hôtel de la région, restaurant.
Oyster Bay, POB 277, tél. 36.05, fax 33606, 30 ch.

ENCHI (Western Region), ind. tél. 031
Akwaaba, POB 33, 9 ch.
Aowinman, POB 79, 11 ch.

GAMBAGA (Northern Region), ind. tél. 072
Rest-House

HALF-ASSINI (Western Region)
Victory, POB 88, 19 ch.

HO (Volta Region), ind. tél. 091
Woezor, POB 339, tél. 83.39, 40 ch.
Alinda, Private Mail Bag, 14 ch.
E.P. Social Ho Centre, POB 224, 15 ch.
Emmanuel Guest-House, POB 423, 4 ch.
Fiave Lodge, POB 352, tél. 412, 5 ch.
Hotel de Tarso, POB 6, tél. 732, 22 ch.
Majestic, POB 248, tél. 264, 5 ch.

HOHOE (Volta Region), ind. tél. 0935
Matvin, POB 397, tél. 21.34, 25 ch.
Pacific Rest-House, POB 361, 7 ch.
Grand Hotel, POB 38, tél. 20.53, 9 ch.
Taste Lodge, POB 299, tél. 80.42, 5 ch.

KETE-KRACHI (Volta Region), ind. tél. 091
Simon, POB 122, 15 ch.

KETA (Volta Region), ind. tél. 0966
*Vilcabamba**, Hedzaanawo-Denu, POB 73, tél. 093.54, 33 ch.
*Makavo**, Aflao, POB 24, tél. 409, 21 ch.
*Keta Beach Hotel**, POB 377, tél. 288, 26 ch.
Ewotsige, Aflao, POB 221, 14 ch.
Kplom Dedie, Aflao, POB 91, 20 ch.
Abutia Anglo Guest-House, POB 76, Keta, 16 ch.
Monaco, Aflao, POB 43, tél. 222 à Aflao, 10 ch.

KOFORIDUA (Eastern Region) ind. tél. 081
*St-James**, POB C87, tél. 231.65, 28 ch.
*Eredec**, POB 979, tél. 232.34/232.96, 40 ch.
*Parters May**, POB 688, tél. 23.18, 11 ch.
Eastland, POB 564, tél. 22.16, 10 ch.
Kes, POB 827, tél. 23.32, 19 ch.
Kobs, POB 158, 18 ch.
Motel, POB 158, tél. 225.14, 6 ch.
Oyinka Guest-House, POB 221, tél. 26.75, 10 ch.
Passo Lodge, POB 232, tél. 26.15, 5 ch.
White Rose Lodge, POB 1197, 5 ch.
Petits hôtels à Akim-Oda (*GME*, 13 ch. ; *Madarena*, 12 ch. ; *Morning Star*, 10 ch. ; *O Right Guest-House*, 16 ch. ; *Cap Hotel*, POB 102, 8 ch. et à Somanya (*Palm Hotel*, 11 ch.).

KPANDU (Volta Region), ind. tél. 0962
Lucky, POB 145, 12 ch.
Refco Guest-House, POB 147, tél. 230, 6 ch.
Slyka Lodge, POB 161, 5 ch.

KUMASI (Ashanti Region), ind. tél. 051
*Georgia** Adiebeba, POB 2240, tél. 24.154, 30 ch., restaurant.
*Rexmar***, West Patasi, POB 3172, tél. 22.294, 17 ch.
*Cicero Guest-House**, West Nhyiaeso, POB 1187, tél. 24.473, 13 ch.
*City Hotel**, Ridge, POB 1980, tél. 23.293, 169 ch.
*La Vikus** Danyame, POB 4713, tél. 22.975, 27 ch.
*Melody**, Kropo, POB 2049, tél. 22.975, 30 ch.
*Roses Guest-House**, POB 4176, tél. 24.072, 12 ch.
*Sir Max***, POB 3733, tél. 25.222, 21 ch.
*Nurom**, Suame, POB 140, 21 ch.
*Stadium**, Asokwa, POB 23340, tél. 36.47, 18 ch.
*Sarfo**, Santasi, POB 1694, tél. 22.448, 37 ch.
*Noks**, Asokwa, POB 8556, tél. 24.162, 18 ch.
New Orleans, Danyame, POB 4575, tél. 25.966, 18 ch.
Ashanti Paradise, Ridge, POB 187, tél. 24.222, 5 ch.
Ask Guest, POB 478, tél. 26.011, 8 ch.
Ayigya, POB 3515, 18 ch.
Cedar Crescent, POB 1451, 5 ch.
Golden Bed, Adiebeba, POB 8445, tél. 24.315, 6 ch.
Dominion Exec. Lodge, Ahodwo, POB 3628, 5 ch.
Joy Guest-House, Bomso, 11 ch.
Obaatanpa, Ridge, POB 1451, 18 ch.
Pine Executive Lodge, Ridge, POB 3456, tél. 26.103, 4 ch.
Royal Avenue, Ohwimase, POB 4545, 8 ch.
Samaritan Villa, St Hubert, POB 99, 16 ch.
Catering Rest-House, Ridge, POB 3179, tél. 23.635, 27 ch.

*Une infrastructure hôtelière très élaborée
accueille désormais aussi bien le touriste
que l'homme d'affaires.
Ci-dessus, en haut, le Novotel à Accra et, en bas,
le Labadi Beach sur la route de Tema.*

*Autres exemples de ces possibilités
d'hébergement : ci-dessus, en haut, le
Golden Tulip à Accra, sur la route de l'aéroport
et, en bas, le Kokrobite Beach Resorts, sur
la route de Winneba, à 30 km d'Accra.*

Cottage Hotel, Asokwa, POB 4649, tél. 25.219, 15 ch.
Chief Palace, Abrepo, POB 238, tél. 24.118, 14 ch.
Cozy Lodge, Nhyiaeso, POB 3028, tél. 22.774, 12 ch.
Saint Patrick, Akorem, POB 195, tél. 26.191, 39 ch.
Amissah, Asokwa, POB 343, tél. 23046, 16 ch.
Ojampah, Ayigya, POB 4640, 12 ch.
Justice, Amokom, POB 3583, tél. 225.25, 39 ch.
Kings, Ahodwo, POB 8803, tél. 224.90, 16 ch.
New Orleans, Danyame, POB 4575, tél. 259.66, 18 ch.
Abidjan, Dichemso, POB 3053, 16 ch.
Aduana, Asokwa, POB 55193, 4 ch.
Airport, New Tafo, POB N 138, 16 ch.
Ashfood, Bantama, POB 950, 21 ch.

MOLE NATIONAL PARK (Northern Region), ind. tél. 071
Mole Hotel, Damango, POB 8, tél. 22.563, 35 ch. en bungalows, bar, restaurant.

NAKPANDURI (Northern Region)
Rest-House.

NKAWKAW (Eastern Region), ind. tél. 0842
Afoanima, Atibie, Nkawkaw Road, POB 76, tél. 33, 15 ch.
Betrams, POB 41, 12 ch.
De Ship, POB 229, tél. 20.90, 12 ch.
Okoman, POB 400, tél. 21.63, 10 ch.
Starlight, POB 174, 17 ch.
Top Way, POB 285, 12 ch.

OBUASI (Ashanti Region), ind. tél. 0582
Palmers Palace*, POB 6, tél. 287.
Adansiman, POB 515, tél. 290, 19 ch.
Adom Wo Wim, POB 560, 16 ch.
Akoma Guest-House, POB 497, 6 ch.
Confidence Guest-House, POB 89, 13 ch.
Black Star, POB 201, 11 ch.
Ceci's, POB 156, 7 ch.
Falizar Guest-House, POB 48, 6 ch.
Georgina Guest Inn, POB 204, 7 ch.
New Paradise, POB 534, tél. 283, 14 ch.

SALTPOND (Central Region), ind. tél. 042
Nkubeim, POB 286, tél. 108, 15 ch.
Palm Beach, 15 ch.

SEKONDI-TAKORADI (Western Region), ind. tél. 031
Hill Crest***, POB 634, tél. 22.277, fax 24.381, 18 ch.

LANGUE ET LEXIQUE (suite de la p. 212)

je voudrais manger : maih-didi
du poulet : akukau
je voudrais boire : mi-peuh
bribi hanon
de la bière : birr
de l'eau : n'sou
devant : de-nim
derrière : neu-tchili
hier : enn'rra
demain : otchinââ
je vais me coucher : mi-ko-da
combien cela coûte-t-il ? :
sai-ahi ?
c'est trop cher : ni-bou ye
dê-pââ
je cherche : mi-pê
un : bââko
deux : mie-nou

trois : miensâ
quatre : inann
cinq : inoum
six : nsiâ
sept : nsoh
huit : nwotchi
neuf : nkroh
dix : idou
vingt : aedouonou
cent : oha
mille : apim
lundi : dzoada
mardi : binada
mercredi : woukouadajeudi :
yawada
vendredi : fiada
samedi : miminida
dimanche : kwasiada

Animens**, Takoradi, POB 0475, tél. 24.676/7, 18 ch.
Westline**, Takoradi, POB 0408, tél. 24.676, fax 24.145, 20 ch.
Ahenfie**, Takoradi, POB 0684, tél. 22.966, 53 ch.
Atlantic*, Takoradi, POB 273, tél. 233.104, 65 ch.
Devon*, Apremdo-Takoradi, POB 903, tél. 2194, 14 ch.
Lagoon Side*, Sekondi, POB 192, tél. 26.879, 24 ch.
Palme*, Apremdo-Takoradi, POB 874, tél. 24.596, 12 ch.
Western Palace*, Takoradi, POB 62, tél. 3601, 25 ch.
Western Home*, Takoradi, POB 322, tél. 23.728, fax 23.354, 18 ch.
Arvo, Takoradi, POB 0269, tél. 21.530, 24 ch.
Amenia, Takoradi, POB 0208, tél. 22.543, 20 ch.
Apollo II, Apremdo-Takoradi, POB 0242, tél. 23.771, 13 ch.
Brotherhood, Takoradi, POB 0470, tél. 24.734, 18 ch.
Embassy, POB 0628, tél. 23.09, 18 ch.
De Star, Takoradi, POB 980, tél. 23.615, 17 ch.
Majestic, Sekondi, POB 841, tél. 46.784, 20 ch.
Manukof, Takoradi, POB 0591, 14 ch.
Kwakwaduam, Takoradi, POB 0368, tél. 23.296, 16 ch.
New Mexico, Takoradi, POB 0511, tél. 2106, 5 ch.
Peace Guest-House, Takoradi, POB 239, tél. 24.692, 4 ch.
Super Gardens, Kojokrom-Sekondi, POB 638, 12 ch.
Valley, Sekondi, POB 812, tél. 66.66, 18 ch.
Whin River, Apremdo-Takoradi, POB 01095, tél. 40.74, 5 ch.
Katelove, Sekondi, POB 801, tél. 26.720, 12 ch.

SOGAKOPÉ (Volta Region), ind. tél. 0968
Cisneros**, POB 96, tél/fax 311, 65 ch.
Volta View, POB 77, 25 ch.

SUNYANI (Brong-Ahafo Region), ind. tél. 061
Tropical*, POB 507, tél. 71.79, 40 ch.
Catering Rest-House, POB 180, 8 ch.
Ebenezer, POB 70, tél. 619, 12 ch.
de Nimpone, POB 73, 17 ch.
de Petra, POB 1262, 16 ch.
South Ridge, POB 821, tél. 70.77, 12 ch.
Tata, POB 487, tél. 511, 24 ch.
Catholic Pastoral Centre, POB 450, tél. 7396, 104 ch.
Nombreux petits hôtels à Berekum : *Adjei, Asie, du Memorial, Damoah, Do Good, Nyame Nnae Inn, Continental.*

TAMALE (Northern Region), ind. tél. 071
Catering Rest-House*, POB 247, tél. 29.78, 35 ch., bar, restaurant.
Al Hassan, POB 73, tél. 22.834, 38 ch.
Atta Eddibi, POB 233, tél. 22.569, 17 ch.
Catholic Guest-House, POB 18, tél. 22.267, 24 ch.
Las, POB 121, tél. 22.17, 22 ch.
Maacos, POB 900, tél. 22.267, 12 ch.
Miricha, POB 739, tél. 22.739, 10 ch.

TARKWA (Western Region), ind. tél. 0392
Lynka**, POB 267, tél./fax 412, 12 ch.
Get In Touch*, POB 105, 11 ch.

TECHIMAN (Brong-Ahafo Region), ind. tél. 061
Agyeiwaa, POB 35, tél.20.74, 26 ch.
Ananwoma Lodge, POB 26, 5 ch.
Atomic Paradise, POB 27, 24 ch.
Ebenezer, POB 99, 7 ch.
Emmanuel Inn, POB 23, Sunyani, tél. 20.73, 12 ch.
Khakito, POB 245, 10 ch.
Nyame Nnae, POB 67, 7 ch.
St Michael's Lodge, POB 85, 8 ch.

TEMA (GREATER ACCRA REGION), ind. tél. 022
Courtesy Inn.**, POB 8141, tél. 41.52, fax 4152, 15 ch.
Nick Hotel**, POB 11.105, tél. 45.94, 10 ch.
Seli Guest-House, POB 191, tél. 55.022, fax 61.10.
Page Hotel, Community 8, POB 1182, tél. 60.98, 10 ch.
Et aussi de nombreux petits hôtels : *Mac Barm, Palace, Ahomka, Oceana Lodge, Friends Club, Oak Royal, Apple, Coco Beach* (à Nungua), etc.

TUMU (Upper-West Region)
Lims, POB 16, 13 ch.

WA (Upper-West Region), ind. tél. 0756
Upland**, POB 308, tél. 180, 30 ch., bar, restaurant.
Du Pond, POB 348, 9 ch.
Kunateh Lodge, POB 11, tél. 22.102, 14 ch.
Lambert, POB 295, 10 ch.
Seinu, POB 144, tél. 257, 11 ch.
Last Penny, 27 ch.

WENCHI (Brong-Ahafo Region), ind. tél. 061
Baah, POB 43, 35 ch.
Kaff Guest-House, POB 14, tél. 244, 4 ch.

WINNEBA (Central Region), ind. tél. 041
Sir Charles Beach Resort, POB 108, tél. 04.32/21.89, 62 ch.
Yeenuah, POB 297, 18 ch.
Thursday Guest-House, Swedru, POB 297, 3 ch.

spécial
voyages d'affaires

Avant d'entreprendre tout voyage d'affaires au Ghana, il faut accomplir un certain nombre de formalités, se documenter sur les « créneaux » du marché ghanéen qui vous intéressent, les pratiques des milieux d'affaires du pays, les moyens de transport et de distribution, les financements, les possibilités d'investissements directs, etc.

Dans les lignes qui vont suivre, vous trouverez un petit mémo succinct des différences adresses, en France, et au Ghana, qui pourront vous être utiles : *Ambassade du Ghana*, 8, villa Saïd, 75016 Paris, tél. 01.45.00.09.50.

Aide aux exportateurs français :

Ministère du Commerce Extérieur, 8, rue Tour des Dames, 75436 Paris, tél. 01.44.63.25.25, fax 01.44.63.26.67.

Ministère de l'Économie et des Finances : DREE (Direction des Relations Economiques Extérieures), 139, rue de Bercy, 75012 Paris, tél. 0.40.04.04.04 ; DGDDI (Direction Générale des Douanes et Droits Indirects), Centre de renseignement des douanes et droits indirects, 23 bis, rue de l'Université, 75007 Paris, tél. 01.40.04.04.04.

Centre Français du Commerce Extérieur (CFCE), 10, avenue d'Iéna, 75016 Paris, tél. 01.40.73.30.00.

Banque Française du Commerce Extérieur (BFCE), 21, bd Haussmann, 75009 Paris, tél. 01.48.00.48.00, fax 01.45.23.10.56.

Comité Français des Manifestations Économiques à l'Étranger (CFME) (même adresse que CFCE).

Agence pour la Coopération Technique Industrielle et Économique (ACTIM), 14, avenue d'Eylau, 75016 Paris, tél. 01.44.34.50.00.

Société pour l'Expansion des Ventes de Produits Agricoles et Alimentaires (SOPEXA), 43-45, rue de Naples, 75008 Paris, tél. 01.44.69.40.00, fax 01.44.69.40.71.

Compagnie Française d'Assurance pour le Commerce Éxtérieur (COFACE), 5, rue Alfred de Vigny, 75008 Paris, tél. 01.47.64.61.61, fax 01.47.64.61.62.

Organisations professionnelles françaises :

Elles sont souvent dotées de services export ou d'observatoires économiques traitant des économies et marchés étrangers : *Conseil National du Patronat Français* (CNPF), qui organise, entre autres, des missions de chefs d'entreprise à l'étranger, 31, av. Pierre Ier de Serbie, 75016 Paris, tél. 01.40.69.44.44, fax 01.47.23.47.32.

Confédération générale des PME (Petites et Moyennes Entreprises), 10, terrasse Bellini, 92806 Puteaux, tél. 01.47.62.73.73

Transport aérien international :

Toutes les grandes compagnies régulières internationales desservent le Ghana ont des classes « affaires » particulièrement confortables et dont la qualité du service équivaut maintenant à la « 1ere ».

Par ailleurs, ces compagnies organisent des vols « cargo » permettant d'acheminer rapidement le fret provenant ou à destination du Ghana.

Ghana Airways, Ghana Airways Avenue, POB 1636, Accra, tél. 77.33.21. Aéroport, tél. 77.56.34 (Londres, New York, Düsseldorf, Dakar, Cotonou, Banjul, Freetown, Conakry, Harare).

Ethiopian Airlines, Cocoa House, Kwame Nkrumah Avenue, POB 3600, Accra, tél. 66.48.56. Aéroport, tél. 77.51.68 (Abidjan, Addis Abeba, Nairobi, Brazzaville, Lagos, Douala, Robertsfield).

Nigerian Airways, Danawi Building, Kojo Thompson Road, POB 9068, Accra, tél. 22.37.49. Aéroport, tél. 77.61.71 Ext 460 (Lagos, Abidjan, Robertsfield, Freetown, Banjul).

KLM, Republic House, North Ridge, POB 2223, Accra, tél. 22.40.20, 22.40.50. Aéroport, tél. 77.65.09.

Aeroflot Russian Airlines, Caledonia House, Kojo Thompson Road, POB 9449, Accra, tél. 22.56.04 (Moscou, Tripoli, Vienne, Malte). Aéroport, tél. 77.73.90.

British Airways (BA), Caledonia House, Kojo Thompson Road, POB 2087, Accra, tél. 66.37.37 (Londres, Abidjan, Lagos).

Air Afrique, Cocoa House, Kwame Nkrumah Avenue, POB 539, Accra, tél. 66.41.22. Aéroport, tél. 77.74.14 (Abidjan, Cotonou, Lomé).

Balkan Airlines, 46 Sobukwe Road, POB 1176, tél. 22.21.79 (Sofia, Lagos, Accra).

American Airlines, Castle Road, Ridge, tél. 23.18.04, fax 23.18.06.

Air Ivoire, Trinity House, Ring Road East, tél. 22.46.66 (Abidjan, Accra).

Lufthansa, 34 North Ridge, tél. 22.10.86, fax 23.18.06.

Middle East Airlines, Caledonia House POB 3998, tél. 23.08.67 (Beyrouth, Lagos).

Alitalia, Ring Road Central, tél. 22.78.73 (Rome, Lagos, Accra).

Egypt Air, Ring Road East, POB 2943, Accra, tél. 77.65.86 (Le Caire).

Swissair, Pegasus House, 47, Independence Avenue, POB 1808, Accra, tél. 66.33.36/66.26.79 (Zurich, Genève, Abidjan, Lagos).

Pages précédentes :
Principale artère d'Accra, la rue du 28-Février
part de l'Arc de l'Indépendance
et relie le quartier des ministères
au quartier des commerces, en centre-ville.

La langue des affaires :
Dans toute négociation, hommes d'affaires et hauts fonctionnaires ghanéens utilisent l'anglais, langue officielle du pays.

Heures d'ouverture :
Les ministères et administrations ouvrent de 8 h à 12 h et de 14 h à 17 h. Les ambassades et consulats ne respectent pas tous les mêmes horaires, qui varient entre 7 h 30 et 16 h. Les banques ouvrent de 8 h 30 à 13 h, du lundi au jeudi, de 8 h 30 à 15 h le vendredi.

Réceptions/conférences :
Outre l'ancien *Kwame Nkrumah Conference Centre*, la capitale est équipée d'un magnifique *Palais des Congrès*, en plein cœur du quartier des administrations (à côté du stade et des ministères). Occupant plus de 15 000 m², cet immense et luxueux édifice abrite une grande salle de 1 600 places (avec une scène, des projecteurs de cinéma et des équipements pour la traduction simultanée), deux salles de commissions (208 sièges chacune), trois salles de réunions (de 40 à 70 places), six cafétérias. POB C 1054, tél. 66.96.00, fax 66.91.59.
Différents hôtels de la capitale disposent également de salles de conférences (voir notre sélection d'hôtels).

Foires/Expositions :
A l'est d'Accra, dans le quartier Labadi, s'élèvent les bâtiments de l'*International Trade Fair*. D'importantes expositions internationales (surtout industrielles) s'y tiennent régulièrement.

Organisations internationales :
Banque internationale pour la Reconstruction et le Développement (BIRD), 3, Independence Link, POB M 27, tél. 22.98.61.
Caisse Française de Développement , 8th Rangoon Close, POB 9592, tél. 22.51.40, fax 22.96.80.
Organisation Mondiale de la Santé, 20 Water Road, North Ridge, POB 142, tél. 22.52.76.
Union Européenne, the Round House, 65, Cantonments Road, POB 9505, tél. 77.42.36.
Organisation de l'Union Commerciale de l'Unité Africaine (OATUU), 4 Aviation Road, POB M 386, tél. 77.45.31.
Poste d'Expansion Économique de l'Ambassade de France, POB 142.
UNDP (Programme de Développement des Nations-Unies), Ring Road East, POB 1423, tél. 77.38.90.
Centre d'Information des Nations-Unies, POB 2339, tél. 66.68.51.

Ambassades et consulats :
Afrique du Sud, Golden Tulip Hotel, tél. 77.53.60.
Allemagne, Valdmosa Lodge, 7th Avenue, tél. 22.13.11.
Angleterre et Irlande du Nord, Osu Link, tél. 22.16.65.
Arabie Saoudite, 10 Noi Fetreke Street, tél. 77.66.51.
Belgique, POB 7475, tél. 77.65.61.
Canada, Independence Avenue, POB 1639, tél. 22.85.55.
Chine, 6 Agostino Neto Road, tél. 77.46.11.
Egypte, près de Cantonments Road, tél. 77.45.27.
Espagne, Lamptey Avenue, tél. 77.40.04.
États-Unis, Ring Road East, tél. 77.53.47.
France, 12th Road/Liberation Avenue, POB 187, tél. 22.85.71.
Hollande, 83 Liberation Road, Thomas Sankara Circle, tél. 77.36.44.
Italie, Jawaharlal Nehru Road, tél. 77.55.36.
Japon, Tito Avenue, tél. 77.56.15.
Nigeria, Tito Avenue, tél. 77.61.58.
Suisse, North Ridge, tél. 22.81.25.

Organismes d'État ou paraétatiques :
Ministère des Finances, POB M 40, Accra, tél. 66.54.21, fax 66.70.69.
Ministère du Gouvernement Local et du Développement Rural, POB ML 50, tél. 66.54.21, fax 66.79.11.
Ministère du Commerce et de l'Industrie, tél. 66.73.82, fax 66375.
Ministère du Tourisme, POB 4386, tél. 66.63.14, fax 66.61.82.
Ministère de la Communication, POB M 41, tél. 22.80.11, fax 22.98.76.
Office du PNDC, POB 1627, tél. 66.54.15.
Ghana Investment Centre, tél. 66.51.25, fax 66.38.01.
Ghana Export Promotion Council, POB M 146, tél. 66.82.63, fax 66.83.63.
Ghana Tourist Development Company, POB 41, fax 77.20.93.
Ghana Ports & Harbours Authority, Tema, tél. 0221-26.31/9, fax 28.12.
Ghana Railways C°, Takoradi, tél. 031-2181.
Ghana Cocoa Board, Accra, tél. 66.74.16, fax 66.71.04.
Social Scurity and National Insurance Trust. Investisseur institutionnel du Ghana (cherche des partenaires pour l'immobilier, le tourisme, les transports publics), POB M 149, tél. 66.77.31, fax 66.22.66.

Cabinet juridique, audit-comptable :
K PMG Mobil House, Liberia Road, POB 242 AC, tél. 66.48.81, fax 66.79.09.

*Le théâtre national d'Accra, comme le Palais des
Conférences, s'inspire du style architectural
moderne adopté dans toutes les grandes villes.
Tous les deux sont dotés de l'équipement audiovisuel
sans lequel il n'est plus de réunions internationales.*

Cabinet Comptable et Juridique, Price Waterhouse, Opeiba House, Liberation Road.
Ghana Export Promotion Council, Republic House, POB M 146, tél. 66.82.63, fax 66.83.63.

Publications utiles :
Survey Department, (cartes géographiques, géologiques).
Bureau Central des Statistiques, publie l'index des prix et différentes analyses sur la balance commerciale du Ghana.
The Exporter (publié par le Ghana Export Promotion Council).
Ghana Stock Market Review, publié par Databank, tél. 66.91.10, fax 66.91.00, organisme d'étude du Stock Exchange, de conseils en matière d'investissements et de montages financiers.
Ghana Official New's Bulletin, mensuel.
Gold and Diamonds in Ghana, brochure publiée par Minerals Commission, The State House, POB M 248, tél. 66.29.86.

Principales banques :
Bank of Ghana, POB 2674, tél. 66.69.02.
Ghana Commercial Bank, POB 134, tél. 66.49.14-9.

Barclays Bank, POB 2949, tél. 66.49.01.
Standard Chartered Bank, POB 768, tél. 66.35.60.
Merchant Bank, POB 14-596, tél. 22.10.56.
National Investment Bank, POB 3726, tél. 66.93.01.
Agricultural Development Bank, POB 4191, tél. 66.27.58.
Bank of Credit & Commerce, POB 11011, tél. 22.80.01.
Ghana Cooperative Bank, POB 5292, tél. 66.85.17.
Ecobank, Private Mail Bag Ridge, tél. 22.95.32, fax 23.19.34.
A noter que *Ecobank*, formé pour 42 % d'investisseurs ghanéens et pour 58 % par *Ecobank Transnational Incorporated* siègeant à Lomé, touche ainsi de près par cette dernière à une institution bancaire émanant de l'initiative de la Fédération des Chambres de Commerce de l'Afrique de l'Ouest (Ecowas) groupant le Togo, le Nigeria, la Côte d'Ivoire, le Ghana et le Bénin. Elle a donc particulièrement son utilité pour cette société qui envisagerait de travailler conjointement dans ces différents pays.

UN GHANÉEN TRANQUILLE : KOFI ANNAN

Désigné à l'unanimité le 13 décembre 1996 comme secrétaire général de l'ONU par ses collègues du Conseil de Sécurité, Kofi Annan a surpris le monde entier qui n'avait guère entendu parler de lui jusqu'ici. Pourtant cet homme tranquille, après des études à l'université de Kumasi où il est né en 1938, puis à l'Institut des Hautes Études Internationales de Genève, ce qui lui a permis d'apprendre le français, n'a cessé de se diriger sans hâte, mais sans hésitation vers une haute carrière dans la politique internationale.
Qu'il passe des rouages onusiens de New York à ceux de Genève dans l'OMS ou qu'il fasse escale dans son pays pendant deux ans, de 1974 à 1976, comme directeur de la Ghana Tourist Company, n'y change rien : depuis le début des années 70, il n'a cessé en fait de s'initier à tous les aspects de l'administration internationale.
Revenu à Genève au Haut-Commissariat aux Réfugiés, il se fait remarquer par son efficacité pendant la guerre du Golfe quand il doit débrouiller la situation de tous ceux, travailleurs émigrés ou fonctionnaires internationaux, qui se trouvent bloqués dans la région.
Plus tard, c'est en Bosnie qu'il fait ses preuves de grand médiateur, dans une position qui ressemble plus à un piège qu'à une promotion. Là encore, il s'en tire avec l'estime de tous, s'imposant peu à peu comme le meilleur successeur de Boutros Boutros-Ghali.
Kwame Nkrumah rêvait de porter le Ghana à la première place : c'est ce que vient de réaliser Kofi Annan, à sa manière calme et discrète.

International Commercial Bank Ld, Makola.
Market Complex, POB 20057 Accra, tél. 66.61.90, fax 66.82.21, banque à capitaux malais, en exercice depuis avril 97, ouverte jusqu'à 17 h le lundi et le vendredi.
Metropolitan Allied Bank Ltd, Valco Trust House, Castle Road POB C 1778, tél. 233.27.70, fax 23.27.28.

Transitaires :
Umarco Ghana Limited, POB 215 Tema, tél. 4031.
Scanship, CFAO Building, POB 1705 Accra, tél. 66.67.61 ou POB 587 ; à Tema, tél. 2651.
Delmas Agencies, 3, Fishing Harbour Road, POB B 57 Tema, tél. 2332, fax 71.29.36.
Maersk Limited, au port de Tema près de Umarco, installé depuis mars 1991.
Five Oceans Lines Ltd, Kwame Nkrumah Avenue, POB 6876, tél. 22.72.08.

Instituts de recherche :
I.R.H.O, c/o Ghana Oil Palm Development Corporation, POB M 428 Accra, tél. 66.75.13.
Institut de Recherche sur le caoutchouc, c/o Ambassade de France, POB 187 Accra, tél. 22.85.04 ou c/o Ghana Rubber Estate POB 228 à Takoradi, tél. 2576, tx 2656.
Bureau de Recherche Géologique et Minière, c/o Faablin Ltd, Accra, POB 7686, tél. 22.58.21.*Bureau Veritas,* même adresse, N. K/Sena.

Présence française au Ghana :
SCOA, POB 193 Accra, tél. 66.39.71, fax 66.27.02.
CFAO, POB 70 Accra, tél. 66.41.11, fax 66.85.84.
L'Air liquide, POB 1819, tél. 22.19.19, fax 22.19.86.
Total, POB Accra North Post Office, tél; 77.23.09.
Detolle, POB 1016 Tema, tél. 0221.
Renault vehicules industries and automotive and technical services, POB 1635 Accra, tél; 22.63.00, fax 66.90.61.

Services communication & recherches :
Bespa Services & Centre de Communication, Private Mail Bag, Accra-Nord, tél. 50.20.24, fax : 50.20.26, E mail Bespa @ ug.gn.apc.org. Téléphone, service d'appels et de réception de messages, fax, E mail, photocopies, photos instantanées d'identité, secrétariat, délivrance de lettres à domicile, etc., tél. 50.29.92.
Perry & Terry Communication, PMOB C 1835, Cantonments, Accra, tél. 50.14.83, fax 50.14.84 : téléphone, fax, photocopies, secrétariat, services postaux.

Ekwiti, 15 Lami Dwane Saint Adenta, Accra, tél. 50.29.92, mobitel 027.540016. Textes publicitaires, documentaires, vidéos, films, location et vente d'équipements d'éclairage, équipement d'enregistrement de son, etc.
Jacob Anang Tetteh, sociologue, c/o Bespa Services Pivate Mail Bag, Accra Nord, fax 21.50.14.84. E mail Bespa @ ug.gn.apc.org. : recherches sur tous sujets socio-économiques, tourisme, arts et culture, etc.

P.T.T.
Au *General Post Office,* qui fait le coin de Pagan Road et de Lutteroot Circle, expédition de courrier et de colis postaux. Téléphone international, télégrammes, télex et télécopie à l'annexe, High Street.

Agences de publicité :
Apple Pie Publicity, Kokomlenle, POB 10840, tél. 22.54.95 (panneaux publicitaires, impression sur soie, stand d'exposition, badges) ; Media N° 1 à Osu, POB 3473, tél. 77.40.85, fax 77.43.66 (conception publicitaire, TV commerciale, encarts dans la presse, etc.).

INVESTIR AU GHANA
1992 a représenté un tournant économique délicat pour le Ghana puisqu'il passait d'un régime militaire à une démocratie à base d'élections libres. Il a donc bien fallu assouplir quelque peu un programme économique austère. Une montée de l'inflation, une baisse de croissance en ont été les conséquences prévisibles, peu à peu jugulées, malheureusement au prix de sacrifices dont l'homme de la rue, c'est-à-dire le citadin chômeur, comme dans le monde entier, est le premier à faire les frais. Malgré les progrès réalisés comme une croissance tournant autour de 5 %, les investissements privés, qu'ils viennent d'étrangers ou de nationaux, restent insuffisants pour que le pays puisse se comparer aux « dragons » triomphants d'Extrême-Orient.
En 1990, une bourse des valeurs (Stock Exchange) avait ouvert ses portes après un arrêt de vingt ans. Début 1997, elle côtait une vingtaine de valeurs (Stock Exchange, Cedi House, Liberia Road, tél. 66.99.08).
Il faudrait créer davantage d'entreprises privées pour assurer l'essor économique du pays. C'est pourquoi a été mis en place un train de réformes intéressant tout investisseur potentiel.

Décret de Promotion des Investissements :
En septembre 1994, un décret de promotion des investissements (Investment Promotion Centre Act) a remplacé l'an-

*Ancienne capitale de la Gold Coast,
au temps des Britanniques,
Cape Coast semble s'être assoupie
depuis qu'elle a été supplantée
par Accra.*

cien Code des Investissements de 1985. Des organismes comme le Ghana Investment Promotion Centre ou GIPC (Centre de Promotion des Investissements) ou The Registrar General's Department (Département du Registre Général) furent également créés pour en faciliter la mise en œuvre. En effet toute nouvelle compagnie doit demander son homologation, par l'intermédiaire d'un notaire ou d'un avocat, au Registre Général. Un certificat d'enregistrement est ensuite délivré par le GIPC dans les cinq jours après réception du formulaire spécial rempli, ainsi que de la copie du réglement de la compagnie et la preuve qu'elle dispose du capital étranger minimum requis.

Ceci représente un assouplissement important de la réglementation puisqu'est supprimé l'accord préalable de l'Etat pour les étrangers voulant investir (sauf dans les secteurs pétroliers et minier). De même le capital requis pour les associations (joint-ventures) entre investisseurs étrangers et PME locales a été diminué (10 000 $ au lieu de 60 000). Pour les sociétés étrangères voulant s'implanter sans association avec des locaux, ce capital a été ramené de 100 000 $ à 50 000. L'impôt a été également réduit à 8 % au lieu de 35 dans les secteurs autres que le cacao, l'or, le bois, le diamant, 25 % pour les hôtels ; les importations concernant l'équipement des usines et les machines sont exonérées de frais de douane, comme les investissements de recherche et de développement. Les bénéfices et les dividendes sont librement transférés hors du pays, tandis qu'est donnée la possibilité de recruter du personnel expatrié en fonction du capital investi. Les modalités de ce nouvel Act sont garanties par le fait que le Ghana fait partie de la MIGA (Agence multilatérale pour la garantie de l'investissement) émanant de la Banque Mondiale. En 1994, a été également créé un Bureau d'Investissements à Londres, tandis que se tiennent à Accra des forums d'investissement international destinés à favoriser la mise sur pied de projets d'associations ou d'implantations très variés, en particulier dans les secteurs agro-industriel, touristique, chimique, etc.

Parallèlement à cette politique d'incitation à l'égard des investisseurs étrangers, rappelons que s'est développé un processus de privatisation provoquant un important appel de fonds, de la part des étrangers comme des Ghanéens.

Pour plus de détails sur les facilités accordées aux investisseurs, ceux-ci peuvent consulter les services de leur ambassade ou le Ghana Investment Promotion Centre, POB M 193 Accra, tél. 66.51 125/9 ou le Registrar General's Department POB 118, Accra, tél; 66.64.69. Ou encore le Divestiture Implementation Committee (DIC) organisme directement concerné par les privatisations, F35 Ring Road East, North Labone, POB C 102, tél. 77.20.49, fax 77.31.26, E-Mail dicgh @ ncs.com.gh.

Le rôle des zones franches :

Comme il a été dit dans notre chapitre Economie, la création de zones franches destinées à déelopper les noyaux industriels existant déjà, autour des ports et de Kumasi, par le Free zone Act 504, va exactement dans le même sens que l'Investment Promotion Centre Act, puisqu'il vise essentiellement à créer des îlots où les investisseurs étrangers trouveront les conditions les plus favorables sur le plan financier comme celui de l'infrastructure. Souhaitons au Ghana que ce nouvel outil lui permette de réaliser son ambition de devenir la « porte ouverte » sur l'Afrique occidentale et son union commerciale. Pour tous renseignements concernant les zones franches, consulter le Secrétaire exécutif du Bureau des Zones Franches (Executive Secretary Free Zones Board) au Ministère du Commerce et de l'Industrie à Accra, tél. 78.05.34 ou 5, fax 78.05.36 ou le Directeur du service des informations, tél. 227 102/228011 ext. 125, fax 22.80.89.

LES HÔTELS D'AFFAIRES

Labadi Beach Hotel à La (anciennement *Labadi*)*****, POB 1, tél. 77.25.01, fax 77.25.20. S'il ne possède pas comme le Novotel l'avantage d'être au cœur de la ville, le fait d'être en face de la Foire Internationale et non loin de l'aéroport, sur la route de Tema est un argument de poids. Et naturellement, il est équipé de tous les services de secrétariat et de communication indispensables à un homme d'affaires, sans parler de salles de conférences et de repas d'affaires.

Golden Tulip (anciennement *Continental*)****, PB 16033, tél. 77.53.60, fax 77.53.61, également pourvu de tous les services du secrétariat et de télécommunications, salles de conférences aussi bien que d'installations de détente (piscine, tennis, golf, casino) ou boutiques de toutes sortes.

Novotel***, Barnes Road, POB 12720, tél. 66.75.46, fax 66.75.33, 200 ch. avec sdb, climatisées, TV et vidéo, téléphone international, service en chambre 24 h/24 h. Business Centre avec télex, fax, secrétariat, photocopie, traductions, agence de voyage, agence de location de voiture. Piscine, tennis, restaurant avec un chef français, deuxième restaurant près de la piscine. Deux salles de conférences pouvant se partager en 5, avec équipement audiovisuel. Ouvert en 1988, le Novotel fut longtemps le seul rendez-vous des hommes d'affaires. Remarquablement situé : la circulation automobile étant ce qu'elle est à Accra, on a parfois intérêt à aller à pied à certains rendez-vous dans la partie basse de la capitale, dans laquelle se trouve l'hôtel.

Shangri-La***, POB 9201, Liberation Road, près de l'aéroport et de l'échangeur de Tetteh Quarshie Circle, tél. 77.75.00, fax 77.48.73, 52 ch. clim., sdb, restaurant, piscine, tennis, gymnase avec salle de sauna, très jolis jardins, à côté d'un terrain de polo et d'une école d'équitation, discothèque, location de voiture, service de secrétariat (traitement de texte, photocopie, fax, télex, traductions), salle de conférences pour 100 personnes. Avantage de ce petit hôtel, son calme et aussi un décor de très bon goût qui fait largement appel à la sculpture africaine. Son désavantage, un éloignement du centre devient un formidable atout pour ceux qui ont surtout des affaires à régler à Tema : l'autoroute est à côté.

Wangara***, tél. 77.25.25, fax 77.24.38, G près de l'artère périphérique de Ring Road East, sur Labone Crescent, également équipé de tous les services de secrétariat et de communication, salles de conférences et repas d'affaires.

Sunrise Hotel**, Northridge, 7th Avenue, POB 2287, tél. 22.45.71, fax 22.76.56, 19 ch. climatisées, sdb, restaurant, piscine, tennis, service de secrétariat avec photocopie, télex, fax, petite boutique, orchestre le soir, voitures en location. Calme, dans un joli quartier résidentiel enfoui sous la verdure.

North Ridge Hotel**, North Ridge, 8th Avenue à proximité de Ring Road, POB 1365, tél. 22.58.09, 31 ch. clim., sdb, restaurant, service de bus, service de secrétariat, salle de conférences.

Blue Angels Guest-House, Dzorwulu, dans Accra-Nord, POB 0427, tél. 77.23.52, modeste pension de famille qui propose un service de secrétariat avec fax (même numéro que le téléphone : 77.23.52). Une dizaine de chambres avec douches.

A noter des endroits propices à l'organisation de conférences, comme le Conference Centre, le Théâtre National, l'Université de Lagon, le Musée et le British Council.

ACCRA, VILLE DE CONGRÈS

En plus des hommes d'affaires et des touristes, Accra accueille les congressistes. En effet, la capitale du Ghana s'est dotée d'un magnifique palais des congrès implanté en plein centre-ville, dans le quartier des ministères et à deux pas des grands hôtels (Novotel, Labadi, Golden Tulip, etc.)

Par son architecture — qui évoque l'Art Déco des années 1925-30 — et sa couleur rose, cet imposant édifice qui a ouvert ses portes au cours de l'été 1991, figure d'emblée parmi les plus beaux monuments de la ville. L'intérieur offre un visage aussi raffiné que l'extérieur et s'ouvre par un grand hall, décoré d'une immense fresque, due au talent du peintre yougoslave Atelje Delalle. En utilisant des matériaux précieux — marbre, bois tropicaux, tissus de qualité —, l'architecte, M. Ganovic, a voulu offrir à ses hôtes qui se réuniront en congrès à Accra, un cadre digne de cette hospitalité proverbiale dispensée par les Ghanéens.

Mais ce palais des congrès est aussi un outil de travail fonctionnel, doté d'équipements sophistiqués : une immense salle de spectacles et de congrès offre 1 600 places (équipée pour la traduction simultanée, le cinéma, la vidéo et dont l'acoustique très étudiée permet d'y organiser des concerts) ; deux salles de comité de 208 places chacune et deux petites salles de réunions peuvent accueillir de 40 à 70 personnes assises. Entre les séances, les congressistes se restaurent dans l'une des six cafétérias installées aux différents niveaux de l'édifice.

Attendre qu'un « tro-tro », véhicule de transport
en commun, soit plein à craquer pour prendre le départ
ne dure pas trop longtemps de grande ville à grande ville.
C'est une autre affaire quand il s'agit de
se rendre dans un village peu fréquenté !

index

Cet index comprend les sites, lieux, cours d'eau faisant l'objet d'une description. Ceux qui justifient une rubrique particulière sont indiqués en gras.

KOO NIMO AMBASSADEUR DE LA CULTURE GHANÉENNE

Daniel Amponsah, technicien chimiste à l'université de Kumasi, est en même temps le célèbre Koo Nimo, l'un des musiciens les plus appréciés du Ghana.
Il a également acquis une juste renommée dans d'autres pays voisins, ainsi qu'en Grande-Bretagne où il a contribué largement à faire connaître la culture ashanti en publiant avec Joe Latham, professeur à l'Université de Glasgow, Ashanti Ballads, traduction en anglais des chants qui font partie de son répertoire. Car ces poèmes en musique sont bien plus que de simples textes de divertissement. Depuis vingt ans, il en a réuni plus de 80 en twi, le langage ashanti, et les a enregistrés, à la fois pour les garder à l'abri de l'oubli toujours possible et pour mieux les faire connaître en dehors de leur aire originelle. Cet homme, au sourire où se mêlent l'humilité, la simplicité et la bonté, se dévoue maintenant à cette tâche, tout en se penchant systématiquement sur les plus défavorisés pour lesquels il va fréquemment se produire, comme les malades des léproseries ou différents handicapés.
Né en 1934 dans le village ashanti de Foase, Daniel Amponsah appartient à une famille de musiciens : son père était guitariste et trompettiste, sa mère choriste dans une église méthodiste. Quant à sa sœur, elle épousa le frère de l'Asantehene, roi des Ashanti, ce qui permit au jeune homme de « baigner dans la tradition » selon ses propres termes.

Pages suivantes :
Pimpantes et bariolées, ces lourdes pirogues d'Abandze, près de Cape Coast, sont dirigées de main de maître par les pêcheurs, qui n'hésitent pas à affronter la « barre » des vagues.